PARLO ITALIANO PER INGLESI

Rosa Anna Rizzo

I Speak Italian

Manuale di conversazione con pronuncia figurata

AVALLARDI

Antonio Vallardi Editore s.u.r.l.
Gruppo editoriale Mauri Spagnol

www.vallardi.it

Per essere informato sulle novità del Gruppo editoriale Mauri Spagnol visita:
www.illibraio.it
www.infinitestorie.it

Prima edizione: 1991

Ristampe: 13 12 11 10 9 8 7 6 5 4
2016 2015 2014 2013 2012

ISBN 978-88-7887-102-1

SOMMARIO

SOMMARIO

1 • THE BASICS OF LANGUAGE

Alphabet, pronunciation and phonetic transcription

You will find the pronunciation of the Italian letters and sounds explained below, as well as the symbols which have been used for them in the transcriptions.
Given the complexity of pronunciation in Italian, we give here some draft information.
When reading the imitated pronunciation stress the part that is marked by a line indicating the accent. Pronounce each syllable as if it formed part of an English word and you will be understood. Remember the points below and your pronunciation will be even closer to the correct Italian.

The Italian alphabet

The Italian language possesses twenty-two letters, of which *a, e, i, o, u* are vowels; the others are consonants.

a	*ah*	m	*aymmay*
b	*bee*	n	*aynnay*
c	*chee*	o	*oh*
d	*dee*	p	*pee*
e	*ay*	q	*koo*
f	*ayffay*	r	*ayrray*
g	*jee*	s	*ayssay*
h	*ahkkah*	t	*tee*
i	*ee*	u	*oo*
j	*ee loongah*	v	*vee*
l	*ayllay*	z	*tzaytah*

The letters *k, w, x, y* do not exist in Italian.

Guide to pronunciation

Below you will find: in the first column letters or groups of letters belonging to the Italian language; in the second column a brief description of the different sounds; in the third column some examples of Italian words followed by the transcription used in this book.

Vowels

a	is sounded ***ah*** like the ***a*** in ***rather***	**lana** *lāhnah*
e	may be pronounced like ***ay*** in ***way***	**fede** *fāyday*
i	is pronounced like the English ***ee*** in ***sleep***	**finire** *feenēēray*
o	may be pronounced ***o*** as in ***got***	**nota** *nōhtah*
u	is pronounced like ***oo*** in ***moon***	**luna** *lōōnah*

Diphthongs

In diphthongs each vowel must be pronounced separately.

uo	buono	*booōhnoh*
io	biondo	*beeōhndoh*
ei	sei	*sāyee*

Consonants

The consonants *b, d, f, l, m, n, p, t, v,* are always pronounced as in English.

c	before ***a, u, o*** and before consonants is pronounced like ***k*** in ***cat***	**cosa** *kōhzah* **pacco** *pāhkkoh*
c	before ***e, i*** sounds as in the English ***cha*** in ***chase***, ***chee*** in ***cheese***	**cena** *chāynah* **faccia** *fāhchchah*
ch	before ***e, i*** sounds like ***k*** in ***killer***	**chiodo** *keeōhdoh*
g	before ***a, o, u*** is pronounced hard like ***g*** in ***god***	**galante** *gahlāhntay*
g	before ***e, i*** is pronounced like ***j*** in ***jet***	**gentile** *jayntēēlay*
gg	before ***e, i*** is pronounced like ***dg*** in ***badge***	**coraggio** *kohrāhdgoh*
gh	before ***e, i*** sounds like ***g*** in ***guess, guilt***	**ghiaccio** *gheeāhchchoh*
gl	followed by ***a, e, o, u*** is pronounced like ***gl*** in ***gland***	**gloria** *glōhreeah* **glicine** *glēēchenay*
gli	followed by ***a, e, o, u*** sounds like ***lli*** in ***brilliant*** when is followed by a vowel, ***ee*** drops	**egli** *āyllyee* **figli** *fēēllyee* **moglie** *mōhllyay*
gn	is pronounced more like ***ni*** in ***opinion***	**campagna** *kahmpāhnyah*
h	is never pronounced	
q	which is always followed by ***u***, is pronounced as in ***quest***	**questo** *kwāystoh*
r	must be very distinctly pronounced as in ***red***	**riva** *rēēvah*

s	generally like *s* in *sit* sometimes like *z* in *zoo*	servo *sayrvoh* viso *veezoh*
sce, sci	sound like *sh* in *shell*	uscita *oosheetah*
z, zz	sound generally like *tz* in *hits* sometimes like *dz* in *roads*	grazie *grahtzeeay* rozzo *rohdzdzoh*

Stressing of words

Generally, the vowel of the syllable next to the last one is stressed (ex. favore *fahvohray*).
When a final vowel is stressed, it has an accent written over it (ex. perché *payrkay*).

Genders and articles

Italian has two genders for nouns: masculine and feminine.
The definite article for masculine nouns is ***il*** (plural ***i***) before nouns beginning with a consonant; ***lo*** (plural ***gli***) before nouns beginning with 's' + a consonant, or with 'z'; and ***l'*** (plural ***gli***) before nouns beginning with a vowel.
For feminine nouns, use ***la*** before a noun beginning with a consonant and l' before a vowel (plural ***le***).
The masculine indefinite article is ***uno*** before a noun beginning with a consonant and ***un*** before a vowel.
The feminine is ***una*** before a consonant and ***un'*** before a vowel.

Numbers

Cardinal numbers

1	**uno**	*oonoh*
2	**due**	*dooay*
3	**tre**	*tray*
4	**quattro**	*kwahttroh*
5	**cinque**	*cheenkway*
6	**sei**	*sayee*
7	**sette**	*sayttay*
8	**otto**	*ohttoh*
9	**nove**	*nohvay*
10	**dieci**	*deeaychee*
11	**undici**	*oondeechee*
12	**dodici**	*dohdeechee*
13	**tredici**	*traydeechee*
14	**quattordici**	*kwahttohrdeechee*
15	**quindici**	*kweendeechee*
16	**sedici**	*saydeechee*
17	**diciassette**	*deechahssayttay*

18	**diciotto**	*deechohttoh*
19	**diciannove**	*deechahnnohvay*
20	**venti**	*vayntee*
21	**ventuno**	*vayntoonoh*
22	**ventidue**	*vaynteedooay*
23	**ventitre**	*vaynteetray*
30	**trenta**	*trayntah*
31	**trentuno**	*trayntoonoh*
40	**quaranta**	*kwahrahntah*
41	**quarantuno**	*kwahranhtoonoh*
50	**cinquanta**	*cheenkwahntah*
51	**cinquantuno**	*cheenkwahntoonoh*
60	**sessanta**	*sayssahntah*
61	**sessantuno**	*sayssahntoonoh*
70	**settanta**	*sayttahntah*
71	**settantuno**	*sayttahntoonoh*
80	**ottanta**	*ohttahntah*
81	**ottantuno**	*ohttahntoonoh*
90	**novanta**	*nohvahntah*
91	**novantuno**	*nohvahntoonoh*
100	**cento**	*chayntoh*
101	**centouno**	*chayntohoonoh*
200	**duecento**	*dooaychayntoh*
1.000	**mille**	*meellay*
10.000	**diecimila**	*deeaycheemeelah*
100.000	**centomila**	*chayntohmeelah*
1.000.000	**un milione**	*oon meeleeohnay*

Ordinal numbers

1st	**primo**	*preemoh*
2nd	**secondo**	*saykohndoh*
3rd	**terzo**	*tayrtzoh*
4th	**quarto**	*kwahrtoh*
5th	**quinto**	*kweentoh*
6th	**sesto**	*saystoh*
7th	**settimo**	*saytteemoh*
8th	**ottavo**	*ohttahvoh*
9th	**nono**	*nohnoh*
10th	**decimo**	*daycheemoh*
11th	**undicesimo**	*oondeechayzeemoh*
12th	**dodicesimo**	*dohdeechayzeemoh*
13th	**tredicesimo**	*traydeechayzeemoh*
20th	**ventesimo**	*vayntayzeemoh*
21st	**ventunesimo**	*vayntoonayzeemoh*
30th	**trentesimo**	*trayntayzeemoh*
100th	**centesimo**	*chayntayzeemoh*
1000th	**millesimo**	*meellayzeemoh*

TARGET LANGUAGE

odd numbers	**numeri dispari**	*noomayree deespahree*
even numbers	**numeri pari**	*noomayree pahree*
to add up	**addizionare**	*ahddeetzeeohnahray*
to subtract	**sottrarre**	*sohttrahrray*
to multiply	**moltiplicare**	*mohlteepleekahray*
to divide	**dividere**	*deeveedayray*

The four basic operations

addition	**addizione**	*ahddeetzeeohnay*
5 + 5 = 10	**cinque più cinque fa dieci**	*cheenkway peeoo cheenkway fah deeaychee*
subtraction	**sottrazione**	*sohttrahtzeeohnay*
10 – 3 = 7	**dieci meno tre fa sette**	*deeaychee maynoh tray fah sayttay*
multiplication	**moltiplicazione**	*mohlteepleekahtzeeohnay*
8 X 2 = 16	**otto per due fa sedici**	*ohttoh payr dooay fah saydeechee*
division	**divisione**	*deeveezeeohnay*
10: 2 = 5	**dieci diviso due fa cinque**	*deeaychee deeveezoh dooay fah cheenkway*

Fractions

a half	**un mezzo**	*oon maydzdzoh*
a third	**un terzo**	*oon tayrtzoh*
three quarters	**tre quarti**	*tray kwahrtee*
a quarter	**un quarto**	*oon kwahrtoh*

Decimal System

A matter that is likely to cause some confusion when reading figures is that the decimal point in Italian is indicated by a comma on the line: thus 113.6 is written 113,6.
On the other hand, a point, and not a comma, is used to group thousands in a large figure: thus 6.570 indicates six thousand five hundred and seventy.

Weights

The decimal system of weight and measures used in Europe is not yet in use in the UK.

Conversion of weight		
1 ounce (oz)	28,35 grammi	*vayntohttoh veergohlah trayntahcheenkway grahmmee*
1 pound (lb)	453,6 grammi	*kwahttrohchayntoh cheenkwahntahtray veergohlah sayee grahmmee*

TARGET LANGUAGE

a hundred gramme	**un etto**	*oon ayttoh*
kilo	**chilo**	*keeloh*
ton	**tonnellata**	*tohnnayllahtah*
weight	**peso**	*payzoh*
gross weight	**peso lordo**	*payzoh lohrdoh*
net weight	**peso netto**	*payzoh nayttoh*
ounce	**oncia**	*ohnchah*
pound	**libbra**	*leebbrah*

SITUATIONAL DIALOGUES

How much do you weigh?	**Quanto pesi?** *kwahntoh payzee*
I weigh sixty-five kilos	**Peso 65 chili** *payzoh sayssahntahcheenkway keelee*
How much does this parcel weigh?	**Quanto pesa questo pacco?** *kwahntoh payzah kwaystoh pahkkoh*
This parcel weighs two kilos	**Questo pacco pesa due chili** *kwaystoh pahkkoh payzah dooay keelee*
Can I have two kilos of apples, a hundred grammes of ham and half a kilo of sugar?	**Per favore vorrei due chili di mele, un etto di prosciutto, mezzo chilo di zucchero** *payr fahvohray vorrayee dooay keelee deé maylay oon ayttoh dee prohshoottoh maydzdzoh keeloh dee tzookkayroh*

Measures

TARGET LANGUAGE

height	**altezza**	*ahltaytztzah*
area	**area/superficie**	*ahrayah/ soopayrfeechay*
capacity	**capacità**	*kahpahcheetah*

length	**lunghezza**	*loonghaytztzah*
size	**misura**	*meezoorah*
thickness	**spessore**	*spayssohray*
volume	**volume**	*vohloomay*

Length

millimetre	**millimetro**	*meelleemaytroh*
centimetre	**centimetro**	*chaynteemaytroh*
metre	**metro**	*maytroh*
kilometre	**chilometro**	*keelohmaytroh*
foot	**piede**	*peeayday*
yard	**iarda**	*eeahrdah*
mile	**miglio**	*meellyoh*

Surface

square centimetre	**centimetro quadrato**	*chaynteemaytroh kwahdrahtoh*
square metre	**metro quadrato**	*maytroh kwahdrahtoh*
hectare	**ettaro**	*ayttahroh*
acre	**acro**	*ahkroh*

Volume

cubic centimetre	**centimetro cubo**	*chaynteemaytroh kooboh*
cubic metre	**metro cubo**	*maytroh kooboh*

Capacity

litre	**litro**	*leetroh*
millilitre	**millilitro**	*meelleeleetroh*
centilitre	**centilitro**	*chaynteeleetroh*
quarter of a litre	**quarto di litro**	*kwahrtoh dee leetroh*
half a litre	**mezzo litro**	*maydzdzoh leetroh*
pint	**pinta**	*peentah*
gallon	**gallone**	*gahllohnay*

SITUATIONAL DIALOGUES

How many miles/ kilometres is it to Rome?	**Quanti chilometri ci sono per Roma?** *kwahntay meellyah/keelohmaytree chee sohnoh payr rohmah*
There are still several miles/kilometres to go	**Ci sono ancora parecchi chilometri da fare** *chee sohnoh ahnkohrah pahraykkeeay meellyah/pahraykkee keelohmaytree dah fahray*

How high is this building? | **Quant'è alto questo palazzo?** *kwahntay ahltoh kwaystoh pahlahtztzoh*

How wide/long is it? | **Quant'è largo/lungo?** *kwahntay lahrgoh/loongoh*

It's four feet by two feet **Misura quattro piedi per due** *meezoorah kwahttroh peeaydee payr dooay*

How far is it? **Quant'è distante?** *kwahntay deestahntay*

Just a couple of metres **Soltanto un paio di metri** *sohltahntoh oon paheeoh dee maytree*

Conversion of measures of length, surface, volume and capacity		
1 inch (in)	**2,54 millimetri**	*dooay veergohlah cheenkwahntahkwahttroh meelleemaytree*
1 foot (ft)	**30,5 centimetri**	*trayntah veergohlah cheenkway chaynteemaytree*
1 yard (yd)	**0,91 metri**	*tzayroh veergohlah nohvahntoonoh maytree*
1 mile	**1,609 chilometri**	*oonoh veergohlah sayeechayntohnohvay keelohmaytree*
1 square inch	**6,452 centimetri quadrati**	*sayee veergohlah kwahttrohchayntoh cheenkwahntahdooay chaynteemaytree kwahdrahtee*
1 square foot	**0,093 metri quadrati**	*tzayroh veergohlah tzayroh nohvahntahtray maytree kwahdrahtee*
1 square yard	**0,836 metri quadrati**	*tzayroh veergohlah ohttohchayntohtrayntahsayee maytree kwahdrahtee*
1 acre	**0,40 ettari**	*tzayroh veergohlah kwahrahntah ayttahree*
1 cubic inch	**16,38 centimetri cubi**	*saydeechee veergohlah trayntohttoh chaynteemaytree koobee*
1 cubic foot	**0,028 metri cubi**	*tzayroh veergohlah tzayroh vayntohttoh maytree koobee*

1 cubic yard	**0,765 metri cubi**	*tzayroh veergohlah sayttaychayntoh sayssahntah cheenkway maytree koobee*
1 pint (pt)	**0,47 litri**	*tzayroh veergohlah kwahrahntahsayttay leetree*
1 gallon	**3,758 litri**	*tray veergohlah sayttaychayntoh cheenkwahntohttoh leetree*

Colours

black	**nero**	*nayroh*
blue	**blu**	*bloo*
brown	**marrone**	*mahrrohnay*
gray	**grigio**	*greejoh*
green	**verde**	*vayrday*
light blue	**azzurro**	*ahdzdzoorroh*
lilac	**lilla**	*leellah*
orange	**arancione**	*ahrahnchohnay*
pink	**rosa**	*rohzah*
purple	**viola**	*veeohlah*
red	**rosso**	*rohssoh*
sky-blue	**celeste**	*chaylaystay*
turquoise	**turchese**	*toorkayzay*
white	**bianco**	*beeahnkoh*
yellow	**giallo**	*jahlloh*

brown	**castano**	*kahstahnoh*
coloured	**colorato**	*kohlohrahtoh*
dark	**scuro/bruno**	*skooroh/broonoh*
fair	**biondo**	*beeohndoh*
light	**chiaro**	*keeahroh*

Time

The 24-hour clock is used widely.

It's ten pm — **Sono le ventidue (22.00)**
sohnoh lay vaynteedooay

It's ten to three pm — **Sono le quindici meno dieci (14.50)**
sohnoh lay kweendeechee maynoh deeaychee

TARGET LANGUAGE

minute	**minuto**	*meenootoh*
second	**secondo**	*saykohndoh*

hour	**ora**	*ohrah*
daylight saving time	**ora legale**	*ohrah laygahlay*
half an hour	**mezz'ora**	*maydzdzohrah*
quarter of an hour	**quarto d'ora**	*kwahrtoh dohrah*

What time is it?	**Che ora è/Che ore sono?** *kay ohrah ay/kay ohray sohnoh*
It's...	**È/Sono...** *ay/sohnoh*
6.00	**le sei** *lay sayee*
6.05	**le sei e cinque** *lay sayee ay cheenkway*
6.10	**le sei e dieci** *lay sayee ay deeaychee*
6.15	**le sei e un quarto** *lay sayee ay oon kwahrtoh*
6.20	**le sei e venti** *lay sayee ay vayntee*
6.25	**le sei e venticinque** *lay sayee ay vaynteecheenkway*
6.30	**le sei e mezza** *lay sayee ay maydzdzah*
6.35	**le sei e trentacinque** *lay sayee ay trayntahcheenkway*
6.40	**le sette meno venti** *lay sayttay maynoh vayntee*
6.45	**le sette meno un quarto** *lay sayttay maynoh oon kwahrtoh*
6.50	**le sette meno dieci** *lay sayttay maynoh deeaychee*
6.55	**le sette meno cinque** *lay sayttay maynoh cheenkway*
midday	**mezzogiorno** *maydzdzohjohrnoh*
midnight	**mezzanotte** *maydzdzahnohttay*
in the morning	**del mattino** *dayl mahtteenoh*

in the afternoon — **del pomeriggio**
daylpohmayreedgoh

in the evening — **della sera**
dayllah sayrah

It is early — **È presto**
ay praystoh

It is late — **È tardi**
ay tahrdee

The clock is fast/slow — **L'orologio è avanti/indietro**
lohrohlohjoh ay ahvahntee/eendeeaytroh

SITUATIONAL DIALOGUES

What time is it? — **Che ora è/Che ore sono?**
kay ohrah ay/kay ohray sohnoh

What time does the shop open/close? — **A che ora apre/chiude il negozio?**
ah kay ohrah ahpray/keeooday eel naygohtzeeoh

Il negozio apre/chiude alle otto
eel naygohtzeeoh ahpray/keeooday ahllay ohttoh — The shop opens/closes at eight

What time shall we meet? — **A che ora ci vediamo?**
ah kay ohrah chee vaydeeahmoh

Ci vediamo tra mezz'ora
chee vaydeeahmoh trah maydzdzohrah — See you in half an hour

Verso le cinque
vayrsoh lay cheenkway — Around five

What time shall we have lunch? — **A che ora pranziamo?**
ah kay ohrah prahntzeeahmoh

We have lunch around one o'clock — **Pranziamo verso le tredici**
prahntzeeahmoh vayrsoh lay traydeechee

When does the train leave? — **A che ora parte il treno?**
ah kay ohrah pahrtay eel traynoh

Alle 17 in punto
ahllay deechahssayttay een poontoh — At 5.00 pm sharp

How long will it take to get there? — **Quanto ci vorrà per arrivarci?**
kwahntoh chee vohrrah payr ahrreevahrchee

It will take less than half an hour — **Ci vorrà meno di mezz'ora**
chee vohrrah maynoh dee maydzdzohrah

What's the date today?

Calendar

yesterday	**ieri**	*eeayree*
the other day	**l'altro ieri**	*lahltroh eeayree*
today	**oggi**	*ohdgee*
tomorrow	**domani**	*dohmahnee*
the day after tomorrow	**dopodomani**	*dohpohdohmahnee*
day	**giorno**	*johrnoh*
day and night	**giorno e notte**	*johrnoh ay nohttay*
weekday	**giorno feriale**	*johrnoh fayreeahlay*
Sunday/public holiday	**giorno festivo**	*johrnoh faysteevoh*
week	**settimana**	*saytteemahnah*
weekend	**fine settimana**	*feenay saytteemahnah*
weekly	**settimanale**	*saytteemahnahlay*
month	**mese**	*mayzay*
quarter	**trimestre**	*treemaystray*
semester	**semestre**	*saymaystray*
season	**stagione**	*stahjohnay*
year	**anno**	*ahnnoh*
leap year	**anno bisestile**	*ahnnoh beezaysteelay*
decade	**decennio**	*daychaynneeoh*
century	**secolo**	*saykohloh*
millennium	**millennio**	*meellaynneeoh*

Parts of the day

dawn	**alba**	*ahlbah*
morning	**mattino**	*mahtteenoh*
early morning	**primo mattino**	*preemoh mahtteenoh*
this morning	**stamattina**	*stahmahtteenah*
midday	**mezzogiorno**	*maydzdzohjohrnoh*
at midday	**a mezzogiorno**	*ah maydzdzohjohrnoh*
afternoon	**pomeriggio**	*pohmayreedgoh*
sunset	**tramonto**	*trahmohntoh*
evening	**sera**	*sayrah*
this evening	**stasera**	*stahsayrah*
night	**notte**	*nohttay*
tonight	**stanotte**	*stahnohttay*
midnight	**mezzanotte**	*maydzdzahnohttay*
at midnight	**a mezzanotte**	*ah maydzdzahnohttay*

Days of the week

Monday	**lunedì**	*loonaydee*
Tuesday	**martedì**	*mahrtaydee*
Wednesday	**mercoledì**	*mayrkohlaydee*
Thursday	**giovedì**	*johvaydee*
Friday	**venerdì**	*vaynayrdee*
Saturday	**sabato**	*sahbahtoh*
Sunday	**domenica**	*dohmayneekah*

Months

January	**gennaio**	*jaynnaheeoh*
February	**febbraio**	*faybbraheeoh*
March	**marzo**	*mahrtzoh*
April	**aprile**	*ahpreelay*
May	**maggio**	*mahdgoh*
June	**giugno**	*joonyoh*
July	**luglio**	*loollyoh*
August	**agosto**	*ahgohstoh*
September	**settembre**	*sayttaymbray*
October	**ottobre**	*ohttohbray*
November	**novembre**	*nohvaymbray*
December	**dicembre**	*deechaymbray*

Seasons

spring	**primavera**	*preemahvayrah*
in the spring	**in primavera**	*een preemahvayrah*
spring	**primaverile**	*preemahvayreelay*
summer	**estate**	*aystahtay*
in summer	**in estate**	*een aystahtay*
summer	**estivo**	*aysteevoh*
autumn/fall	**autunno**	*ahootoonnoh*
in autumn	**in autunno**	*een ahootoonnoh*
autumn	**autunnale**	*ahootoonnahlay*
winter	**inverno**	*eenvayrnoh*
in winter	**in inverno**	*een eenvayrnoh*
winter	**invernale**	*eenvayrnahlay*
high season	**alta stagione**	*ahltah stahjohnay*
low season	**bassa stagione**	*bahssah stahjohnay*
wintry season	**stagione invernale**	*stahjohnay eenvayrnahlay*

Last week — **La settimana scorsa**
lah saytteemahnah skohrsah

Next week — **La prossima settimana**
lah prohsseemah saytteemahnah

This week	**Questa settimana** *kwaystah saytteemahnah*
At the weekend	**Durante il fine settimana** *doorahntay eel feenay saytteemahnah*
Next Sunday	**Domenica ventura** *dohmayneekah vayntoorah*
Last month	**Il mese scorso** *eel mayzay skohrsoh*
This month	**Questo mese** *kwaystoh mayzay*
Next year	**L'anno prossimo** *lahnnoh prohsseemoh*
In the next year	**Nel prossimo anno** *nayl prohsseemoh ahnnoh*
Two days ago/ a week ago	**Due giorni fa/una settimana fa** *dooay johrnee fah/oonah saytteemahnah fah*
In a year/ In two days	**Fra un anno/Fra due giorni** *frah oon ahnnoh/frah dooay johrnee*
Within three weeks	**Entro tre settimane** *ayntroh tray saytteemahnay*
At the beginning of March	**Ai primi di marzo** *ahee preemee dee mahrtzoh*
Every day	**Ogni giorno** *ohnyee johrnoh*
Every now and then	**Ogni tanto** *ohnyee tahntoh*
Twice a week	**Due volte alla settimana** *dooay vohltay ahllah saytteemahnah*
Once a month	**Una volta al mese** *oonah vohltah ahl mayzay*

Date

TARGET LANGUAGE

In 1990	**Nel millenovecentonovanta** *nayl meellaynohvaychayntohnohvahntah*
In May 2008	**Nel maggio del 2008** *nayl mahdgoh dayl dooaymeelahohttoh*

In the last century	**Nel secolo scorso** *nayl saykohloh skohrsoh*
In the first century BC	**Nel primo secolo avanti Cristo** *nayl preemoh saykohloh ahvahntee kreestoh*
In the second century AD	**Nel secondo secolo dopo Cristo** *nayl saykohndoh saykohloh dohpoh kreestoh*
From June until October	**Da giugno a ottobre** *dah joonyoh ah ohttohbray*

SITUATIONAL DIALOGUES

What's the date today?	**Quanti ne abbiamo oggi?** *kwahntee nay ahbbeeahmoh ohdgee*
Oggi è il primo giugno *ohdgee ay eel preemoh joonyoh*	Today is the first of June
What day is it today?	**Che giorno è oggi?** *kay johrnoh ay ohdgee*
Today is Friday	**Oggi è venerdì** *ohdgee ay vaynayrdee*
When were you born?	**Quando sei nato?** *kwahndoh sayee nahtoh*
On the 10th of December 1980	**Il dieci dicembre 1980** *eel deeaychee deechaymbray meellaynohvaychayntohohttahntah*
When is your birthday?	**Quand'è il tuo compleanno?** *kwahnday eel toooh kohmplayahnnoh*
My birthday is on the fourteenth of November	**Il mio compleanno è il 14 novembre** *eel meeoh kohmplayahnnoh ay eel kwahttohrdeechee nohvaymbray*
When will you be in Rome?	**Quando sarai a Roma?** *kwahndoh sahrahee ah rohmah*
I'll be there from the tenth to the sixteenth of June	**Sarò là dal 10 al 16 di giugno** *sahroh lah dahl deeaychee ahl saydeechee dee joonyoh*

Telling the age

TARGET LANGUAGE

age	**età**	*aytah*
teenager	**adolescente**	*ahdohlayshayntay*

young	**giovane**	*johvahnay*
middle-aged	**di mezza età**	*dee maydzdzah aytah*
elderly	**anziano**	*ahntzeeahnoh*
the elderly	**gli anziani**	*llyee ahntzeeahnee*
old	**vecchio**	*vaykkeeoh*
under age	**minorenne**	*meenohraynnay*
of age	**maggiorenne**	*mahdgohraynnay*

Vietato ai minori di 14 anni
veeaytahtoh ahee meenohree dee kwahttohrdeechee ahnnee
Children under 14 are not admitted

SITUATIONAL DIALOGUES

How old are you?	**Quanti anni ha/hai?** *kwahntee ahnnee ah/ahee*
I'm 20 years old	**Ho vent'anni** *oh vayntahnnee*
When were you born?	**Quando sei nato?** *kwahndoh sayee nahtoh*
In 1988	**Nel 1988** *nayl meellaynohvaychayntoh ohttahntohttoh*

Holidays

Most Italians take their holidays in August, so Ferragosto, the 15th of August, is one of the most important public holidays and many towns hold fireworks displays to celebrate it. The sign "*Chiuso per ferie*" on a shop or restaurant door or window means "Closed for the holidays".

TARGET LANGUAGE

New Year's Eve (December)	**San Silvestro**	*sahn seelvaystroh*
New Year's Day (January 1st)	**Capodanno**	*kahpohdahnnoh*
Epiphany (January 6th)	**Epifania**	*aypeefahneeah*
carnival	**carnevale**	*kahrnayvahlay*
Shrove Tuesday	**martedì grasso**	*mahrtaydee grahssoh*
Ash Wednesday	**Ceneri**	*chaynayree*
Lent	**Quaresima**	*kwahrayzeemah*
Easter (movable date)	**Pasqua**	*pahskwah*
Easter Monday	**Lunedì dell'Angelo**	*loonaydee dayllahnjayloh*
Good Friday	**Venerdì santo**	*vaynayrdee sahntoh*

Whitsun	**Pentecoste**	*payntaykohstay*
Assumption Day (August 15th)	**Ferragosto**	*fayrrahgohstoh*
All Saints' Day (November 1st)	**Ognissanti**	*ohnyeessahntee*
Immaculate Conception (December 8th)	**Immacolata Concezione**	*eemmahkohlahtah kohnchaytzeeohnay*
Christmas Day (December 25th)	**Natale**	*nahtahlay*
St. Stephen's Day (December 26th)	**Santo Stefano**	*sahntoh stayfahnoh*
bank holiday/ public holiday	**festa nazionale**	*faystah nahtzeeohnahlay*
Liberation Day (April 25th)	**Anniversario della liberazione (1945)**	*ahneevayrsahreeoh dayllah leebayrahtzeeohnay (meellay nohvaychayntoh kwahrahntahcheenkway)*
Labour Day (May 1st)	**Festa del lavoro**	*faystah dayl lahvohroh*

Weather

TARGET LANGUAGE

air	**aria**	*ahreeah*
cold	**fredda**	*frayddah*
damp	**umida**	*oomeedah*
frozen	**gelata**	*jaylahtah*
atmosphere	**atmosfera**	*ahtmohsfayrah*
bad weather	**maltempo**	*mahltaympoh*
barometer	**barometro**	*bahrohmaytroh*
climate	**clima**	*kleemah*
continental	**continentale**	*kohnteenayntahlay*
cool	**fresco**	*frayskoh*
Mediterranean	**mediterraneo**	*maydeetayrrahnayoh*
dry	**secco**	*saykkoh*
temperate	**temperato**	*taympayrahtoh*
tropical	**tropicale**	*trohpeekahlay*
cloud	**nuvola**	*noovohlah*
cyclone	**ciclone**	*cheeklohnay*
fog	**nebbia**	*naybbeeah*
foggy	**nebbioso**	*naybbeeohzoh*
to freeze	**gelare**	*jaylahray*
frost	**brina**	*breenah*
hail	**grandine**	*grahndeenay*

heat	**caldo**	*kahldoh*
hot	**caldo**	*kahldoh*
humidity	**afa**	*ahfah*
sultry/humid	**afoso**	*ahfohzoh*
hurricane	**uragano**	*oorahgahnoh*
ice	**ghiaccio**	*gheeahchchoh*
lightning	**fulmine**	*foolmeenay*
lightning flash	**lampo**	*lahmpoh*
mist	**foschia**	*fohskeeah*
moon	**luna**	*loonah*
rain	**pioggia**	*peeohdgah*
to rain	**piovere**	*peeohvayray*
raindrops	**gocce di pioggia**	*gohchchay dee peeohdgah*
rainbow	**arcobaleno**	*ahrkohbahlaynoh*
shower	**acquazzone**	*ahkkwahtztzohnay*
sky	**cielo**	*cheeayloh*
cloudy	**nuvoloso**	*noovohlohzoh*
blue	**sereno**	*sayraynoh*
starry	**stellato**	*stayllahtoh*
snow	**neve**	*nayvay*
to snow	**nevicare**	*nayveekahray*
snowy	**nevoso**	*nayvohzoh*
star	**stella**	*stayllah*
storm	**temporale**	*taympohrahlay*
storm at sea	**mareggiata**	*mahraydgahtah*
sun	**sole**	*sohlay*
sunny	**soleggiato**	*sohlaydgahtoh*
temperature	**temperatura**	*taympayrahtoorah*
maximum/minimum	**massima/minima**	*mahsseemah/ meeneemah*
average	**media**	*maydeeah*
thunder	**tuono**	*tooohnoh*
weather	**tempo**	*taympoh*
weather forecast	**previsioni**	*prayveezeeohnee*
wind	**vento**	*vayntoh*
breeze	**venticello**	*vaynteechaylloh*
light	**debole**	*daybohlay*
strong	**forte**	*fohrtay*

SITUATIONAL DIALOGUES

What's the weather like?	**Che tempo fa?** *kay taympoh fah*
It's a lovely day	**È una bella giornata** *ay oonah bayllah johrnahtah*
It's sunny	**C'è il sole** *chay eel sohlay*

The weather's bad
È brutto tempo
ay broottoh taympoh

Is it going to rain?
Pioverà?
peeohvayrah

Come sono le previsioni del tempo?
kohmay sohnoh lay prayveezeeohnee dayl taympoh
What is the weather forecast?

Il bollettino prevede brutto/bel tempo
eel bohllaytteenoh prayvayday broottoh/bayl taympoh
Bad/Fine weather is forecast

Is the weather going to change?
Il tempo cambierà?
eel taympoh kahmbeeayrah

Is it going to be fine?
Sarà una bella giornata?
sahrah oonah bayllah johrnahtah

The sun is shining
Il sole splende
eel sohlay splaynday

What is the temperature?
Quanti gradi ci sono?
kwahntee grahdee chee sohnoh

Two degrees above/below zero
Due gradi sopra/sotto zero
dooay grahdee sohprah/sohttoh tzayroh

Thirty degrees in the shade
Trenta gradi all'ombra
trayntah grahdee ahllohmbrah

The temperature

The Centigrade system is in use in Italy.
Normal body temperature: Fahrenheit 98.4° = Centigrade 36.7°

Fahrenheit	Centigrade	Fahrenheit	Centigrade
212	100	98.6	37
194	90	96.8	36
176	80	95	35
158	70	86	30
140	60	77	25
122	50	68	20
113	45	59	15
107.6	42	50	10
105.8	41	41	5
104.0	40	32	0
102.2	39	23	- 5
100.4	38	14	- 10

Notices and warnings

Affittasi	*ahffeettahsee*	For rent/To let
Alta tensione	*ahltah taynseeohnay*	High voltage
Ambulanza	*ahmboolahntzah*	Ambulance
Aperto da... a...	*ahpayrtoh dah... ah...*	Open from... to...
Aria condizionata	*ahreeah kohndeetzeeohnahtah*	Air-conditioning
Arrivo	*ahrreevoh*	Arrival
Ascensore	*ahshaynsohray*	Lift/(*am*) Elevator
Attenti ai borseggiatori	*ahttayntee ahee bohrsaydgahtohree*	Beware of pickpockets
Attenti al cane	*ahttayntee ahl kahnay*	Beware of the dog
Attenti al gradino	*ahttayntee ahl grahdeenoh*	Mind the step
Attenzione	*ahttayntzeeohnay*	Warning/Caution
Avanti!	*ahvahntee*	Come in!
Autofficina	*ahootohffeecheenah*	Garage
Azienda di soggiorno e turismo	*ahdzeeayndah dee sohdgohrnoh ay tooreezmoh*	Tourist bureau
Benvenuti	*baynvaynootee*	Welcome
Biglietteria	*beellyayttayreeah*	Box office/Ticket office
Cambio	*kahmbeeoh*	Bureau de change
Camera ammobiliata	*kahmayrah ahmmohbeeleeahtah*	Furnished room
Cassa	*kahssah*	Cash desk
Centro città	*chayntroh cheettah*	City centre
Chiudere la porta	*keeoodayray lah pohrtah*	Close the door
Chiuso	*keeoozoh*	Closed
Chiuso per ferie	*keeoozoh payr fayreeay*	Closed for holidays
Chiuso per lutto	*keeoozoh payr loottoh*	Closed: death in the family
Chiuso per riposo settimanale	*keeoozoh payr reepohzoh saytteemahnahlay*	Weekly closing day
Completo	*kohmplaytoh*	Full
Deposito bagagli	*daypohzeetoh bahgahllyee*	Left luggage
Deviazione	*dayveeahtzeeohnay*	Detour
Divieto di affissione	*deeveeaytoh dee ahffeesseeohnay*	No bill posting

Divieto di balneazione	*deeveeaytoh dee bahlnayahtzeeohnay*	No bathing
Divieto di caccia	*deeveeaytoh dee kahchchah*	Hunting forbidden
Divieto di ingresso	*deeveeaytoh dee eengrayssoh*	No entrance
Divieto di scarico	*deeveeaytoh dee skahreekoh*	No unloading
Dogana	*dohgahnah*	Customs
Entrata	*ayntrahtah*	Entrance/Way in
Entrata libera	*ayntrahtah leebayrah*	Free admission
Fragile	*frahjeelay*	Fragile
Fuori servizio	*fooohree sayhrveetzeeoh*	Out of order
Gabinetti	*gahbeenayttee*	Lavatories
Gratis	*grahtees*	Free
Guardaroba	*gwahrdahrohbah*	Cloakroom
Guasto	*gwahstoh*	Out of order
In caso d'incendio	*een kahzoh deenchayndeeoh*	In case of fire
Infiammabile	*eenfeeahmmahbeelay*	Inflammable
Informazioni	*eenfohrmahtzeeohnee*	Information
Ingresso	*eengrayssoh*	Entrance
Ingresso libero	*eengrayssoh leebayroh*	Free admission
In sciopero	*een shohpayroh*	On strike
In vendita	*een vayndeetah*	On sale
I trasgressori saranno puniti	*ee trahsgrayssohree sahrahnnoh pooneetee*	Trespassers will be prosecuted
Lavori in corso	*lahvohree een kohrsoh*	Work in progress
Libero	*leebayroh*	Vacant
Metropolitana	*maytrohpohleetahnah*	Underground
Non attraversare	*nohn ahttrahvayrsahray*	Do not cross
Non calpestare l'erba	*nohn kahlpaystahray layrbah*	Do not walk on the grass/Keep off the grass
Non disturbare	*nohn deestoorbahray*	Do not disturb
Non gettare rifiuti	*nohn jayttahray reefeeootee*	Do not drop litter
Non piegare	*nohn peeaygahray*	Do not bend
Non toccare	*nohn tohkkahray*	Do not touch
Occupato	*ohkkoopahtoh*	Engaged

Orario continuato	*ohrahreeoh kohnteenooahtoh*	Open all day
Orario di apertura	*ohrahreeoh dee ahpayrtoorah*	Opening time
Partenza	*pahrtayntzah*	Departure
Per disabili	*payr deezahbeelee*	For the disabled
Pericolo di morte	*payreekohloh dee mohrtay*	Danger
Pista ciclabile	*peestah payr cheekleestee*	Path for cyclists
Polizia	*pohleetzeeah*	Police
Pompieri	*pohmpeeayree*	Fire brigade
Portata massima	*pohrtahtah mahsseemah*	Maximum load
Premere il pulsante	*praymayray eel poolsahntay*	Press the button
Prenotato	*praynohtahtoh*	Reserved
Pronto soccorso	*prohntoh sohkkohrsoh*	First aid
Proprietà privata	*prohpreeaytah preevahtah*	Private property
Riservato al personale	*reezayrvahtoh ahl payrsohnahlay*	Staff only
Rivolgersi a...	*reevohljayrsee ah…*	Contact...
Saldi	*sahldee*	Sale
Scala mobile	*skahlah mohbeelay*	Escalator
Scale	*skahlay*	Stairs
Scuola guida	*skooohlah gweedah*	Driving school
Senso unico	*saynsoh ooneekoh*	One way
Silenzio	*seelayntzeeoh*	Silence
Si prega di...	*see praygah dee…*	Please...
Solo posti in piedi	*sohloh pohstee een peeaydee*	Standing room only
Sottopassaggio	*sohttohpahssahdgoh*	Subway
Spingere	*speenjayray*	Push
Strada privata	*strahdah preevahtah*	Private road
Strada senza uscita	*strahdah sayntzah oosheetah*	Blind alley
Suonare il campanello	*sooohnahray eel kahmpahnaylloh*	Ring the bell
Tirare	*teerahray*	Pull
Toilette	*tooahlayt*	Toilets/(*am*) Rest room
Torno subito	*tohrnoh soobeetoh*	Back soon
Tutto esaurito	*toottoh ayzahooreetoh*	Sold out

Uscita	*oosheetah*	Exit/Way out
Uscita di sicurezza	*oosheetah dee seekooraytztzah*	Emergency exit
Vendesi	*vayndaysee*	For sale
Vendita all'asta	*vayndeetah ahllahstah*	Auction sale
Vernice fresca	*vayrneechay frayskah*	Wet paint
Vietato	*veeaytahtoh*	Forbidden
Vietato bagnarsi	*veeaytahtoh bahnyahrsee*	No bathing
Vietato dare cibo agli animali	*veeaytahtoh dahray cheeboh ahllyee ahneemahlee*	Please do not feed the animals
Vietato fumare	*veeaytahtoh foomahray*	No smoking
Vietato gettare oggetti dal finestrino	*veeaytahtoh jayttahray ohdgayttee dahl feenaystreenoh*	Do not throw anything out of the window
Vietato gettare rifiuti	*veeaytahtoh jayttahray reefeeootee*	Do not throw your litter down
Vietato l'ingresso	*veeaytahtoh leengrayssoh*	No admittance
Vietato parlare al manovratore	*veeaytahtoh pahrlahray ahl mahnohvrahtohray*	Please do not speak to the driver
Vietato toccare	*veeaytahtoh tohkkahray*	Do not touch

2 • COMMUNICATION

Common phrases

TARGET LANGUAGE

I'm foreign	**Sono straniero** *sohnoh strahneeayroh*
I can't speak Italian	**Non parlo italiano** *nohn pahrloh eetahleeahnoh*
I speak only a little Italian	**Parlo solo un po' d'italiano** *pahrloh sohloh oon poh deetahleeahnoh*
Do you speak English?	**Parla inglese?** *pahrlah eenglayzay*
Do you understand me?	**Mi capisce?** *mee kahpeeshay*
Please, speak slowly	**Parli adagio, per favore** *pahrlee ahdahjoh payr fahvohray*
What's the matter?	**Che cosa c'è?** *kay kohzah chay*
What does that mean?	**Che cosa vuol dire?** *kay kohzah vooohl deeray*
Excuse me, what did you say?	**Scusate, come avete detto?** *skoozahtay kohmay ahvaytay dayttoh*
I don't understand you	**Non vi capisco** *nohn vee kahpeeskoh*
Could you repeat, please?	**Può ripetere per favore?** *poooh reepaytayray payr fahvohray*
How do you say this in Italian?	**Come si dice in italiano?** *kohmay see deechay een eetahleeahnoh*
Could you write it down?	**Può scrivermelo?** *poooh skreevayrmayloh*
It doesn't matter	**Non importa** *nohn eempohrtah*
How do you pronounce this?	**Come si pronuncia?** *kohmay see prohnoonchah*
Come in	**Avanti** *ahvahntee*

Wait a minute	**Aspetti/Aspettate un momento** *ahspayttee/ahspayttahtay oon mohmayntoh*
Do you smoke?	**Lei fuma?** *layee foomah*
Do you mind my smoking?	**Permette che fumi?** *payrmayttay kay foomee*
Where do you come from?	**Da dove viene/venite?** *dah dohvay veeaynay/vayneetay*
I'm lost	**Mi sono perso** *mee sohnoh payrsoh*
Can I help you?	**Posso aiutarvi/aiutarla?** *pohssoh aheeootahrvee/aheeootahrlah*
Where are you going?	**Dove va/andate?** *dohvay vah/ahndahtay*
Where is the station?	**Dov'è la stazione?** *dohvay lah stahtzeeohnay*
Could you show me the way?	**Può indicarmi la strada?** *poooh eendeekahrmee lah strahdah*
How are you?	**Come sta/stai?** *kohmay stah/stahee*
Fine, thanks/Not bad	**Bene, grazie/Non c'è male** *baynay grahtzeeay/nohn chay mahlay*
I'm not very well	**Non sto bene** *nohn stoh baynay*
What's new?	**Che novità ci sono?** *kay nohveetah chee sohnoh*
Everything OK?	**Tutto a posto?** *toottoh ah pohstoh*
What's wrong?	**Che cosa c'è che non va?** *kay kohzah chay kay nohn vah*
Everything's fine	**Tutto bene** *toottoh baynay*

Polite phrases

TARGET LANGUAGE

Please	**Per piacere/Per favore** *payr peeahchayray/payr fahvohray*
Thank you	**Grazie** *grahtzeeay*

Thank you very much	**Molte grazie** *mōhltay grāhtzeeay*
You're welcome	**Prego/di niente** *prāygoh/dee neeāyntay*
All right	**Va bene** *vah bāynay*
Excuse me	**(per passare) Permesso** *payrmāyssoh*
Can I come in?	**Permesso? Posso entrare?** *payrmāyssoh pōhssoh ayntrāhray*
Take a seat	**Prego, si sieda** *prāygoh see seeāydah*
Thank you for coming	**Grazie per essere venuto** *grāhtzeeay payr āyssayray vaynōōtoh*

Greetings

Remember that familiar forms are used only when you know someone well or when you are invited to use them. Otherwise use the formal forms.

TARGET LANGUAGE

Buongiorno! *booohnjōhrnoh*	Good morning/Good afternoon! (literally "Good day", used like the English "Good morning", but also in the early afternoon)
Buonasera! *booohnahsāyrah*	Good evening! (used in the late afternoon and in the evening)
Buonanotte! *booohnahnōhttay*	Good night!
Buona giornata! *booōhnah johrnāhtah*	Have a good day!
Ciao! *chāhoh*	Hello/Hi there! (a casual greeting used among friends)
Ciao! (al commiato) *chāhoh*	Bye!
Arrivederci! *ahrreevaydāyrchee*	Goodbye!
A più tardi *ah peeōō tāhrdee*	See you later
A presto *ah prāystoh*	See you soon

Benvenuto! *baynvaynootoh*	Welcome!
State/Stai bene! *stahtay/stahee baynay*	Take care!

Introductions

SITUATIONAL DIALOGUES

This is Mr/Mrs/ Miss Monti	**Le presento il signor/la signora/la signorina Monti** *lay prayzayntoh eel seenyohr/lah seenyohrah/ lah seenyohreenah mohntee*
How do you do?	**Piacere!** *peeahchayray*
Anna, this is Marco	**Anna, questo è Marco** *ahnnah kwaystoh ay mahrkoh*
Hello, Marco, nice to meet you	**Salve, Marco, piacere di conoscerti** *sahlvay mahrkoh peeahchayray dee kohnohshayrtee*
Let me introduce you to Elena	**Lascia che ti presenti Elena** *lahshah kay tee prayzayntee aylaynah*
Hello, how are you?	**Ciao, come stai?** *chahoh kohmay stahee*
Fine, and you?	**Bene, e tu?** *baynay ay too*
Have you met before?	**Vi conoscete già?** *vee kohnohshaytay jah*
This is my wife/ my husband	**Le presento mia moglie/mio marito** *lay prayzayntoh meeah mohllyay/meeoh mahreetoh*

Piacere/Lieto di conoscerla *peeahchayray/leeaytoh dee kohnohshayrlah*	How do you do?/ Pleased to meet you

Agreeing and disagreeing

TARGET LANGUAGE

yes	**sì**	*see*
yes, please	**sì, grazie**	*see grahtzeeay*
good/fine!	**bene!**	*baynay*
very good/very well!	**benissimo!**	*bayneesseemoh*

certainly	**certamente**	*chayrtahmayntay*
that's nice!/how nice!	**che bello!**	*kay baylloh*
that's lucky/what luck!	**che fortuna!**	*kay fohrtoonah*
great!	**fantastico!**	*fahntahsteekoh*
let's hope so!	**speriamo!**	*spayreeahmoh*
with pleasure	**volentieri**	*vohlaynteeayree*
no	**no**	*noh*
no, thanks	**no, grazie**	*noh grahtzeeay*
never	**mai**	*mahee*
no one	**nessuno**	*nayssoonoh*
nothing	**niente**	*neeayntay*

That's right — **È vero**
ay vayroh

You're right — **Hai ragione**
ahee rahjohnay

All right — **D'accordo/Va bene**
dahkkohrdoh/vah baynay

I agree — **Sono d'accordo**
sohnoh dahkkohrdoh

That's not true — **Non è vero**
nohn ay vayroh

I don't agree — **Non sono d'accordo**
nohn sohnoh dahkkohrdoh

You're wrong — **Hai torto**
ahee tohrtoh

You are mistaken — **Ti sbagli**
tee sbahllyee

That's enough — **Basta così**
bahstah kohzee

Apologizing

TARGET LANGUAGE

I'm very sorry — **Mi dispiace molto**
mee deespeeahchay mohltoh

What a pity/shame! — **Che peccato!**
kay paykkahtoh

Unfortunately — **Purtroppo**
poortrohppoh

I'm sorry
Chiedo scusa
keeaydoh skoozah

Sorry to bother you
Scusi per il disturbo
skoozee payr eel deestoorboh

Scusate il ritardo
skoozahtay eel reetahrdoh
I'm sorry I'm late

I didn't do it on purpose
Non l'ho fatto apposta
nohn loh fahttoh ahppohstah

SITUATIONAL DIALOGUES

Sorry for being late
Scusami per essere in ritardo
skoozahmee payr ayssayray een reetahrdoh

Non fa niente
nohn fah neeayntay
It doesn't matter

I do apologize for my behaviour
Chiedo scusa per il mio comportamento
keeaydoh skoozah payr eel meeoh kohmpohrtahmayntoh

Lascia perdere!
lahshah payrdayray
Forget it!

Expressing wishes

TARGET LANGUAGE

Merry Christmas!
Buon Natale!
booohn nahtahlay

Happy New Year!
Felice anno nuovo!
fayleechay ahnnoh nooohvoh

Happy Easter!
Buona Pasqua!
booohnah pahskwah

Happy Birthday!
Buon compleanno!
booohn kohmplayahnnoh

Many happy returns!
Cento di questi giorni!
chayntoh dee kwaystee johrnee

Have a good journey!
Buon viaggio!
booohn veeahdgoh

Have a good holiday!
Buone vacanze!
booohnay vahkahntzay

Good luck!	**Buona fortuna!** *booohnah fohrtoonah*
Have a good time!	**Buon divertimento!** *booohn deevayrteemayntoh*
Enjoy your meal!	**Buon appetito!** *booohn ahppayteetoh*
Cheers!	**(nei brindisi) Salute!** *sahlootay*
Best wishes!	**Auguri!** *ahoogooree*
Get well soon!	**Guarisci presto!** *gwahreeshee praystoh*
Congratulations!	**Congratulazioni!** *kohngrahtoolahtzeeohnee*
Well done!	**Bravo!** *brahvoh*

Expressing sympathy

SITUATIONAL DIALOGUES

He didn't pass the exam	**Non ha superato l'esame** *nohn ah soopayrahtoh laysahmay*
Oh, I'm sorry. I hope it wasn't too much of a disappointment for him	**Oh, mi dispiace, spero non sarà rimasto troppo male** *oh mee deespeeahchay spayroh nohn sahrah reemahstoh trohppoh mahlay*
I was sorry to hear about your father	**Mi dispiace per la morte di tuo padre** *mee deespeeahchay payr lah mohrtay dee tooooh pahdray*
Please accept my condolences	**Ti prego di accettare le mie condoglianze** *tee praygoh dee ahchchayttahray lay meeay kohndohllyahntzay*

Asking questions

TARGET LANGUAGE

what?	**che cosa?**	*kay kohzah*
who?	**chi?**	*kee*
to whom?	**a chi?**	*ah kee*
with whom?	**con chi?**	*kohn kee*
by whom?	**da chi?**	*dah kee*

how?	**come?**	*kohmay*
where?	**dove?**	*dohvay*
why?	**perché?**	*payrkay*
which?/what?	**quale?**	*kwahlay*
when?	**quando?**	*kwahndoh*
how much?	**quanto?**	*kwahntoh*

What's this? — **Che cos'é questo?**
kay kohzay kwaystoh

What's it for? — **A cosa serve?**
ah kohzah sayrvay

What does it mean? — **Che cosa vuole dire?**
kay kohzah vooohlay deeray

What does he want? — **Che cosa vuole?**
kay kohzah vooohlay

What's happened? — **Che cosa è successo?**
kay kohzah ay soochchayssoh

What is he saying? — **Che cosa dice?**
kay kohzah deechay

What's your telephone number? — **Qual è il tuo numero di telefono?**
kwahlay eel toooh noomayroh dee taylayfohnoh

Who's speaking? — **Chi parla?**
kee pahrlah

How are you? — **Come stai?**
kohmay stahee

Where are you going? — **Dove vai?**
dohvay vahee

Where do you come from? — **Da dove venite?**
dah dohvay vayneetay

When does the shop open? — **Quando apre il negozio?**
kwahndoh ahpray eel naygohtzeeoh

How much does it cost? — **Quanto costa?**
kwahntoh kohstah

How long does it take? — **Quanto tempo occorre?**
kwahntoh taympoh ohkkohrray

How long have you been waiting? — **Da quanto aspetta?**
dah kwahntoh ahspayttah

How far is the museum? — **Quanto dista il museo?**
kwahntoh deestah eel moozayoh

Relationships

Opening a conversation

SITUATIONAL DIALOGUES

Da dove viene? — Where are you from?
dah dohvay veeaynay

I'm from Great Britain — **Vengo dalla Gran Bretagna**
vayngoh dahllah grahn braytahnyah

Dov'è nato? — Where were you born?
dohvay nahtoh

I was born in London — **Sono nato a Londra**
sohnoh nahtoh ah lohndrah

Are you from here? — **Sei di qui?**
sayee dee kwee

No, I'm here on holiday/on business/to do a course — **No, sono qui in vacanza/per lavoro/per studio**
noh sohnoh kwee een vahkahntzah/payr lahvohroh/payr stoodeeoh

Quanto tempo ti fermi qui? — How long are you staying here?
kwahntoh taympoh tee fayrmee kwee

I'm here for a month — **Mi fermerò un mese**
mee fayrmayroh oon mayzay

It was a pleasure to meet you — **È stato un piacere conoscerti**
ay stahtoh oon peeahchayray kohnohshayrtee

Talking of oneself

SITUATIONAL DIALOGUES

I'm a student, in my third year at university — **Sono studente al terzo anno di università**
sohnoh stoodayntay ahl tayrtzoh ahnnoh dee ooneevayrseetah

I'm/I'm not engaged — **Sono/Non sono fidanzato/a**
sohnoh/nohn sohnoh feedahntzahtoh/ah

I'm looking for a job — **Sto cercando lavoro**
stoh chayrkahndoh lahvohroh

What's your job? — **Che lavoro fa?**
kay lahvohroh fah

I'm an accountant/a clerk/a nurse/a secretary — **Lavoro come ragioniere/impiegato/infermiera/segretaria**
lahvohroh kohmay rahdgohneeayray/eempeeaygahtoh/eenfayrmeeayrah/saygraytahreeah

Are you married? — **È sposato/a?**
ay spohsahtoh/ah

I'm/I'm not married — **Sono/Non sono sposato/a**
sohnoh/nohn sohnoh spohsahtoh/ah

What do you do in your free time? — **Che cosa fai nel tempo libero?**
kay kohzah fahee nayl taympoh leebayroh

I like to visit the museums — **Mi piace visitare i musei**
mee peeahchay veezeetahray ee moozayee

Do you like music? — **Ti piace la musica?**
tee peeahchay lah moozeekah

I like/I don't like music — **Mi piace/Non mi piace la musica**
mee peeahchay/nohn mee peeahchay lah moozeekah

What kind of sport do you like? — **Che tipo di sport ti piace?**
kay teepoh dee spohrt tee peeahchay

I'm keen on football — **Sono appassionato di calcio**
sohnoh ahppahsseeohnahtoh dee kahlchoh

What do you think of drugs? — **Che cosa ne pensi delle droghe?**
kay kohzah nay paynsee dayllay drohghay

I don't smoke, I don't take drugs — **Non fumo, non prendo droghe**
nohn foomoh nohn prayndoh drohghay

Arranging social plans

TARGET LANGUAGE

Sì, d'accordo — Yes, all right
see dahkkohrdoh

With pleasure — **Con piacere**
kohn peeahchayray

I'm sorry I can't — **Mi dispiace, non posso**
mee deespeeahchay nohn pohssoh

Oggi sono impegnato — I'm busy today
ohdgee sohnoh eempaynyahtoh

Another time perhaps — **Sarà per un'altra volta**
sahrah payr oonahltrah vohltah

What are you doing this evening? — **Che cosa fa questa sera?**
kay kohzah fah kwaystah sayrah

Can I ring you tomorrow? — **Posso telefonarle domani?**
pohssoh taylayfohnahrlay dohmahnee

What's your phone number/address/ e-mail address?	**Qual è il tuo numero di telefono/indirizzo/ indirizzo e-mail?** *kwahlay eel tooh noomayroh dee taylayfohnoh/ eendeereetztzoh/eendeereetztzoh eemayeel*
Here is mine	**Ecco il mio** *aykkoh eel meeoh*

SITUATIONAL DIALOGUES

Would you like to come out for a drink?	**Verresti a bere qualcosa?** *vayrraystee ah bayray kwahlkohzah*
With pleasure	**Con piacere** *kohn peeahchayray*
Shall we eat together?	**Mangiamo qualcosa insieme?** *mahnjahmoh kwahlkohzah eenseeaymay*
Fine. Is there anywhere in particular you would like to eat?	**Bene. C'è qualche posto particolare dove vorresti mangiare?** *baynay chay kwahlkay pohstoh pahrteekohlahray dohvay vohrraystee mahnjahray*
There's a good restaurant not far from here	**C'è un buon ristorante non distante da qui** *chay oon booohn reestohrahntay nohn deestahntay dah kwee*
When/Where shall we meet?	**Quando/Dove ci vediamo?** *kwahndoh/dohvay chee vaydeeahmoh*
Let's meet at eight	**Ci vediamo alle otto** *chee vaydeeahmoh ahllay ohttoh*
Where would you like to go?	**Dove vorresti andare?** *dohvay vohrraystee ahndahray*
We could go dancing/ to the cinema	**Si potrebbe andare a ballare/al cinema** *see pohtraybbay ahndahray ah bahllahray/ahl cheenaymah*

Looking for a partner

SITUATIONAL DIALOGUES

Are you alone?	**È sola?** *ay sohlah*

Sono con il mio ragazzo *sohnoh kohn eel meeoh rahgahtztzoh*	I'm with my boyfriend
Vuoi ballare con me? *vooohee bahllahray kohn may*	Fancy a dance?

Yes, I'd like that — **Sì, volentieri**
see vohlaynteeayree

You dance really well — **Balli molto bene**
bahllee mohltoh baynay

You're really beautiful and really nice — **Sei molto bella e molto simpatica**
sayee mohltoh bayllah ay mohltoh seempahteekah

Leave me in peace! — **Lasciami in pace!**
lahshahmee een pahchay

Can I see you again? — **Posso rivederti?**
pohssoh reevaydayrtee

I don't want to see you again — **Non voglio rivederti**
nohn vohllyoh reevaydayrtee

I'd just like to be friends — **Vorrei che rimanessimo amici**
vohrrayee kay reemahnaysseemoh ahmeechee

It's been a lovely evening — **È stata una bellissima serata**
ay stahtah oonah baylleesseemah sayrahtah

It has been a very pleasant evening — **È stata una piacevole serata**
ay stahtah oonah peeahchayvohlay sayrahtah

Now I must be going — **Ora devo andare**
ohrah dayvoh ahndahray

Do you want to come back to my place? — **Vuoi venire a casa mia?**
vooohee vayneeray ah kahzah meeah

Another time! — **Un'altra volta!**
oonahltrah vohltah

Posso riaccompagnarti a casa?
pohssoh reeahkkohmpahnyahrtee ah kahzah
Can I take you home?

Sì, sto bene con te
see stoh baynay kohn tay
Yes, I really like being with you

Can I get you a drink? — **Posso offrirti qualcosa da bere?**
pohssoh ohffreertee kwahlkohzah dah bayray

Yes, I'd like that — **Sì, volentieri**
see vohlaynteeayree

Love and sex

SITUATIONAL DIALOGUES

I love you — **Ti amo**
tee ahmoh

Do you love me?	**Mi ami?** *mee ahmee*
You've got a lovely smile, I really like you	**Hai un bel sorriso, mi piaci molto** *ahee oon bayl sohrreezoh mee peeahchee mohltoh*
I like you too	**Anche tu** *ahnkay too*
I'd like to make love to you	**Vorrei fare l'amore con te** *vohrrayee fahray lahmohray kohn tay*
Don't talk nonsense!	**Non dire sciocchezze!** *nohn deeray shohkkaytztzay*
I'm mad about you, can I kiss you?	**Sono pazzo di te, posso baciarti?** *sohnoh pahtztzoh dee tay pohssoh bahchahrtee*
Kiss me, I fancy you	**Baciami, ti desidero** *bahchahmee tee dayzeedayroh*
Do you want to have sex with me?	**Vuoi fare sesso con me?** *vooohee fahray sayssoh kohn may*
I do, but safe sex of course	**Sì, ma sesso sicuro naturalmente** *see mah sayssoh seekooroh nahtoorahlmayntay*
Have you got a condom?	**Hai un preservativo?** *ahee oon praysayrvahteevoh*

3 • JOURNEY

The words of the journey

TARGET LANGUAGE

arrival	**arrivo**	*ahrreevoh*
arrivals timetable	**tabellone arrivi**	*tahbayllohnay ahrreevee*
air-conditioning	**aria condizionata**	*ahreeah kondeetzeeohnahtah*
baggage/luggage	**bagaglio**	*bahgahllyeeoh*
hand luggage	**a mano**	*ah mahnoh*
baggage trolley	**carrello portabagagli**	*kahrraylloh pohrtahbahgahllyee*
baggage claim	**ritiro bagagli**	*reeteeroh bahgahllyee*
left luggage	**deposito bagagli**	*daypohzeetoh bahgahllyee*
car hire	**autonoleggio**	*ahootohnohlaydgoh*
connection	**coincidenza**	*koheencheedayntzah*
customs	**dogana**	*dohgahnah*
delay	**ritardo**	*reetahrdoh*
to be late	**essere in ritardo**	*ayssayray eenreetahrdoh*
departure	**partenza**	*pahrtayntzah*
departures timetable	**tabellone partenze**	*tahbayllohnay pahrtayntzay*
entrance	**entrata**	*ayntrahtah*
escalator	**scala mobile**	*skahlah mohbeelay*
exit	**uscita**	*oosheetah*
emergency exit	**uscita di sicurezza**	*oosheetah dee seekooraytztzah*
to get off	**(da veicoli) scendere**	*shayndayray*
to get on	**salire**	*sahleeray*
heating	**riscaldamento**	*reeskahldahmayntoh*
information	**informazioni**	*eenfohrmatzeeohnee*
journey	**viaggio**	*veeahdgoh*
lost property office	**ufficio oggetti smarriti**	*ooffeechoh ohdgayttee smahrreetee*
loudspeaker	**altoparlante**	*ahltohpahrlahntay*
moving sidewalk	**tappeto mobile**	*tahppaytoh mohbeelay*
passenger	**viaggiatore/ passeggero**	*veeahdgahtohray/ pahssaydgayroh*
seat	**posto a sedere**	*pohstoh ah saydayray*
free/taken	**libero/occupato**	*leebayroh/ohkkoopahtoh*
reserved/booked	**prenotato**	*praynohtahtoh*

timetable	**orario**	*ohrahreeoh*
summer/winter schedule	**orario estivo/invernale**	*ohrahreeoh aysteevoh/ eenvayrnahlay*
to be on time	**essere in orario**	*ayssayray een ohrahreeoh*
transport	**trasporto**	*trahspohrtoh*
means of transport	**mezzi di trasporto**	*maydzdzee dee trahspohrtoh*

Transport

Information, booking and buying tickets

TARGET LANGUAGE

book/reserve	**prenotare**	*praynohtahray*
booking/reservation	**prenotazione**	*praynohtahtzeeohnay*
ticket	**biglietto**	*beellyayttoh*
single	**di sola andata**	*dee sohlah ahndahtah*
return	**di andata e ritorno**	*dee ahndahtah ay reetohrnoh*
cheap ticket	**biglietto ridotto**	*beellyayttoh reedohttoh*
group ticket	**biglietto cumulativo**	*beellyayttoh koomoolahteevoh*
valid/expired ticket	**biglietto valido/ scaduto**	*beellyayttoh vahleedoh/ skahdootoh*
to get the ticket	**fare il biglietto**	*fahray eel beellyayttoh*
ticket office	biglietteria	*beellyayttayreeah*
ticket machine	biglietteria automatica	*beellyayttayreeah ahootohmahteekah*
travel agency	agenzia viaggi	*ahjayntzeeah veeahdgee*

SITUATIONAL DIALOGUES

Information

Is there a flight to Rome?	**C'è un volo per Roma?** *chay oon vohloh payr rohmah*
What time does the plane take off?	**A che ora parte l'aereo?** *ah kay ohrah pahrtay lahayrayoh*
What time does it arrive in Rome?	**A che ora arriva a Roma?** *ah kay ohrah ahrreevah ah rohmah*
Is it a direct flight?	**È un volo diretto?** *ay oon vohloh deerayttoh*
How long does it take to fly from Milan to Rome?	**Quanto dura il volo da Milano a Roma?** *kwahntoh doorah eel vohloh dah meelahnoh ah rohmah*

How many hours before the flight do I have to check in?
Quanto tempo prima devo essere all'aeroporto?
kwahntoh taympoh preemah dayvoh ayssayray ahllahayrohpohrtoh

Where does the airport bus leave from?
Da dove parte l'autobus per l'aeroporto?
dah dohvay pahrtay lahootohboos payr lahayrohpohrtoh

Booking

Where's the ticket/booking office?
Dov'è la biglietteria/l'ufficio prenotazioni?
dohvay lah beellyayttayreeah/looffeechoh praynohtahtzeeohnee

I'd like to book an economy class seat on the flight to Milan
Vorrei prenotare un posto in classe turistica sul volo per Milano
vohrrayee praynohtahray oon pohstoh een klahssay tooreesteekah sool vohloh payr meelahnoh

I'd like to cancel/confirm my booking for Rome
Desidero annullare/confermare la mia prenotazione per Roma
dayzeedayroh ahnnoollahray/kohnfayrmahray lah meeah praynohtahtzeeohnay payr rohmah

Buying tickets

I'd like a ticket to Rome
Vorrei un biglietto per Roma
vohrrayee oon beellyayttoh payr rohmah

How much is the return ticket?
Quanto costa il biglietto di andata e ritorno?
kwahntoh kohstah eel beellyayttoh dee ahndahtah ay reetohrnoh

Is it possible to buy train tickets online?
È possibile acquistare biglietti ferroviari online?
ay pohsseebeelay ahkkweestahray beellyayttee fayrrohveeahree ohnlaheen

Sì, utilizzando la carta di credito — Yes, by credit card
see ooteeleedzdzahndoh lah kahrtah dee kraydeetoh

Are there special fares for the weekend?
Ci sono tariffe speciali per il fine settimana?
chee sohnoh tahreeffay spaychahlee payr eel feenay saytteemahnah

By plane

TARGET LANGUAGE

airport	**aeroporto**	*ahayrohpohrtoh*
aircraft, aeroplane	**aereo**	*ahayrayoh*

airline company	**compagnia aerea**	*kohmpahnyeeah ahayrayah*
air pocket	**vuoto d'aria**	*vooohtoh dahreeah*
baggage/luggage	**bagaglio**	*bahgahllyeeoh*
baggage allowance	**bagaglio in franchigia**	*bahgahllyeeoh een frahnkeejah*
overweight/excess baggage	**sovrappeso**	*sohvrahppayzoh*
booking office	**ufficio prenotazioni**	*ooffeechoh praynohtahtzeeohnee*
to cancel	**annullare**	*ahnnoollahray*
to change	**cambiare**	*kahmbeeahray*
to check-in	**presentarsi**	*prayzayntahrsee*
to confirm	**confermare**	*kohnfayhrmahray*
daily line	**linea giornaliera**	*leenayah johrnahllyeeayrah*
to declare	**dichiarare**	*deekeeahrahray*
documents	**documenti**	*dohkoomayntee*
flight	**volo**	*vohloh*
goods	**merce**	*mayrchay*
helicopter	**elicottero**	*ayleekohttayroh*
hijacking	**dirottamento aereo**	*deerohttahmayntoh ahayrayoh*
to land	**atterrare**	*ahttayrrahray*
landing	**atterraggio**	*ahttayrrahdgoh*
parachute	**paracadute**	*pahrahkahdootay*
passport	**passaporto**	*pahssahpohrtoh*
pilot	**pilota**	*peelohtah*
runway	**pista di decollo**	*peestah dee daykohlloh*
seat	**sedile**	*saydeelay*
suitcase	**valigia**	*vahleejah*
to take off	**decollare**	*daykohllahray*
twin-engined plane	**bimotore**	*beemohtohray*

At the airport

SITUATIONAL DIALOGUES

Il volo subirà un ritardo causa maltempo *eel vohloh soobeerah oon reetahrdoh kahoozah mahltaympoh*	The flight will be delayed because of bad weather
Il volo per Milano è stato cancellato *eel vohloh payr meelahnoh ay stahtoh kahnchayllahtoh*	The flight to Milan has been cancelled
Ultima chiamata del volo per Londra *oolteemah keeahmahtah dayl vohloh payr lohndrah*	Last call for the London flight

Where are the luggage trolleys?	**Dove sono i carrelli portabagagli?** *dohvay sohnoh ee kahrrayllee pohrtahbahgahllyee*
Can you tell me where the assembly point is?	**Mi può indicare l'area gruppi?** *mee pooooh eendeekahray lahrayah grooppee*
Where's the check-in for the Rome flight?	**Dov'è il check-in del volo per Roma?** *dohvay eel chaykeen dayl vohloh payr rohmah*
Is the Rome flight leaving on time?	**L'aereo per Roma parte in orario?** *lahayrayoh payr rohmah pahrtay een ohrahreeoh*
What's the flight number?	**Qual è il numero del volo?** *kwahlay eel noomayroh dayl vohloh*
What's the baggage allowance?	**Quanti chili di bagaglio in franchigia posso portare?** *kwahntee keelee dee bahgahllyeeoh een frahnkeejah pohssoh pohrtahray*
How much is the baggage charge?	**Quanto si paga per il sovrappeso?** *kwahntoh see pahgah payr eel sohvrahppayzoh*
Which is the gate for Rome?	**Qual è l'uscita per Roma?** *kwahlay loosheetah payr rohmah*

Volo per Roma, uscita cinque *vohloh payr rohmah oosheetah cheenkway*	Rome flight, gate five

On the plane

SITUATIONAL DIALOGUES

Non fumare *nohn foomahray*	Smoking is not permitted
Siete pregati di allacciare le cinture *seeaytay praygahtee dee ahllahchchahray lay cheentooray*	Fasten seat belts
Spegnere i cellulari e non utilizzare a bordo le apparecchiature elettroniche *spaynyayray ee chaylloolahree ay nohn ooteeleedzdzahray ah bohrdoh lay ahppahraykkeeahtooray aylayttrohneekay*	Turn off your mobile phones and electronic devices
Tenete lo schienale in posizione verticale *taynaytay loh skeeaynahlay een pohzeetzeeohnay vayrteekahlay*	Keep your seats in the full upright position
Stiamo attraversando un'area di turbolenza *steeahmoh ahttrahvayrsahndoh oonahrayah dee toorbohlayntzah*	We've run into some turbulence

The air-conditioning is too high, can you lower it?	**L'aria condizionata è troppo forte, la può abbassare?** *lahreeah kohndeetzeeohnahtah ay trohppoh fohrtay lah poooh ahbbahssahray*
Could I have something to drink?	**Posso avere qualcosa da bere?** *pohssoh ahvayray kwahlkohzah dah bayray*
I don't feel well, I feel sick	**Non mi sento bene, ho la nausea** *nohn mee sayntoh baynay oh lah nahoosayah*

On arrival

SITUATIONAL DIALOGUES

Which is the belt for the luggage off the Rome flight?	**Dove arrivano i bagagli del volo da Roma?** *dohvay ahrreevahnoh ee bahgahllyee dayl vohloh dah rohmah*
My bag has been damaged	**La mia sacca è stata danneggiata** *lah meeah sahkkah ay stahtah dahnnaydgahtah*
One of my suitcases is missing	**Manca una delle mie valigie** *mahnkah oonah dayllay meeay vahleejay*
Where's the complaints office?	**Dov'è l'ufficio reclami?** *dohvay looffeechoh rayklahmee*
Where's the left luggage office?	**Dov'é il deposito bagagli?** *dohvay eel daypohzeetoh bahgahllyee*
Where can I get a taxi?	**Dove posso prendere un taxi?** *dohvay pohssoh prayndayray oon tahssee*
Where can I hire a car?	**Dove posso noleggiare una macchina?** *dohvay pohssoh nohlaydgahray oonah mahkkeenah*
Where do buses into the city leave from?	**Da dove partono gli autobus per la città?** *dah dohvay pahrtohnoh llyee ahootohboos payr lah cheettah*

By car

In Italy you drive on the right and overtake on the left.
The motorway system in Italy is excellent, but a toll must be paid.
At the entrance, you are given a ticket showing where you joined the motorway. At the exit you pay according to the distance travelled.
The speed limit on motorways is 130 kph (81 mph). On main roads outside the towns the maximum speed limit – unless otherwise indicated – is 90 kph (56 mph). In built-up areas it is 50 kph (31 mph).
Motorists must keep dipped headlights on during daytime.

If you break down and are forced to stop in the middle of the road you must place a red triangle 50 metres (about 160 feet) behind your vehicle to warn other drivers. All drivers must carry this triangle, which can be rented from the offices of the ACI (Automobile Club Italiano) when you enter Italy and then returned when you leave the country.
In case of breakdown dial 803 116 for the ACI. Their nearest office will be informed and assistance will be sent as soon as possible.

TARGET LANGUAGE

to accelerate	**accelerare**	*ahchchaylayrahray*
accelerator	**acceleratore**	*ahchchaylayrahtohray*
to be short of petrol	**essere in riserva**	*ayssayray een reesayrvah*
bodywork	**carrozzeria**	*kahrrohtztzayreeah*
bonnet	**cofano**	*kohfahnoh*
boot	**bagagliaio**	*bahgahllyeeaheeoh*
to brake	**frenare**	*fraynahray*
brake	**freno**	*fraynoh*
handbrake	**freno a mano**	*fraynoh ah mahnoh*
foot brake	**freno a pedale**	*fraynoh ah paydahlay*
breakdown van	**carro attrezzi**	*kahrroh ahttraytztzee*
bumper	**paraurti**	*pahrahoortee*
burgler alarm	**antifurto**	*ahnteefoortoh*
car	**auto/macchina**	*ahootoh/mahkkeenah*
car-hire	**noleggio auto**	*nohlaydgoh ahootoh*
car insurance	**assicurazione auto**	*ahsseekoorahtzeeohnay ahootoh*
car-park attendant	**parcheggiatore**	*pahrkaydgahtohray*
car radio	**autoradio**	*ahootohrahdeeoh*
racing car	**automobile da corsa**	*ahootohmohbeelay dah kohrsah*
clutch	**frizione**	*freetzeeohnay*
to collide	**investire**	*eenvaysteeray*
collision	**investimento**	*eenvaysteemayntoh*
consumption	**consumo**	*kohnsoomoh*
cubic capacity	**cilindrata**	*cheeleendrahtah*
cylinder	**cilindro**	*cheeleendroh*
differential	**differenziale**	*deeffayrayntzeeahlay*
to drive	**guidare**	*gweedahray*
driver	**guidatore**	*gweedahtohray*
driving licence	**patente di guida**	*pahtayntay dee gweedah*
engine	**motore**	*mohtohray*
exhaust pipe	**tubo di scappamento**	*tooboh dee skahppahmayntoh*
fanbelt	**cinghia**	*cheengheeah*
filling station	**distributore di benzina**	*deestreebootohray dee bayntzeenah*

filter	**filtro**	*feeltroh*
air/oil filter	**filtro dell'aria/ dell'olio**	*feeltroh dayllahreeah/ dayllohleeoh*
to gear	**ingranare**	*eengrahnahray*
gear	**marcia**	*mahrchah*
to change gear	**cambiare marcia**	*kahmbeeahray mahrchah*
gear lever	**leva del cambio**	*layvah dayl kahmbeeoh*
in neutral	**in folle**	*een fohllay*
GPS navigator	**navigatore satellitare/ GPS**	*nahveegahtohray sahtaylleetahray/ jee pee ayssay*
to grease	**ingrassare**	*eengrahssahray*
headlights	**fari**	*fahree*
full beam	**abbaglianti**	*ahbbahllyeeahntee*
dipped headlights	**anabbaglianti**	*ahnahbbahllyeeahntee*
fog lights	**antinebbia**	*ahnteenaybbeeah*
highway	**autostrada**	*ahootohstrahdah*
horn	**clacson**	*klahksohn*
ignition	**accensione**	*ahchchaynseeohnay*
indicators	**lampeggiatori**	*lahmpaydgahtohree*
to indicate	**mettere la freccia**	*mayttayray lah fraychchah*
jack	**crick**	*kreek*
left-hand drive	**guida a sinistra**	*gweedah ah seeneestrah*
lights	**luci**	*loochee*
brake lights	**luci di arresto**	*loochee dee ahrraystoh*
rear lights	**luci posteriori**	*loochee pohstayreeohree*
reverse lights	**luci di retromarcia**	*loochee dee raytrohmahrchah*
side lights	**luci di posizione**	*loochee dee pohzeetzeeohnay*
lining	**guarnizione**	*gooahrneetzeeohnay*
log book	**libretto di circolazione**	*leebrayttoh dee cheerkohlahtzeeohnay*
luggage grid	**portabagagli**	*pohrtahbahgahllyee*
to manœuvre	**fare manovra**	*fahray mahnohvrah*
methane gas pump	**metano**	*maytahnoh*
mixture	**miscela**	*meeshaylah*
mud guard	**parafango**	*pahrahfahngoh*
number plate	**targa**	*tahrgah*
to park	**parcheggiare**	*pahrkaydgahray*
parking	**parcheggio**	*pahrkaydgoh*
pedal	**pedale**	*paydahlay*
petrol	**benzina**	*bayntzeenah*
pump	**pompa**	*pohmpah*

to puncture	**forare**	*fohrahray*
quarter light	**deflettore**	*dayflayttohray*
radiator	**radiatore**	*rahdeeahtohray*
rear mirror	**specchietto retrovisore**	*spaykkeeayttoh raytrohveezohray*
reflector	**catarifrangente**	*kahtahreefrahnjayntay*
reverse gear	**retromarcia**	*raytrohmahrchah*
to back(up)/reverse	**fare retromarcia**	*fahray raytrohmahrchah*
road accident	**incidente stradale**	*eencheedayntay strahdahlay*
running-in	**rodaggio**	*rohdahdgoh*
seat	**sedile**	*saydeelay*
seat-belt	**cintura di sicurezza**	*cheentoorah dee seekooraytztzah*
service station	**officina di riparazioni**	*ohffeecheenah dee reepahrahtzeeohnee*
shock absorbers	**ammortizzatori**	*ahmmohrteedzdzahtohree*
silencer	**marmitta**	*mahrmeettah*
catalytic converter	**marmitta catalitica**	*mahrmeettah kahtahleeteekah*
speed	**velocità**	*vaylohcheetah*
speedometer	**tachimetro**	*tahkeemaytroh*
to start the engine	**avviare il motore**	*ahvveeahray eel mohtohray*
starter	**avviamento**	*ahvveeahmayntoh*
steering wheel	**volante/sterzo**	*vohlahntay/stayrtzoh*
tax disc	**bollo**	*bohlloh*
to tow	**rimorchiare**	*reemohrkeeahray*
towing forbidden	**proibito farsi rimorchiare**	*proheebeetoh fahrsee reemohrkeeahray*
traffic lights	**semaforo**	*saymahfohroh*
trailer	**rimorchio (di camion)**	*reemohrkeeoh (dee kahmeeohn)*
triangle	**triangolo**	*treeahngohloh*
tyre	**gomma**	*gohmmah*
inner tube	**camera d'aria**	*kahmayrah dahreeah*
valve	**valvola**	*vahlvohlah*
washing	**lavaggio**	*lahvahdgoh*
wheel	**ruota**	*roooohtah*
front/back wheel	**anteriore/ posteriore**	*ahntayreeohray/ pohstayreeohray*
spare wheel	**ruota di scorta**	*roooohtah dee skohrtah*
windscreen wiper	**tergicristallo**	*tayrjeekreestahlloh*
wiring	**impianto elettrico**	*eempeeahntoh aylayttreekoh*
zebra crossing	**strisce pedonali**	*streeshay paydohnahlee*

Asking for directions

SITUATIONAL DIALOGUES

Have you a map of this town?	**Ha una pianta di questa città?** *ah oonah peeahntah dee kwaystah cheettah*
Can you tell me the way to...?	**Può indicarmi la strada per... ?** *poooh eendeekahrmee lah strahdah payr...*
Turn left, then right, then go straight ahead	**Giri a sinistra, poi a destra e poi prosegua dritto** *jeeree ah seeneestrah pohee ah daystrah ay pohee prohsaygwah dreettoh*
Is this the turning for...?	**Devo girare qui per... ?** *dayvoh jeerahray kwee payr...*
Where's the entrance to the highway?	**Dov'è l'ingresso all'autostrada?** *dohvay leengrayssoh ahllahootohstrahdah*
When you come to the lights take the first on the right	**Quando arriva al semaforo prenda la prima a destra** *kwahndoh ahrreevah ahl saymahfohroh prayndah lah preemah ah daystrah*

At a filling station

Filling stations in cities close for lunch, on Saturday afternoons and on Sunday. There are a few self-service pumps. Motorway service stations are open 24 hours a day.

TARGET LANGUAGE

antifreeze	**antigelo**	*ahnteejayloh*
axle grease	**lubrificante**	*loobreefeekahntay*
car wash	**autolavaggio**	*ahootohlahvahdgoh*
diesel oil pump	**gasolio**	*gahzohleeoh*
fuel tank	**serbatoio**	*sayrbahtoheeoh*
jerry can	**tanica**	*tahneekah*
LPG	**GPL**	*jee pee ayllay*
petrol	**benzina**	*bayntzeenah*
petrol-tank	**serbatoio della benzina**	*sayrbahtoheeoh dayllah bayntzeenah*
lead-free/unleaded	**senza piombo/ verde**	*sayntzah peeohmboh/ vayrday*
service station	**stazione di servizio**	*stahtzeeohnay dee sayrveetzeeoh*
snowchains	**catene da neve**	*kahtaynay dah nayvay*

SITUATIONAL DIALOGUES

Fill it up, please	**Il pieno, per favore** *eel peeāynoh payr fahvōhray*
I'm running out of petrol	**Sono in riserva** *sōhnoh een reesāyrvah*
Where can I find a petrol station?	**Dove posso trovare un distributore?** *dōhvay pōhssoh trohvāhray oon deestreebootōhray*
Give me ten litres of unleaded petrol	**Mi dia dieci litri di benzina verde** *mee dēeah deeāychee lēetree dee bayntzēenah vāyrday*
How much does a litre of diesel cost?	**Quanto costa il gasolio al litro?** *kwāhntoh kōhstah eel gahzōhleeoh ahl lēetroh*
Please check the tyre pressure/the water/the coolant and the oil	**Per favore controlli la pressione delle gomme/ l'acqua/il fluido refrigerante e l'olio** *payr fahvōhray kohntrōhllee lah praysseeōhnay dāyllay gōhmmay/lāhkkwah/eel flōoeedoh rayfreejayrāhntay ay lōhleeoh*
You're low on oil. Do you want to add some?	**Manca olio. Vuole aggiungerlo?** *māhnkah ōhleeoh vooōhlay ahdgoonjāyrloh*
Can you change the wipers/clean the windscreen, please?	**Mi può cambiare i tergicristalli/lavare il vetro, per favore?** *mee poooōh kahmbeeāhray ee tayrjeekreestāhllee/ lahvāhray eel vāytroh payr fahvōhray*

Transport

At a garage

TARGET LANGUAGE

accessories	**accessori**	*ahchchayssōhree*
air filter	**filtro dell'aria**	*fēeltroh dayllāhreeah*
battery	**batteria**	*bahttayrēeah*
flat battery	**batteria scarica**	*bahttayrēeah skāhreekah*
to charge the battery	**caricare la batteria**	*kahreekāhray lah bahttayrēeah*
break-down	**guasto**	*gwāhstoh*
carburettor	**carburatore**	*kahrboorahtōhray*
car electrician	**elettrauto**	*aylayttrāhootoh*
fuse	**fusibile**	*foozēebeelay*
garage	**autorimessa**	*ahootohreemāyssah*
mechanic	**meccanico**	*maykkāhneekoh*
piston	**pistone**	*peestōhnay*
repairs	**riparazione**	*reepahrahtzeeōhnay*

spare part	**pezzo di ricambio**	*paytztzoh dee reekahmbeeoh*
spark plugs	**candele**	*kahndaylay*
tyre dealer	**(chi vende) gommista**	*gohmmeestah*
tyre repairer	**(chi ripara) gommista**	*gohmmeestah*

SITUATIONAL DIALOGUES

There is something wrong with the engine	**Qualcosa non va con il motore** *kwahlkohzah nohn vah kohn eel mohtohray*
Can you send a breakdown van?	**Può mandare un carro attrezzi?** *poooh mahndahray oon kahrroh ahttraytztzee*
My car won't start/ won't idle	**La mia auto non parte/non tiene il minimo** *lah meeah ahootoh nohn pahrtay/nohn teeaynay eel meeneemoh*
The engine is out of timing/is knocking	**Il motore perde colpi/batte in testa** *eel mohtohray payrday kohlpee/bahttay een taystah*
Please check the brakes	**Per favore controlli i freni** *payr fahvohray kohntrohllee ee fraynee*
Can you mend this puncture?	**Può riparare questa foratura?** *poooh reepahrahray kwaystah fohrahtoorah*
Could you change the oil/the spark plugs, please?	**Potrebbe cambiarmi l'olio/le candele, per favore?** *pohtraybbay kahmbeeahrmee lohleeoh/lay kahndaylay payr fahvohray*
The battery might be flat	**Forse la batteria è scarica** *fohrsay lah bahttayreeah ay skahreekah*
Can you repair the damage at your garage?	**Può eseguire la riparazione nella sua autorimessa?** *poooh ayzaygweeray lah reepahrahtzeeohnay nayllah sooah ahootohreemayssah*
Sorry, I don't have this spare part	**Spiacente, non ho questo pezzo di ricambio** *speeahchayntay nohn oh kwaystoh paytztzoh dee reekahmbeeoh*
The engine is overheating. Can you repair my car?	**Il motore è surriscaldato. Può riparare il guasto?** *eel mohtohray ay soorreeskahldahtoh poooh reepahrahray eel gwahstoh*
How much is it?	**Quanto costa?** *kwahntoh kohstah*
How long will it take?	**Quanto tempo occorre?** *kwahntoh taympoh ohkkohrray*

Wash and grease the car, please — **Lavaggio e ingrassaggio, per favore**
lahvahdgoh ay eengrahssahdgoh payr fahvohray

The car is ready — **L'auto è pronta**
lahootoh ay prohntah

Parking

Most towns have shopping centres and, if you park where you are not supposed to, your car will be towed away. You should park either in a free parking area or in a pay car park or garage. Charges are displayed on a sign in the car park. You'll be given a parking ticket when you arrive or, if there is a car park attendant, he or she will place a ticket on your windscreen and you pay on departure.
Never leave your car in areas marked by the tow-away symbol, or in areas marked by yellow lines (areas reserved for residents).

TARGET LANGUAGE

car park attendant	**parcheggiatore**	*pahrkaydgahtohray*
parking	**(azione) parcheggio**	*pahrkaydgoh*
car park	**(luogo) parcheggio**	*pahrkaydgoh*
pay car park	**parcheggio a pagamento**	*pahrkaydgoh ah pahgahmayntoh*
with/without attendants	**custodito/ incustodito**	*koostohdeetoh/ eenkoostohdeetoh*
free/full	**libero/completo**	*leebayroh/kohmplaytoh*
underground	**sotterraneo**	*sohttayrrahnayoh*
parking disc	**disco orario**	*deeskoh ohrahreeoh*
parking metre	**parchimetro**	*pahrkeemaytroh*
pay and display ticket	**biglietto di sosta**	*beellyayttoh dee sohstah*
wheel clamps	**ganasce**	*gahnahshay*

SITUATIONAL DIALOGUES

Where can I park? — **Dove posso posteggiare?**
dohvay pohssoh pohstaydgahray

You can't park here — **Qui non si può posteggiare**
kwee nohn see poooh pohstaydgahray

You were illegally parked — **Ha posteggiato in divieto di sosta**
ah pohstaydgahtoh een deeveeaytoh dee sohstah

I didn't see the road sign — **Non ho visto il segnale stradale**
nohn oh veestoh eel saynyahlay strahdahlay

Could you tell me where the nearest car park is?	**Potrebbe indicarmi il parcheggio più vicino?** *pohtraybbay eendeekahrmee eel pahrkaydgoh peeoo veecheenoh*
What coins does the meter take?	**Con quali monete funziona il parchimetro?** *kohn kwahlee mohnaytay foontzeeohnah eel pahrkeemaytroh*
You need two euros	**Servono due euro** *sayrvohnoh dooay ayooroh*
How long can I park here?	**Quanto tempo posso restare qui?** *kwahntoh taympoh pohssoh raystahray kwee*
Where can I pay?	**Dove posso pagare?** *dohvay pohssoh pahgahray*
Pay at the office before taking your car	**Paghi all'ufficio prima di ritirare l'auto** *pahghee ahllooffeechoh preemah dee reeteerahray lahootoh*

Road signs

Accendere i fari in galleria	*ahchchayndayray ee fahree een gahllayreeah*	Use headlights in tunnel
Autostrada	*ahootohstrahdah*	Motorway
Circonvallazione	*cheerkohnvahllah-tzeeohnay*	Ring road
Corsia di emergenza	*kohrseeah dee aymayrjayntzah*	Emergency lane
Dare la precedenza	*dahray lah praychaydayntzah*	Give way
Deviazione	*dayveeahtzeeohnay*	Diversion
Divieto di sorpasso	*deeveeaytoh dee sohrpahssoh*	No overtaking
Divieto di sosta	*deeveeaytoh dee sohstah*	No parking
Divieto di transito	*deeveeaytoh dee trahnseetoh*	No thoroughfare
Incrocio	*eenkrohchoh*	Junction
Lavori in corso	*lahvohree een kohrsoh*	Road works
Non attraversare i binari	*nohn ahttrahvayrsahray ee beenahree*	Do not cross the rails
Piazzola di sosta	*peeahtztzohlah dee sohstah*	Lay-by
Passaggio a livello	*pahssahdgoh ah leevaylloh*	Level crossing
Passo carrabile	*pahssoh kahrrahbeelay*	Keep clear
Pedaggio	*paydahdgoh*	Toll
Pericolo	*payreekohloh*	Danger

Rallentare	*rahllayntāhray*	Slow down
Rimozione forzata	*reemohtzeeōhnay fohrtzāhtah*	Tow-away zone
Riservato ai disabili	*reesayrvāhtoh āhee deezāhbeelee*	Reserved for the disabled
Senso unico	*sāynsoh ōoneekoh*	One way
Strada con diritto di precedenza	*strāhdah kohn deerēettoh dee praychaydāyntzah*	Priority road
Strada senza uscita	*strāhdah sāyntzah ooshēetah*	Dead end (street)
Strisce pedonali	*strēeshay paydohnāhlee*	Zebra crossing
Tangenziale	*tahnjayntzeeāhlay*	Bypass
Zona disco	*tzōhnah dēeskoh*	Disc zone
Zona pedonale	*tzōhnah paydohnāhlay*	Pedestrian zone

Road accidents

Third party insurance is compulsory. You'd better carry an international Green Card which you should be able to obtain from your insurance.

SITUATIONAL DIALOGUES

I've had an accident — **Ho avuto un incidente**
ōh ahvōotoh oon eencheedāyntay

Ci sono feriti? — Is anyone hurt?
chee sōhnoh fayrēetee

One person is badly hurt — **C'è un ferito grave**
chāy oon fayrēetoh grāhvay

Call an ambulance/the police, quickly — **Chiamate un'ambulanza/la polizia, presto**
keeahmāhtay oonahmboolāhntzah/lah pohleetzēeah prāystoh

It wasn't my fault — **Non è stata colpa mia**
nohn āy stāhtah kōhlpah mēeah

You did not give way — **Non mi ha dato la precedenza**
nohn mee āh dāhtoh lah praychaydāyntzah

I didn't see the give way sign. You're right. I'm sorry — **Non ho visto lo stop. Lei ha ragione. Mi dispiace**
nohn ōh vēestoh loh stohp lāyee āh rahjōhnay mee deespeeāhchay

I've crashed my car — **Ho distrutto la macchina**
ōh deestrōottoh lah māhkkeenah

You ran into me. Give me your name and address — **Lei mi ha investito. Mi dia nome e indirizzo**
lāyee mee āh eenvaystēetoh mee dēeah nōhmay ay eendeerēetztzoh

Ecco il nome e l'indirizzo della mia assicurazione *aykkoh eel nohmay ay leendeereetztzoh dayllah meeah ahsseekoorahtzeeohnay*	Here is the name and address of my insurance company

Please come and fetch my car and tow it to your repair workshop	**Per favore venite a prendere la mia macchina e rimorchiatela alla vostra officina** *payr fahvohray vayneetay ah prayndayray lah meeah mahkkeenah ay reemohrkeeahtaylah ahllah vohstrah ohffeecheenah*
Would you be a witness?	**Mi può fare da testimone?** *mee pooòh fahray dah taysteemohnay*

Traffic police

TARGET LANGUAGE

breathalyser	**etilometro**	*ayteelohmaytroh*
breach	**infrazione**	*eenfrahtzeeohnay*
driver	**conducente/ guidatore**	*kohndoochayntay/ gweedahtohray*
driving licence	**patente**	*pahtayntay*
drunk driving	**guida in stato di ebbrezza**	*gweedah een stahtoh dee aybbraytztzah*
fine	**contravvenzione/ multa**	*kohntrahvvayntzeeohnay/ mooltah*
log book	**libretto di circolazione**	*leebrayttoh dee cheerkohlahtzeeohnay*
speed limit	**limite di velocità**	*leemeetay dee vaylohcheetah*
traffic police	**polizia stradale**	*pohleetzeeah strahdahlay*

SITUATIONAL DIALOGUES

I'll have to fine you	**Deve pagare la multa** *dayvay pahgahray lah mooltah*
What have I done?	**Per quale motivo?** *payr kwahlay mohteevoh*
You were exceeding the speed limit	**Ha superato il limite di velocità** *ah soopayrahtoh eel leemeetay dee vaylohcheetah*
How much is the fine?	**Quant'è la multa?** *kwahntay lah mooltah*

Posso vedere patente e libretto di circolazione? *pōhssoh vaydāyray pahtāyntay ay leebrāyttoh dee cheerkohlatzeeōhnay*	Can I see your driving licence and your log book?
What have I done?	**Che cosa ho fatto?** *kay kōhzah ōh fāhttoh*
You were using the phone while driving	**Parlava al cellulare mentre guidava** *pahrlāhvah ahl chaylloolāhray māyntray gweedāhvah*
My car has been towed away. What can I do?	**La mia auto è stata sottoposta a rimozione forzata. Che posso fare?** *lah mēeah āhootoh āy stāhtah sohttohpōhstah ah reemohtzeeōhnay fohrtzāhtah kay pōhssoh fāhray*
Contatti la Polizia Municipale *kohntāhttee lah pohleetzēeah mooneecheepāhlay*	Contact the traffic wardens

Car hire

SITUATIONAL DIALOGUES

What cars do you have to hire?	**Che tipi di auto avete da noleggiare?** *kay tēepee dee āhootoh ahvāytay dah nohlaydgāhray*
How much does it cost to hire a car for... days?	**Quanto costa il noleggio per... giorni?** *kwāhntoh kōhstah eel nohlāydgoh payr... jōhrnee*
What's the charge per kilometre?	**Qual è la tariffa al chilometro?** *kwahlāy lah tahrēeffah ahl keelōhmaytroh*
What's the deposit?	**Quanto è il deposito?** *kwāhntoh āy eel daypōhzeetoh*
Is insurance included?	**È compresa l'assicurazione?** *āy kohmprāysah lahsseekoorahtzeeōhnay*
How do I operate the controls?	**Come funzionano i comandi?** *kōhmay foontzeeōhnahnoh ee kohmāhndee*

By train

Types of train

Eurostar (ETR 500, ETR 480/460 and ETR 450)
Luxury trains, connecting only the major Italian cities.
A supplement must be paid in advance.

Intercity/Eurocity
It is a fast train with very few stops; connecting all Italian cities, all over the Italian territory. A supplement must be paid in advance.

Espresso (EXP)
Medium-distance train at limited price, stopping at many small stations.

Euro Night (EN)
International luxury and quality trains.

Regionale/Interregionale
Trains travelling within the regional boundaries (i.e. Lombardia), or connecting two regions.

Diretto
Long-distance train stopping at main stations.

Return tickets offer no saving with respect to two singles.
Remember that any ticket should be punched using the yellow machines situated at the near end of the platforms, just before boarding the train. A return ticket should be punched again before the return journey. If you forget, you will be fined! If you forget, find the conductor on the train as soon as possible, and the fine will be reduced.
For many trains, seat booking is obligatory. In any case it is a good idea to buy your ticket early (at least the day before) and book your seat (small extra charge). This saves frustration queuing while your train is about to depart.
Children under four years of age not occupying a seat travel free, and there is a half-price fare for children between four and twelve years of age. Considerable reductions are available for families and individuals on short-term season tickets.

TARGET LANGUAGE

arrival	**arrivo**	*ahrreevoh*
to board	**salire**	*sahleeray*
cancelled train	**treno soppresso**	*traynoh sohpprayssoh*
carriage	**vagone**	*vahgohnay*
dining car	**vagone ristorante**	*vahgohnay reestohrahntay*
sleeping car	**vagone letto**	*vahgohnay layttoh*
goods wagon	**vagone merci**	*vahgohnay mayrchee*
to change class	**cambiare classe**	*kahmbeeahray klahssay*
compartment	**scompartimento**	*skohmpahrteemayntoh*
conductor/guard	**capotreno**	*kahpohtraynoh*
connection	**coincidenza**	*koheencheedayntzah*
corridor	**corridoio**	*kohrreedoheeoh*
departure	**partenza**	*pahrtayntzah*

desk/counter	**sportello**	*spohrtaylloh*
emergency brake	**segnale d'allarme**	*saynyahlay dahllahrmay*
entrance	**entrata**	*ayntrahtah*
exchange desk	**ufficio cambio**	*ooffeechoh kahmbeeoh*
exit	**uscita**	*oosheetah*
fare	**prezzo**	*praytztzoh*
to get off	**scendere**	*shayndayray*
to get on	**salire**	*sahleeray*
information office	**ufficio informazioni**	*ooffeechoh eenfohrmahtzeeohnee*
lavatory	**gabinetto**	*gahbeenayttoh*
to leave	**partire**	*pahrteeray*
left luggage office	**deposito bagagli**	*daypohzeetoh bahgahllyee*
level crossing	**passaggio a livello**	*pahssahdgoh ah leevay lloh*
locomotive	**locomotiva**	*lohkohmohteevah*
lost property office	**ufficio oggetti smarriti**	*ooffeechoh ohdgayttee smahrreetee*
luggage	**bagaglio**	*bahgahllyoh*
luggage ticket	**scontrino**	*skohntreenoh*
luggage van	**bagagliaio**	*bahgahllyaheeoh*
lunch pack	**cestino da viaggio**	*chaysteenoh dah veeahdgoh*
passenger	**passeggero**	*pahssaydgayroh*
pillow	**cuscino**	*koosheenoh*
platform	**binario**	*beenahreeoh*
porter	**facchino**	*fahkkeenoh*
rail pass	**abbonamento**	*ahbbohnahmayntoh*
travel card	**abbonamento giornaliero**	*ahbbohnahmayntoh johrnahleeayroh*
weekly pass	**abbonamento settimanale**	*ahbbohnahmayntoh saytteemahnahlay*
monthly season ticket	**abbonamento mensile**	*ahbbohnahmayntoh maynseelay*
reserved seat	**posto riservato**	*pohstoh reesayrvahtoh*
sleeper booking	**prenotazione cuccette**	*praynohtahtzeeohnay koochchayttay*
starting signal	**segnale di partenza**	*saynyahlay dee pahrtayntzah*
station	**stazione**	*stahtzeeohnay*
station master	**capostazione**	*kahpohstahtzeeohnay*
stop	**fermata**	*fayrmahtah*
subway	**sottopassaggio**	*sottohpahssahdgoh*
ticket	**biglietto**	*beellyayttoh*
holiday ticket	**biglietto festivo**	*beellyayttoh faysteevoh*

return ticket	**biglietto di andata e ritorno**	*beellyayttoh dee ahndahtah ay reetohrnoh*
single ticket	**biglietto d'andata**	*beellyayttoh dahndahtah*
ticket inspector	**controllore**	*kohntrohllohray*
ticket office	**biglietteria**	*beellyayttayreeah*
ticket puncher	**macchina obliteratrice**	*mahkkeenah ohbleetayrahtreechay*
timetable	**orario**	*ohrahreeoh*
train	**treno**	*traynoh*
direct	**diretto**	*deerayttoh*
express/fast	**espresso**	*ayspprayssoh*
Eurostar	**Eurostar**	*ayoorohstahr*
Intercity	**Intercity**	*eentayrseetee*
goods train	**treno merci**	*traynoh mayrchee*
to miss the train	**perdere il treno**	*payrdayray eel traynoh*
to change train	**cambiare treno**	*kahmbeeahray traynoh*
train driver	**macchinista**	*mahkkeeneestah*
travel agency	**agenzia viaggi**	*ahjayntzeeah veeahdgee*
trolley	**carrello portabagagli**	*kahrraylloh pohrtahbahgahllyee*
tunnel	**galleria**	*gahllayreeah*
trunk	**baule**	*bahoolay*
valid	**valevole**	*vahlayvohlay*
waiting room	**sala d'aspetto**	*sahlah dahspayttoh*
window	**finestrino**	*feenaystreenoh*

3 • JOURNEY

SITUATIONAL DIALOGUES

At the station

The train is late — **Il treno è in ritardo**
eel traynoh ay een reetahrdoh

The train is on time — **Il treno è in orario**
eel traynoh ay een ohrahreeoh

When does the train to Rome leave? — **Quando parte il treno per Roma?**
kwahndoh pahrtay eel traynoh payr rohmah

Which platform does it leave from? — **Da quale binario?**
dah kwahlay beenahreeoh

Il treno delle 10.30 per Roma è in partenza al binario 6
eel traynoh dayllay deeaychee ay trayntah payr rohmah ay een pahrtayntzah ahl beenahreeoh sayee
The 10.30 train to Rome is leaving from platform 6

Is it a direct train or do I have to change? — **È un treno diretto o devo cambiare?**
ay oon traynoh deerayttoh oh dayvoh kahmbeeahray

You have to change at Firenze	**Deve cambiare a Firenze** *dayvay kahmbeeahray ah feerayntzay*
When does it arrive?	**Quando arriva?** *kwahndoh ahrreevah*
This train doesn't go directly to Lucca	**Questo treno non va direttamente a Lucca** *kwaystoh traynoh nohn vah deerayttahmayntay ah lookkah*
What time is the connection for Lucca?	**A che ora è la coincidenza per Lucca?** *ah kay ohrah ay lah koheencheedayntzah payr lookkah*
I want to take the Intercity, what's the difference in the price?	**Desidero prendere l'Intercity, qual è il supplemento?** *dayzeedayroh prayndayray leentayrseetee kwahlay eel soopplaymayntoh*

On the train

Excuse me	**Permesso** *payrmayssoh*
Excuse me, is this seat free?	**Scusi, è libero questo posto?** *skoozee ay leebayroh kwaystoh pohstoh*

No, è occupato/prenotato
noh ay ohkkoopahtoh/praynohtahtoh
No, it's taken/reserved

Can I put my bag here?	**Posso mettere qui la valigia?** *pohssoh mayttayray kwee lah vahleejah*

Biglietti, prego
beellyayttee praygoh
Tickets, please

Here's the ticket inspector	**Ecco il controllore** *aykkoh eel kohntrohllohray*
Is there a supplement on this ticket?	**C'è un supplemento su questo biglietto?** *chay oon soopplaymayntoh soo kwaystoh beellyayttoh*

Le dispiace chiudere/ aprire il finestrino?
lay deespeeahchay keeoodayray/ ahpreeray eel feenaystreenoh
Would you mind closing/opening the window?

Excuse me, can I put the light off?	**Scusi, posso spegnere la luce?** *skoozee pohssoh spaynyayray lah loochay*
Where's the dining car?	**Dov'è il vagone ristorante?** *dohvay eel vahgohnay reestohrahntay*

At the end/at the front of the train	**In coda/in testa al treno** *een kohdah/een taystah ahl traynoh*

At the left-luggage office

Where is the left luggage office?	**Dov'è il deposito bagagli?** *dohvay eel daypohzeetoh bahgahllyee*
How much does it cost to leave a bag?	**Quanto costa il deposito di una valigia?** *kwahntoh kohstah eel daypohzeetoh dee oonah vahleejah*
Can I leave my bag for longer than a day?	**Posso lasciare la valigia per più giorni?** *pohssoh lahshahray lah vahleejah payr peeoo johrnee*
Do I pay when I collect it?	**Si paga al ritiro?** *see pahgah ahl reeteeroh*
Are the lockers coin-operated?	**Gli armadietti funzionano con monete?** *llyee ahrmahdeeayttee foontzeeohnahnoh kohn mohnaytay*

By boat

TARGET LANGUAGE

anchor	**ancora**	*ahnkohrah*
to cast anchor	**gettare l'ancora**	*jayttahray lahnkohrah*
berth	**cuccetta**	*koochchayttah*
boat	**barca/battello**	*bahrkah/bahttaylloh*
fishing boat	**peschereccio**	*payskayraychchoh*
sailing boat	**barca a vela**	*bahrkah ah vaylah*
cabin	**cabina**	*kahbeenah*
captain	**capitano**	*kahpeetahnoh*
coast	**costa**	*kohstah*
course	**rotta**	*rohttah*
crew	**equipaggio**	*aykweepahdgoh*
crossing	**traversata**	*trahvayrsahtah*
cruise	**crociera**	*krohchayrah*
deck	**ponte**	*pohntay*
depth	**profondità**	*prohfohndeetah*
to disembark	**sbarcare**	*sbahrkahray*
to embark	**imbarcarsi**	*eembahrkahrsee*
embarkation	**imbarco**	*eembahrkoh*
ferry	**traghetto**	*trahghayttoh*
harbour	**porto**	*pohrtoh*
to enter harbour	**entrare in porto**	*ayntrahray een pohrtoh*
hold	**stiva**	*steevah*

hydrofoil	**aliscafo**	*ahleeskahfoh*
knot	**nodo**	*nohdoh*
landing	**sbarco**	*sbahrkoh*
landing stage	**imbarcadero**	*eembahrkahdayroh*
lifebuoy/lifebelt	**salvagente**	*sahlvahjayntay*
life boat	**canotto di salvataggio**	*kahnohttoh dee sahlvahtahdgoh*
to moor	**ormeggiare**	*ohrmaydgahray*
mooring	**ormeggio**	*ohrmaydgoh*
navigation	**navigazione**	*nahveegahtzeeohnay*
on board	**a bordo**	*ah bohrdoh*
pier	**molo**	*mohloh*
porthole	**oblò**	*ohbloh*
prow	**prua**	*prooah*
quay/wharf	**banchina**	*bahnkeenah*
raft	**zattera**	*tzahttayrah*
rudder	**timone**	*teemohnay*
sail	**vela**	*vaylah*
to sail	**salpare**	*sahlpahray*
sailing company	**compagnia di navigazione**	*kohmpahnyeeah dee nahveegahtzeeohnay*
sailor	**marinaio**	*mahreenaheeoh*
sea	**mare**	*mahray*
calm/rough	**calmo/mosso**	*kahlmoh/mohssoh*
sea-sickness	**mal di mare**	*mahl dee mahray*
sea voyage	**viaggio per mare**	*veeahdgoh payr mahray*
ship	**nave**	*nahvay*
shipwreck	**naufragio**	*nahoofrahjoh*
steamer	**vaporetto**	*vahpohrayttoh*
stern	**poppa**	*pohppah*
tide	**marea**	*mahrayah*
to tow	**rimorchiare**	*reemohrkeeahray*
tug	**rimorchiatore**	*reemohrkeeahtohray*
wave	**onda**	*ohndah*

SITUATIONAL DIALOGUES

What time does the ship weigh anchor?
A che ora si salpa?
ah kay ohrah see sahlpah

How long is the crossing?
Quanto dura la traversata?
kwahntoh doorah lah trahvayrsahtah

You'll arrive in two hours
Arriverete tra due ore
ahrreevayraytay frah dooay ohray

I want to book a second-class cabin with two berths on the ship sailing from the port of...	**Desidero prenotare una cabina di seconda classe a due letti sulla nave in partenza dal porto di...** *dayzeedayroh praynohtahray oonah kahbeenah dee saykohndah klahssay ah dooay layttee soollah nahvay een pahrtayntzah dahl pohrtoh dee...*
Does the ship call at... ?	**La nave fa scalo a... ?** *lah nahvay fah skahloh ah...*
How often does the hydrofoil go?	**Ogni quanto parte l'aliscafo?** *ohnyee kwahntoh pahrtay lahleeskahfoh*
Every hour	**Ogni ora** *ohnyee ohrah*
Where does the ferry for... leave from?	**Da dove parte il traghetto per... ?** *dah dohvay pahrtay eel trahghayttoh payr...*
Is it a car ferry?	**Sul traghetto si può portare l'auto?** *sool trahghayttoh see pooh pohrtahray lahootoh*
What does it cost to ferry a car?	**Quanto costa traghettare un'automobile?** *kwahntoh kohstah trahghayttahray oonahootohmohbeelay*
What's the sea like today?	**Com'è il mare oggi?** *kohmay eel mahray ohdgee*
Do you suffer from sea-sickness?	**Soffre il mal di mare?** *sohffray eel mahl dee mahray*
I want to make a boat trip through the canals of the town	**Voglio fare un giro in battello sui canali della città** *vohllyoh fahray oon jeeroh een bahttaylloh sooee kahnahlee dayllah cheettah*
What is the fare?	**Quanto costa il biglietto?** *kwahntoh kohstah eel beellyayttoh*
How long is the boat trip?	**Quanto dura il giro in battello?** *kwahntoh doorah eel jeeroh een bahttaylloh*

Travelling on local transport

Tickets for buses, trams, and the underground may be purchased at news-stands, tobacconists, in some coffee shops, and at the automatic machines in underground stations. It is also possible to purchase books of tickets (usually ten) at a discount, or special tickets valid for the entire day. The ticket must be stamped at the start of the ride, directly on the bus or the tram, or before passing through the turnstiles of the underground. Within the city limits, the ticket is valid for a given time period (for example, 75 minutes in the Milan area), and the cost is not affected by the distance covered.

TARGET LANGUAGE

bus	**autobus**	*ahootohboos*
coach	**pullman**	*poolmahn*
driver	**autista**	*ahooteestah*
line	**linea**	*leenayah*
meter	**tassametro**	*tahssahmaytroh*
route	**percorso**	*payrkohrsoh*
stop	**fermata**	*fayrmahtah*
optional/request stop	**fermata facoltativa**	*fayrmahtah fahkohltahteevah*
terminus	**capolinea**	*kahpohleenayah*
ticket puncher	**macchina obliteratrice**	*mahkkeenah ohbleetayrahtreechay*
travel pass	**abbonamento**	*ahbbohnahmayntoh*
trolley bus	**filobus**	*feelohboos*
underground	**metropolitana**	*maytrohpohleetahnah*

By bus, tram and underground

SITUATIONAL DIALOGUES

Which bus goes to the station?
Quale autobus va alla stazione?
kwahlay ahootohboos vah ahllah stahtzeeohnay

The sixty
Il sessanta
eel sayssahntah

How many bus stops are there?
Quante fermate ci sono?
kwahntay fayrmahtay chee sohnoh

Can you tell me where to get off?
Può dirmi dove devo scendere?
poooh deermee dohvay dayvoh shayndayray

Deve scendere alla terza fermata
dayvay shayndayray ahllah tayrtzah fayrmahtah
You have to get off at the third stop

Where's the nearest underground station?
Dov'è la stazione della metropolitana più vicina?
dohvay lah stahtzeeohnay dayllah maytrohpohleetahnah peeoo veecheenah

I'd like a booklet of tickets
Vorrei un carnet di biglietti
vohrrayee oon kahrnayt dee beellyayttee

Which line should I take for... ?
Che linea devo prendere per... ?
kay leenayah dayvoh prayndayray payr...

Where do I have to change?
Dove devo cambiare?
dohvay dayvoh kahmbeeahray

Permesso, devo scendere alla prossima fermata *payrmayssoh dayvoh shayndayray ahllah prohsseemah fayrmahtah*	Excuse me, I want to get off at the next stop

By coach

SITUATIONAL DIALOGUES

Where can I catch the coach for... ?	**Dove posso prendere il pullman per...?** *dohvay pohssoh prayndayray eel poolmahn payr...*
Does this coach stop at... ?	**Questo pullman si ferma a... ?** *kwaystoh poolmahn see fayrmah ah...*
What time does it leave/arrive?	**A che ora parte/arriva?** *ah kay ohrah pahrtay/ahrreevah*
Is there an overnight service to... ?	**C'è un servizio notturno per... ?** *chay oon sayhrveetzeeoh nohttoornoh payr...*
How long does the journey take?	**Quanto dura il viaggio?** *kwahntoh doorah eel veeahdgoh*

Taxis

It is almost impossible to stop a taxi on the street of an Italian city.
Taxis can be found at taxi stands situated along the main roads and in important squares, or just outside airports and railway stations. To get a taxi at your home address or at the hotel, you must call the nearest taxi stand or one of the radio taxi firms (then, to avoid mistakes, make a note of the number of the vehicle that you are told will arrive). Rates depend primarily on distance covered. Taxis in regular service at the Malpensa-Milan airport bear the inscriptions "Taxi autorizzato al servizio aeroportuale Lombardo". This means that its taximeter is adjusted for this route and that you pay the displayed fare.
A few taxis accept credit cards. If in doubt about the price, ask the driver for an estimate before setting off.

SITUATIONAL DIALOGUES

Is there a taxi rank nearby?	**C'è un posteggio di taxi qui vicino?** *chay oon pohstaydgoh dee tahssee kwee veecheenoh*
Is this taxi free?	**È libero questo taxi?** *ay leebayroh kwaystoh tahssee*

Prego, si accomodi/No, è occupato *praygoh see ahkkohmohdee/ noh ay ohkkoopahtoh*	Yes, it is/No, it's taken

Stop at the corner	**Si fermi all'angolo** *see fayrmee ahllahngohloh*
How much is that?	**Quanto le devo?** *kwahntoh lay dayvoh*

Vuole la ricevuta? Do you want a receipt?
vooohlay lah reechayvootah

Can you send me a taxi, please?	**Può mandarmi un taxi, per favore?** *poooh mahndahrmee oon tahssee payr fahvohray*
When will it be here?	**Fra quanto tempo sarà qui?** *frah kwahntoh taympoh sahrah kwee*

Riding a bike

TARGET LANGUAGE

bell	**campanello**	*kahmpahnaylloh*
bicycle chain	**catena della bici**	*kahtaynah dayllah beechee*
bike	**bicicletta/bici**	*beecheeklayttah/beechee*
brakes	**freni**	*fraynee*
cycle lane	**pista ciclabile**	*peestah cheeklahbeelay*
cyclist	**ciclista**	*cheekleestah*
handlebar	**manubrio**	*mahnoobreeoh*
helmet	**casco**	*kahskoh*
lock and chain	**catena con lucchetto**	*kahtaynah kohn lookkayttoh*
moped	**motorino**	*mohtohreenoh*
pedals	**pedali**	*paydahlee*
pump	**pompa**	*pohmpah*
reflectors	**luci catarifrangenti**	*loochee kahtahreefrahnjayntee*
saddle	**sellino**	*sayllеenoh*
wheels	**ruote**	*rooohtay*

SITUATIONAL DIALOGUES

Where can I hire a bicycle/a moped?	**Dove posso noleggiare una bici/un motorino?** *dohvay pohssoh nohlaydgahray oonah beechee/ oon mohtohreenoh*
What's the charge per day/hour?	**Qual è la tariffa giornaliera/oraria?** *kwahlay lah tahreeffah johrnahleeayrah/ohrahreeah*
Are there cycle lanes in the area?	**Ci sono piste ciclabili nei dintorni?** *chee sohnoh peestay cheeklahbeelee nayee deentohrnee*

Is it dangerous riding a bike round the town?	**È pericoloso girare in bici in città?** *ay payreekohlohzoh jeerahray een beechee een cheettah*
I've blown a tyre on my bike. I'm looking for a garage	**Ho la gomma della bici bucata. Cerco un'officina** *oh lah gohmmah dayllah beechee bookahtah chayrkoh oonohffeecheenah*

Facilities

Travelling with children

TARGET LANGUAGE

baby carriage/pram	**carrozzina**	*kahrrohtztzeenah*
baby carrier	**marsupio**	*mahrsoopeeoh*
baby food	**pappa**	*pahppah*
baby wipes	**salviettine igieniche**	*sahlveeaytteenay eejayneekay*
bib	**bavaglino**	*bahvahllyeenoh*
booster seat	**seggiolino**	*saydgohleenoh*
bottle warmer	**scaldabiberon**	*skahldahbeebayrohn*
briefs/underpants	**mutandine**	*mootahndeenay*
child	**bambino/a**	*bahmbeenoh/ah*
baby	**bebé**	*baybay*
newborn baby	**neonato**	*nayohnahtoh*
changing table	**fasciatoio**	*fahshahtoheeoh*
cot	**lettino**	*laytteenoh*
craddle	**culla**	*koollah*
dummy/pacifier	**succhiotto/ ciuccio**	*sookkeeohttoh/ choochchoh*
feeding bottle	**biberon**	*beebayrohn*
high chair	**seggiolone**	*saydgohlohnay*
intercom	**interfono**	*eentayrfohnoh*
nappy/diaper	**pannolino**	*pahnnohleenoh*
playpen	**box**	*bohks*
potty	**vasino**	*vahzeenoh*
pushchair/stroller	**passeggino**	*pahssaydgeenoh*

SITUATIONAL DIALOGUES

I'm travelling with a two-year-old child	**Viaggio con un bambino di due anni** *veeahdgoh kohn oon bahmbeenoh dee dooay ahnnee*
Up to what age are there reduced fares	**Fino a che età ci sono riduzioni sui mezzi di trasporto?**

on public transport?	*feenoh ah kay aytah chee sohnoh reedootzeeohnee sooee maydzdzee dee trahspohrtoh*
Are there reductions for families?	**Ci sono riduzioni per famiglie?** *chee sohnoh reedootzeeohnee payr fahmeellyay*
Are there child booster seats on the plane?	**Sono disponibili seggiolini a bordo dell'aereo?** *sohnoh deespohneebeelee saydgohleenee ah bohrdoh dayllahayrayoh*
Can the pushchair go as handluggage?	**Posso portare il passeggino come bagaglio a mano?** *pohssoh pohrtahray eel pahssaydgeenoh kohmay bahgahllyoh ah mahnoh*
I'd like to hire a bike with a child seat	**Vorrei noleggiare una bici con seggiolino** *vohrrayee nohlaydgahray oonah beechee kohn saydgohleenoh*

Disabled facilities

TARGET LANGUAGE

access ramp	**rampa di accesso**	*rahmpah dee achchayssoh*
architectural barrier	**barriera architettonica**	*bahrreeayrah ahrkeetayttohneekah*
without barriers	**senza barriere**	*sayntzah bahrreeayray*
carer	**accompagnatore**	*ahkkohmpahnyahtohray*
crutches	**stampelle**	*stahmpayllay*
deaf-mute	**sordomuto**	*sohrdohmootoh*
disability card	**tessera d'invalidità**	*tayssayrah deenvahleedeetah*
disabled person	**portatore di handicap**	*pohrtahtohray dee ayndeekahp*
easy access	**accesso agevolato**	*ahchchayssoh ahjayvohlahtoh*
without steps	**senza gradini**	*sayntzah grahdeenee*
guide dog	**cane per non vedenti**	*kahnay payr nohn vaydayntee*
handrail	**corrimano**	*kohrreemahnoh*
sign language	**linguaggio dei segni**	*leengwahdgoh dayee saynyee*
shower seat	**sedile per doccia**	*saydeelay payr dohchchah*
stair lift	**montascale**	*mohntahskahlay*
wheelchair	**sedia a rotelle**	*saydeeah ah rohtayllay*
electric/collapsible	**elettrica/ pieghevole**	*aylayttreekah/ peeayghayvohlay*

white stick	**bastone canadese**	*bahstohnay kahnahdayzay*

SITUATIONAL DIALOGUES

Are there reductions for the disabled on public transport?	**Ci sono riduzioni per disabili sui mezzi di trasporto?** *chee sohnoh reedootzeeohnee payr deezahbeelee sooee maydzdzee dee trahspohrtoh*
Does the carer travel free?	**Il biglietto dell'accompagnatore è gratuito?** *eel beellyayttoh dayllahkkohmpahnyahtohray ay grahtooeetoh*
Are wheelchairs available at the airport?	**Sono disponibili sedie a rotelle all'aeroporto?** *sohnoh deespohneebeelee saydeeay ah rohtayllay ahllahayrohpohrtoh*
Can I take my collapsible wheelchair on board?	**Posso portare a bordo la mia sedia a rotelle pieghevole?** *pohssoh pohrtahray ah bohrdoh lah meeah saydeeah ah rohtayllay peeayghayvohlay*
Is there a toilet for the disabled?	**C'è una toilette per i disabili?** *chay oonah tooahlayt payr ee deezahbeelee*
Is the lift wheelchair friendly?	**Si può introdurre la sedia a rotelle nell'ascensore?** *see poooh eentrohdoorray lah saydeeah ah rohtayllay nayllashaynsohray*
Are there access ramps to the museum/ cinema?	**Ci sono rampe di accesso al museo/cinema?** *chee sohnoh rahmpay dee ahchchayssoh ahl moosayoh/cheenaymah*
I'd like to hire an automatic car/a car with a hand accelerator	**Vorrei noleggiare un'auto con cambio automatico/con acceleratore a mano** *vohrrayee nohlaydgahray oon ahootoh kohn kahmbeeoh ahootohmahteekoh/kohn ahchchaylayrahtohray ah mahnoh*
Are there parking spaces for disabled drivers?	**Ci sono parcheggi riservati agli invalidi?** *chee sohnoh pahrkaydgee reesayrvahtee ahllyee eenvahleedee*

Posto riservato agli invalidi *pohstoh reesayrvahtoh ahllyee eenvahleedee*	Please keep this space free for disabled
Accesso facilitato per disabili *ahchchayssoh fahcheeleetahtoh payr deezahbeelee*	Wheelchair access/ Disabled access

Travelling with pets

TARGET LANGUAGE

bed/basket	**brandina/cuccia**	*brahndeenah/koochchah*
cage	**gabbia**	*gahbbeeah*
leash/lead	**guinzaglio**	*gweentzahllyoh*
muzzle	**museruola**	*moozayrooohlah*
quarantine	**quarantena**	*kwahrahntaynah*
rabies	**rabbia**	*rahbbeeah*
vaccination	**vaccinazione**	*vahchcheenahtzeeohnay*
booster	**richiamo**	*reekeeahmoh*
veterinary surgeon/vet	**veterinario**	*vaytayreenahreeoh*

SITUATIONAL DIALOGUES

The dog must wear a muzzle	**Il cane deve portare la museruola** *eel kahnay dayvay pohrtahray lah moozayrooohlah*
Don't worry, my dog doesn't bite	**Stia tranquillo, il mio cane non morde** *steeah trahnkweelloh eel meeoh kahnay nohn mohrday*
It must be kept on a lead	**Deve essere tenuto al guinzaglio** *dayvay ayssayray taynootoh ahl gweentzahllyoh*
Can I take my dog onto the beach?	**Posso portare il mio cane in spiaggia?** *pohssoh pohrtahray eel meeoh kahnay een speeahdgah*
Have you got a rabies vaccination certificate?	**Ha il certificato di vaccinazione contro la rabbia?** *ah eel chayrteefeekahtoh dee vahchcheenatzeeohnay kohntroh lah rahbbeeah*

Non è consentito l'ingresso agli animali *nohn ay kohnsaynteetoh leengrayssoh ahllyee ahneemahlee*	No animals allowed

Do you accept cats/dogs?	**È consentito portare con sé gatti/cani?** *ay kohnsaynteetoh pohrtahray kohn say gahttee/kahnee*
My cat is travelling in its cage	**Il mio gatto viaggia nella sua gabbia** *eel meeoh gahttoh veeahdgah nayllah sooah gahbbeeah*

4 • ACCOMMODATION

In Italy, there are hotels (alberghi, hotel), guesthouses (pensioni), inns (locande), holiday camps (villaggi turistici), and youth hostels (ostelli della gioventù) everywhere. It is also possible to stay in farm holiday resorts, situated near farms or farmsteads, agricultural structures and small farming towns. They offer an informal atmosphere, where, in addition to room and board, visitors can purchase typical food products and, sometimes, take part in the farming activities. Hotels, restaurants, camping sites and tourist villages (as well as some hostels and farm holiday resorts) are classified by official categories, expressed by the number of stars: these range from a minimum of one star for modest guesthouses, to a maximum of five stars for deluxe hotels that offer every kind of comfort. Sometimes, bed and breakfast-type accommodation built on the English model can be found in tourist centres; these offer lodging for the night and breakfast.

Tipping

Service charge is generally included in hotel bills, but if the service has been especially good, an extra tip is appropriate and appreciated.

Furniture and facilities

TARGET LANGUAGE

adaptor	**adattatore**	*ahdahttahtohray*
aerial	**antenna**	*ahntaynnah*
satellite dish	**antenna parabolica**	*ahntaynnah pahrahbohleekah*
air conditioner	**condizionatore**	*kohndeetzeeohnahtohray*
air conditioning	**aria condizionata**	*ahreeah kohndeetzeeohnahtah*
armchair	**poltrona**	*pohltrohnah*
balcony	**balcone**	*bahlkohnay*
bath	**bagno**	*bahnyoh*
bathrobe	**accappatoio**	*ahkkahppahtoheeoh*
bed	**letto**	*layttoh*
single bed	**letto a una piazza**	*layttoh ah oonah peeahtztzah*
double bed	**letto matrimoniale**	*layttoh mahtreemohneeahlay*
bedside table	**comodino**	*kohmohdeenoh*
bell	**campanello**	*kahmpahnaylloh*
blanket	**coperta**	*kohpayrtah*

breakfast	**colazione del mattino**	*kohlatzeeohnay dayl mahtteenoh*
carpet	**tappeto**	*tahppaytoh*
case	**valigia**	*vahleejah*
chair	**sedia**	*saydeeah*
clothes hanger	**appendiabiti**	*ahppayndeeahbeetee*
dining room	**sala da pranzo**	*sahlah dah prahntzoh*
door	**porta**	*pohrtah*
duvet	**piumone**	*peeoomohnay*
electricity	**corrente elettrica**	*kohrrayntay aylayttreekah*
extension lead	**prolunga**	*prohloongah*
fan	**ventilatore**	*vaynteelahtohray*
floor	**piano**	*peeahnoh*
ground floor	**pianterreno**	*peeahntayrraynoh*
first floor	**primo piano**	*preemoh peeahnoh*
flush	**sciacquone**	*shahkkwohnay*
furnishings	**arredamento**	*ahrraydahmayntoh*
heating	**riscaldamento**	*reeskahldahmayntoh*
to iron	**stirare**	*steerahray*
lamp	**lampada**	*lahmpahdah*
lift	**ascensore**	*ahshaynsohray*
light	**luce**	*loochay*
linen	**biancheria**	*beeahnkayreeah*
laundry service	**servizio di lavanderia**	*sayrveetzeeoh dee lahvahndayreeah*
meal time	**orario dei pasti**	*ohrahreeoh dayee pahstee*
mirror	**specchio**	*spaykkeeoh*
mosquito net	**zanzariera**	*dzahndzahreeayrah*
needle and thread	**ago e filo**	*ahgoh ay feeloh*
night bell	**campanello notturno**	*kahmpahnaylloh nohttoornoh*
pillow	**guanciale**	*gwahnchahlay*
pillowcase	**federa**	*faydayrah*
plug	**spina elettrica**	*speenah aylayttreekah*
light	**lampada**	*lahmpahdah*
radiator	**calorifero**	*kahlohreefayroh*
reception	**portineria**	*pohrteenayreeah*
room	**camera**	*kahmayrah*
room with/ without bathroom	**camera con/ senza bagno**	*kahmayrah kohn/ sayntzah bahnyoh*
room with shower	**camera con doccia**	*kahmayrah kohn dohchchah*
room with a view onto the garden/ onto the road	**camera con vista sul giardino/sulla strada**	*kahmayrah kohn veestah sool jahrdeenoh/ soollah strahdah*

room with a child's bed	**camera con un lettino**	*kahmayrah kohn oon laytteenoh*
safe	**cassaforte**	*kahssahfohrtay*
to deposit in safe	**depositare in cassaforte**	*daypohzeetahray een kahssahfohrtay*
sheet	**lenzuolo**	*layntzooohloh*
shower	**doccia**	*dohchchah*
to take a shower	**fare la doccia**	*fahray lah dohchchah*
shutter	**imposta**	*eempohstah*
socket	**presa di corrente**	*praysah dee kohrrayntay*
sofa	**divano**	*deevahnoh*
sofa bed	**divano letto**	*deevahnoh layttoh*
stairs	**scala**	*skahlah*
switch	**interruttore**	*eentayrroottohray*
tap	**rubinetto**	*roobeenayttoh*
telephone	**telefono**	*taylayfohnoh*
television	**televisore**	*taylayveezohray*
remote control	**telecomando**	*taylaykohmahndoh*
terrace	**terrazza**	*tayrrahtztzah*
toilet	**gabinetto**	*gahbeenayttoh*
towel	**asciugamano**	*ahshoogahmahnoh*
voltage	**voltaggio**	*vohltahdgoh*
wardrobe	**armadio**	*ahrmahdeeoh*
water	**acqua**	*ahkkwah*
hot/cold water	**acqua calda/ fredda**	*ahkkwah kahldah/ frayddah*
drinking water	**acqua potabile**	*ahkkwah pohtahbeelay*
wash basin	**lavabo**	*lahvahboh*
window	**finestra**	*feenaystrah*

Hotels

TARGET LANGUAGE

bill	**conto**	*kohntoh*
board	**(vitto e alloggio) pensione**	*paynseeohnay*
half board	**mezza pensione**	*maydzdzah paynseeohnay*
full board	**pensione completa**	*paynseeohnay kohmplaytah*
boarding house/ guest house	**pensione/locanda**	*paynseeohnay/ lohkahndah*
booking	**prenotazione**	*praynohtahtzeeohnay*
(chamber) maid	**cameriera di camera**	*kahmayreeayrah dee kahmayrah*
conference room	**sala convegni**	*sahlah kohnvaynyee*
cook	**cuoco**	*kooohkoh*

deposit	**acconto/caparra**	*ahkkohntoh/kahpahrrah*
holiday camp	**villaggio turistico**	*veellahdgoh tooreesteekoh*
hall porter	**portiere**	*pohrteeayray*
night porter	**portiere di notte**	*pohrteeayray dee nohttay*
hotel	**albergo**	*ahlbayrgoh*
five-/two-star hotel	**albergo a cinque/ due stelle**	*ahlbayrgoh ah cheenkway/ dooay stayllay*
key	**chiave**	*keeahvay*
swipe card key	**chiave a tessera magnetica**	*keeahvay ah tayssayrah mahnyayteekah*
maitre	**capo cameriere**	*kahpoh kahmayreeayray*
manager	**direttore**	*deerayttohray*
minibar	**frigobar**	*freegohbahr*
porter	**facchino**	*fahkkeenoh*
room service	**servizio in camera**	*sayrveetzeeoh een kahmayrah*
season	**stagione**	*stahjohnay*
high/low season	**alta/bassa stagione**	*ahltah/bahssah stahjohnay*
switchboard	**centralino**	*chayntrahleenoh*
waiter/waitress	**cameriere/ cameriera**	*kahmayreeayray/ kahmayreeayrah*
wake-up call	**sveglia telefonica**	*svayllyah taylayfohneekah*

Information and bookings

SITUATIONAL DIALOGUES

Where can I find a good/cheap hotel?
Dove posso trovare un buon albergo/un albergo economico?
dohvay pohssoh trohvahray oon booohn ahlbayrgoh/ oon ahlbayrgoh aykohnohmeekoh

I'd like a hotel in the centre/near the sea
Vorrei un albergo in centro/vicino al mare
vohrrayee oon ahlbayrgoh een chayntroh/ veecheenoh ahl mahray

I need a hotel which accepts children under four
Ho bisogno di un albergo che accetti bambini sotto i quattro anni
oh beezohnyoh dee oon ahlbayrgoh kay ahchchayttee bahmbeenee sohttoh ee kwahttroh ahnnee

Is there any reduction for children under twelve?
Ci sono riduzioni per bambini sotto i dodici anni?
chee sohnoh reedootzeeohnee payr bahmbeenee sohttoh ee dohdeechee ahnnee

Can I book over the phone?
Posso prenotare per telefono?
pohssoh praynohtahray payr taylayfohnoh

Sì, mi dia il numero della sua carta di credito *see mee deeah eel noomayroh dayllah sooah kahrtah dee kraydeetoh*	Yes, can I have your credit card number?
Spiacenti, non accettiamo prenotazioni telefoniche *speeahchayntee nohn ahchchaytteeahmoh praynohtahtzeeohnee taylayfohneekay*	Sorry, we don't accept bookings over the phone

Do you have any vacancies? — **Avete camere libere?** *ahvaytay kahmayray leebayray*

Purtroppo è tutto esaurito *poortrohppoh ay toottoh ayzahooreetoh*	Unfortunately we're full

Checking into a hotel

SITUATIONAL DIALOGUES

I made a reservation in the name of Bianchi — **Ho fatto una prenotazione a nome Bianchi** *oh fahttoh oonah praynohtahtzeeohnay ah nohmay beeahnkee*

Desidero una camera singola/matrimoniale *dayzeedayroh oonah kahmayrah seengohlah/mahtreemohneeahlay*	I want a single room/a double bedroom

I'd like a single room with a view of the sea for three days — **Vorrei una camera singola con vista mare per tre giorni** *vohrrayee oonah kahmayrah seengohlah kohn veestah mahray payr tray johrnee*

How much does the room cost per night? — **Quanto costa la camera per notte?** *kwahntoh kohstah lah kahmayrah payr nohttay*

Does the price include breakfast? — **Il prezzo comprende la prima colazione?** *eel praytztzoh kohmprayndday lah preemah kohlahtzeeohnay*

Non c'è qualcosa di più economico? *nohn chay kwahlkohzah dee peeoo aykohnohmeekoh*	Isn't there anything cheaper?

Can I see the room? — **Posso vedere la stanza?** *pohssoh vaydayray lah stahntzah*

Could you put a cot in the room? — **Potreste aggiungere un lettino in camera?** *pohtraystay ahdgoonjayray oon laytteenoh een kahmayrah*

Mi può lasciare un suo documento? *mee pooh lahshahray oon soooh dohkoomayntoh*	Could you let me have some identification?

Please, take my luggage into my room	**Per favore mi porti il bagaglio in stanza** *payr fahvohray mee pohrtee eel bahgahllyoh een stahntzah*
Where's the outlet for the shaver?	**Dov'è la presa per il rasoio?** *dohvay lah praysah payr eel rahsoheeoh*
Will you please wake me at seven?	**Può svegliarmi alle sette?** *poooh svayllyahrmee ahllay sayttay*
Is there any post for me?	**C'è posta per me?** *chay pohstah payr may*
Can we have breakfast in our room?	**Possiamo fare colazione in camera?** *pohsseeahmoh fahray kohlahtzeeohnay een kahmayrah*
I want to have this suit ironed	**Desidero far stirare questo abito** *dayzeedayroh fahr steerahray kwaystoh ahbeetoh*

Complaints

SITUATIONAL DIALOGUES

I want a less noisy room	**Desidero una stanza meno rumorosa** *dayzeedayroh oonah stahntzah maynoh roomohrohzah*
The air conditioner is too high/too slow	**Il condizionatore d'aria è troppo alto/troppo basso** *eel kohndeetzeeohnahtohray dahreeah ay trohppoh ahltoh/trohppoh bahssoh*
The water tap is dripping	**Il rubinetto sgocciola** *eel roobeenayttoh sgohchchohlah*
The sink/the toilet is blocked	**Lo scarico del lavabo/del water è otturato** *loh skahreekoh dayl lahvahboh/dayl vahtayr ay ohttoorahtoh*
The window doesn't open/close	**La finestra non si apre/chiude** *lah feenaystrah nohn see ahpray/keeooday*
My room has not been made up	**La mia stanza non è stata rifatta** *lah meeah stahntzah nohn ay stahtah reefahttah*

Checking out

SITUATIONAL DIALOGUES

I'm leaving tomorrow morning	**Parto domani mattina** *pahrtoh dohmahnee mahtteenah*

What time do I have to leave the room?	**A che ora devo lasciare la camera?** *ah kay ohrah dayvoh lahshahray lah kahmayrah*
I want to pay my bill	**Desidero pagare il conto** *dayzeedayroh pahgahray eel kohntoh*
Have my bill ready, please	**Mi prepari il conto, per favore** *mee praypahree eel kohntoh payr fahvohray*
Is everything included?	**È tutto incluso?** *ay toottoh eenkloozoh*

Paga in contanti o con la carta di credito? *pahgah een kohntahntee oh kohn lah kahrtah dee kraydeetoh*	Are you paying in cash or by credit card?

I pay by credit card	**Pago con la carta di credito** *pahgoh kohn lah kahrtah dee kraydeetoh*
Please, call a taxi, and have my luggage brought down	**Per favore, mi chiami un taxi e faccia portare giù le valigie** *payr fahvohray mee keeahmee oon tahssee ay fahchchah pohrtahray joo lay vahleejay*

Rented accommodation

TARGET LANGUAGE

bathroom	**stanza da bagno**	*stahntzah dah bahnyoh*
bath	**vasca**	*vahskah*
(to) have a bath	**fare il bagno**	*fahray eel bahnyoh*
bunk beds	**letti a castello**	*layttee ah kahstaylloh*
caretaker	**portiere**	*pohrteeayray*
cellar	**cantina**	*kahnteenah*
contract	**contratto**	*kohntrahttoh*
cutlery	**posate**	*pohzahtay*
dishes	**stoviglie/piatti**	*stohveellyay/peeahttee*
dishwasher	**lavastoviglie**	*lahvahstohveellyay*
entrance hall	**anticamera**	*ahnteekahmayrah*
flat	**appartamento**	*ahppahrtahmayntoh*
furnished	**ammobiliato**	*ahmmohbeeleeahtoh*
fridge	**frigorifero**	*freegohreefayroh*
front door	**portone**	*pohrtohnay*
furniture	**mobilio**	*mohbeeleeoh*
house	**casa/ abitazione**	*kahzah/ ahbeetahtzeeohnay*
iron	**ferro da stiro**	*fayrroh dah steeroh*
steam iron	**ferro da stiro a vapore**	*fayrroh dah steeroh ah vahpohray*

kitchen	**(stanza) cucina**	*koocheenah*
kitchenette	**angolo cottura**	*ahngohloh kohttoorah*
stove/cooker	**fornello**	*fohrnaylloh*
microwave oven	**forno a microonde**	*fohrnoh ah meekrohohnday*
linen	**biancheria**	*beeahnkayreeah*
loft	**mansarda**	*mahnsahrdah*
pots and pans	**pentole**	*payntohlay*
pressure cooker	**pentola a pressione**	*payntohlah ah praysseeohnay*
room	**camera/stanza**	*kahmayrah/stahntzah*
service charges	**spese condominiali**	*spaysay kohndohmeenyahlee*
sitting room	**soggiorno**	*sohdgohrnoh*
studio flat	**monolocale**	*mohnohlohkahlay*
washing machine	**lavatrice**	*lahvahtreechay*

SITUATIONAL DIALOGUES

I'd like to rent a furnished room	**Vorrei affittare una camera ammobiliata** *vohrrayee ahffeettahray oonah kahmayrah ahmmohbeeleeahtah*
I want to rent a flat for the month of July	**Desidero affittare un appartamento per il mese di luglio** *dayzeedayroh ahffeettahray oon ahppahrtahmayntoh payr eel mayzay dee loollyoh*
How many rooms does it have? What floor is it on?	**Quante stanze ha? A che piano si trova?** *kwahntay stahntzay ah/ah kay peeahnoh see trohvah*
How much is the rent?	**Quant'è l'affitto?** *kwahntay lahffeettoh*
Are the heating and electricity included in the price?	**Il riscaldamento e la luce sono compresi nel prezzo?** *eel reeskahldahmayntoh ay lah loochay sohnoh kohmprayzee nayl praytztzoh*
Do I have to pay a deposit/to pay the rent in advance?	**Devo versare una caparra/pagare in anticipo?** *dayvoh vayrsahray oonah kahpahrrah/ pahgahray een ahnteecheepoh*
When can I move in?	**Quando posso occupare l'appartamento?** *kwahndoh pohssoh ohkkoopahray lahppahrtahmayntoh*
Does somebody do the cleaning?	**C'è qualcuno che può fare le pulizie?** *chay kwahlkoonoh kay poooh fahray lay pooleetzeeay*

Instructions on how to use the domestic appliances		
Accendere/Spegnere	*ahchchayndayray/ spaynyayray*	Switch on/off
Avvitare/Svitare	*ahvveetahray/ sveetahray*	Screw/Unscrew
Batteria	*bahttayreeah*	Battery
Collegare/Scollegare l'apparecchio	*kohllaygahray/ skohllaygahray lahppahraykkeeoh*	Connect/Disconnect the appliance
Comando di apertura/ Interruttore	*kohmahndoh dee ahpayrtoorah/ eentayrroottohray*	Switch/(light) switch
Garanzia	*gahrahntzeeah*	Guarantee
Inserire/Disinserire la spina	*eensayreeray/ deeseensayreeray lah speenah*	Plug in/Disconnect the plug
Mettere/Togliere	*mayttayray/tohllyayray*	Put on/Take off
Precauzioni d'uso	*praykahootzeeohnee doozoh*	Safety precautions
Presa di corrente	*prayzah dee kohrrayntay*	Socket
Scomparto batterie	*skohmpahrtoh bahttayreeay*	Battery compartment
Spia luminosa	*speeah loomeenohzah*	Warning light
Spina	*speenah*	Plug
Tasto	*tahstoh*	Button

Bed and Breakfast

SITUATIONAL DIALOGUES

Camere libere/Completo — Vacancies/No vacancies
kahmayray leebayray/kohmplaytoh

Can we have the key to the front door?	**Possiamo avere la chiave della porta d'ingresso?** *pohsseeahmoh ahvayray lah keeahvay dayllah pohrtah deengrayssoh*
Do you stay open all night?	**Rimanete aperti tutta la notte?** *reemahnaytay ahpayrtee toottah lah nohttay*
No, we don't. Please take the front door key with you when you go out	**No, prendete con voi la chiave della porta d'ingresso quando uscite** *noh prayndaytay kohn vohee lah keeahvay dayllah pohrtah deengrayssoh kwahndoh oosheetay*
What kind of breakfast is available?	**Che tipo di colazione offrite?** *kay teepoh dee kohlatzeeohnay ohffreetay*

Can we order breakfast in our rooms?	**Possiamo avere la colazione in camera?** *pohsseeahmoh ahvayray lah kohlahtzeeohnay een kahmayrah*
Non c'è problema, ma per favore avvertiteci la sera prima *nohn chay prohblaymah mah payr fahvohray ahvvayrteetaychee lah sayrah preemah*	No problem, but please let us know the night before
Can we use the phone in the hall?	**Possiamo usare il telefono nell'entrata?** *pohsseeahmoh oozahray eel taylayfohnoh nayllayntrahtah*
Yes, but please don't phone after eleven	**Sì, ma per favore non telefonate dopo le undici** *see mah payr fahvohray nohn taylayfohnahtay dohpoh lay oondeechee*
Where can I park my car?	**Dove posso parcheggiare l'auto?** *dohvay pohssoh pahrkaydgahray lahootoh*

Camping and youth hostels

Campsites are plentiful and generally well maintained. Prices differ according to the size of the tent and/or the number of people sharing it. You can generally pay for a parking space next to the tent.
Most campsites have electric generators. A small daily fee will be added to your bill if you use them. Toilet and washing facilities are generally very good. The campsite office usually acts as a mini-bank as well. You can deposit all your money there and withdraw it on a daily basis. The office will also exchange foreign currency.
Never camp without permissions in fields or in common land, as penalties are severe.

TARGET LANGUAGE

bottle-opener	**apribottiglia**	*ahpreebohtteellyah*
to break the camp	**levare le tende**	*layvahray lay taynday*
butane gas	**gas butano**	*gahs bootahnoh*
camp bed	**branda**	*brahndah*
campsite	**(area) campeggio**	*kahmpaydgoh*
camping	**(attività) campeggio**	*kahmpaydgoh*
camping stove	**fornello da campo**	*fohrnaylloh dah kahmpoh*
caravan	**roulotte**	*roolohtt*
compass	**bussola**	*boossohlah*
corkscrew	**cavatappi**	*kahvahtahppee*
equipment	**equipaggiamento**	*aykweepahdgahmayntoh*
first-aid kit	**cassetta di pronto soccorso**	*kahssayttah dee prohntoh sohkkohrsoh*

flashlight **lampada tascabile** *lahmpahdah tahskahbeelay*
gas camp stove **fornello a gas** *fohrnaylloh ah gahs*
gas cartridges **cartucce di gas** *kahrtoocchay dee gahs*
gas lamp **lampada a gas** *lahmpahdah ah gahs*
groundsheet **telo per il terreno** *tayloh payr eel tayrraynoh*
hammer **martello** *mahrtaylloh*
hammock **amaca** *ahmahkah*
inflatable mattress **materasso gonfiabile** *mahtayrahssoh gohnfeeahbeelay*
mat **stuoia** *stoooheeah*
methylated spirits **alcool metilico** *ahlkohohl mayteeleekoh*
mosquito net **zanzariera** *dzahndzahreeayrah*
pickets **picchetti** *peekkayttee*
rope **corda** *kohrdah*
rucksack **zaino** *dzaheenoh*
screwdriver **cacciavite** *kahchchahveetay*
sleeping bag **sacco a pelo** *sahkkoh ah payloh*
tent **tenda** *tayndah*
tent pegs **picchetti per tenda** *peekkayttee payr tayndah*
tent pole **palo per tenda** *pahloh payr tayndah*
tent trailer **carrello-tenda** *kahrraylloh tayndah*
pup tent **tenda canadese a due posti** *tayndah kahnahdayzay ah dooay pohstee*
to pitch/take down the tent **piantare/smontare la tenda** *peeahntahray/smohntahray lah tayndah*
ties **tiranti** *teerahntee*
torch **pila** *peelah*
vacuum flask **thermos** *tayrmohs*

SITUATIONAL DIALOGUES

Is there a campsite nearby?
C'è un campeggio nelle vicinanze?
chay oon kahmpaydgoh nayllay veecheenahntzay

How much does it cost per night?
Quanto costa una notte?
kwahntoh kohstah oonah nohttay

Is the tourist tax included?
È compresa la tassa di soggiorno?
ay kohmprayzah lah tahssah dee sohdgohrnoh

Is electricity included in the price?
Il costo degli allacciamenti è compreso nel prezzo?
eel kohstoh dayllyee ahllachchahmayntee ay kohmprayzoh nayl praytztzoh

Do you have any vacancies?
Avete dei posti liberi?
ahvaytay dayee pohstee leebayree

How many beds are there to a room in
Nel vostro ostello quanti letti ci sono per stanza?

your hostel?	*nayl vohstroh ohstaylloh kwahntee layttee chee sohnoh payr stahntzah*
Do the showers have hot water?	**Le docce hanno l'acqua calda?** *lay dohchchay ahnnoh lahkkwah kahldah*
Where does the rubbish go?	**Dove si gettano i rifiuti?** *dohvay see jayttahnoh ee reefeeootee*
Is there room for a caravan?	**C'è spazio per una roulotte?** *chay spahtzeeoh payr oonah roolohl*
Can we pitch our tent here?	**Possiamo piantare la tenda qui?** *pohsseeahmoh peeahntahray lah tayndah kwee*
When will you break camp?	**Quando leverete le tende?** *kwahndoh layvayraytay lay taynday*

Daily life

Supermarkets sell food, drinks, and all the things that people need regularly in their homes.

Main shops

TARGET LANGUAGE

bakery	**panetteria**	*pahnayttayreeah*
butcher's	**macelleria**	*mahchayllayreeah*
cake shop	**pasticceria**	*pahsteechchayreeah*
dairy	**latteria**	*lahttayreeah*
delicatessen	**gastronomia**	*gahstrohnohmeeah*
fishmonger's	**pescheria**	*payskayreeah*
greengrocer's	**fruttivendolo**	*frootteevayndohloh*
grocery	**negozio di alimentari/ drogheria**	*naygohtzeeoh dee ahleemayntahree/ drohghayreeah*
health food shop	**negozio di prodotti biologici**	*naygohtzeeoh dee prohdohttee beeohlohjeechee*
ice-cream shop	**gelateria**	*jaylahtayreeah*
jeweller's shop	**gioielleria**	*joheeayllayreeah*
laundry	**lavanderia**	*lahvahndayreeah*
market	**mercato**	*mayrkahtoh*
shopping	**spesa**	*spayzah*
shopping bag	**borsa della spesa**	*bohrsah dayllah spayzah*
thermos bag	**borsa termica**	*bohrsah tayrmeekah*
to do the shopping	**fare la spesa**	*fahray lah spayzah*

to go shopping	**andare a fare la spesa**	*ahndahray ah fahray lah spayzah*
supermarket	**supermercato**	*soopayrmayrkahtoh*

Shopping

artificial sweetener	**dolcificante**	*dohlcheefeekahntay*
bar of soap	**saponetta**	*sahpohnayttah*
beer	**birra**	*beerrah*
biscuits	**biscotti**	*beeskohttee*
bran	**crusca**	*krooskah*
bread	**pane**	*pahnay*
white/wholemeal bread	**pane bianco/ integrale**	*pahnay beeahnkoh/ eentaygrahlay*
rye bread	**pane di segale**	*pahnay dee saygahlay*
bread made with oil	**pane all'olio**	*pahnay ahllohleeoh*
bread-crumbs	**pangrattato**	*pahngrahttahtoh*
bread roll	**panino**	*pahneenoh*
bread sticks	**grissini**	*greesseenee*
butter	**burro**	*boorroh*
cake	**torta**	*tohrtah*
cheese	**formaggio**	*fohrmahdgoh*
chocolates	**cioccolatini**	*chohkkohlahteenee*
chocolate	**cioccolato**	*chohkkohlahtoh*
cocoa	**cacao**	*kahkahoh*
coffee	**caffè**	*kahffay*
ground coffee	**caffé macinato**	*kahffay mahcheenahtoh*
cream	**panna**	*pahnnah*
deodorant	**deodorante**	*dayohdohrahntay*
disposable razor	**rasoio usa e getta**	*rahzoheeoh oozah ay jayttah*
drink	**bibita**	*beebeetah*
eggs	**uova**	*ooohvah*
flour	**farina**	*fahreenah*
frozen food	**surgelati**	*soorjaylahtee*
fruit juice	**succo di frutta**	*sookkoh dee froottah*
homogenized	**omogeneizzato**	*ohmohjaynayeedzdzahtoh*
honey	**miele**	*meeaylay*
ice-cream	**gelato**	*jaylahtoh*
insecticide	**insetticida**	*eensaytteecheedah*
jam	**marmellata**	*mahrmayllahtah*
liqueur	**liquore**	*leekwohray*
loaf	**pagnotta**	*pahnyohttah*
mayonnaise	**maionese**	*maheeohnaysay*
milk	**latte**	*lahttay*
fresh milk	**latte fresco**	*lahttay frayskoh*
long-life milk	**latte a lunga conservazione**	*lahttay ah loongah kohnsayrvahtzeeohnay*

full-fat/skimmed milk	**latte intero/ scremato**	*lahttay eentayroh/ skraymahtoh*
powdered milk	**latte in polvere**	*lahttay een pohlvayray*
mineral water	**acqua minerale**	*ahkkwah meenayrahlay*
still/sparkling	**naturale/gassata**	*nahtoorahlay/gahssahtah*
mustard	**senape**	*saynahpay*
oil	**olio**	*ohleeoh*
olives	**olive**	*ohleevay*
paper tissues	**fazzoletti di carta**	*fahtztzohlayttee dee kahrtah*
rice	**riso**	*reezoh*
rusks	**fette biscottate**	*fayttay beeskohttahtay*
salt	**sale**	*sahlay*
shaving foam	**schiuma da barba**	*skeeoomah dah bahrbah*
spices	**spezie**	*spaytzeeay*
stock cubes	**dadi per brodo**	*dahdee payr brohdoh*
sugar	**zucchero**	*tzookkayroh*
sweets	**caramelle**	*kahrahmayllay*
tea	**tè**	*tay*
tea bags	**tè in bustine**	*tay een boosteenay*
toilet paper	**carta igienica**	*kahrtah eejayneekah*
toothbrush	**spazzolino da denti**	*spahtztzohleenoh dah dayntee*
toothpaste	**dentifricio**	*daynteefreechoh*
vinegar	**aceto**	*ahchaytoh*
wine	**vino**	*veenoh*
red/white wine	**rosso/bianco**	*rohssoh/beeahnkoh*

Meat and ham

bacon	**pancetta**	*pahnchayttah*
chicken	**pollo**	*pohlloh*
chicken breast	**petto di pello**	*payttoh dee pohlloh*
chop	**cotoletta**	*kohtohlayttah*
duck	**anatra**	*ahnahtrah*
fillet	**filetto**	*feelayttoh*
game	**selvaggina**	*saylvahdgeenah*
goose	**oca**	*ohkah*
ham	**prosciutto**	*prohshoottoh*
kid	**capretto**	*kahprayttoh*
lamb	**agnello**	*ahnyaylloh*
liver	**fegato**	*faygahtoh*
marrowbone	**osso buco**	*ohssoh bookoh*
meat	**carne**	*kahrnay*
pork/beef/veal meat	**carne di maiale/ manzo/vitello**	*kahrnay dee maheeahlay/ mahndzoh/veetaylloh*
lean/minced meat	**carne magra/tritata**	*kahrnay mahgrah/ treetahtah*

meat in thin slices	**carne a fette sottili**	*kahrnay ah fayttay sohtteelee*
mutton	**montone**	*mohntohnay*
rabbit	**coniglio**	*kohneellyoh*
rump	**girello**	*jeeraylloh*
salami	**salame**	*sahlahmay*
sausage	**salsiccia**	*sahlseechchah*
sirloin	**lombata**	*lohmbahtah*
slice	**fetta**	*fayttah*
steak	**bistecca**	*beestaykkah*
tripe	**trippa**	*treeppah*
turkey	**tacchino**	*tahkkeenoh*

Fish and seafood

anchovy	**acciuga**	*ahchchoogah*
clams	**vongole**	*vohngohlay*
cod	**merluzzo**	*mayhrlootztzoh*
cuttle-fish	**seppia**	*sayppeeah*
eel	**anguilla**	*ahngweellah*
fish	**pesce**	*payshay*
hake	**nasello**	*nahzaylloh*
herring	**aringa**	*ahreengah*
lobster	**aragosta**	*ahrahgohstah*
mackerel	**sgombro**	*sgohmbroh*
mussels	**cozze**	*kohtztzay*
oyster	**ostrica**	*ohstreekah*
plaice	**platessa**	*plahtayssah*
polyp	**polipo**	*pohleepoh*
red mullet	**triglia**	*treellyah*
salmon	**salmone**	*sahlmohnay*
sardine	**sardina**	*sahrdeenah*
sea bass	**branzino**	*brahndzeenoh*
shellfish	**crostaceo**	*krohstahchayoh*
shrimps	**gamberi**	*gahmbayree*
sole	**sogliola**	*sohllyohlah*
squid	**calamaro**	*kahlahmahroh*
swordfish	**pesce spada**	*payshay spahdah*
trout	**trota**	*trohtah*
tuna/tunny fish	**tonno**	*tohnnoh*
turbot	**rombo**	*rohmboh*

Vegetables

artichoke	**carciofo**	*kahrchohfoh*
asparagus	**asparagi**	*ahspahrahjee*
beans	**fagioli**	*fahjohlee*
beetroot	**barbabietola**	*bahrbahbeeaytohlah*

Brussels sprouts	**cavolini di Bruxelles**	*kahvohleenee dee broossayl*
cabbage	**cavolo**	*kahvohloh*
carrots	**carote**	*kahrohtay*
cauliflower	**cavolfiore**	*kahvohlfeeohray*
celery	**sedano**	*saydahnoh*
courgettes	**zucchine**	*dzookkeenay*
cucumber	**cetriolo**	*chaytreeohloh*
fennels	**finocchi**	*feenohkkee*
French beans	**fagiolini**	*fahjohleenee*
garlic	**aglio**	*ahllyoh*
lentils	**lenticchie**	*laynteekkeeay*
lettuce	**lattuga**	*lahttoogah*
mushrooms	**funghi**	*foonghee*
onions	**cipolle**	*cheepohllay*
parsley	**prezzemolo**	*praytztzaymohloh*
peas	**piselli**	*peezayllee*
peppers	**peperoni**	*paypayrohnee*
potatoes	**patate**	*pahtahtay*
pumpkin	**zucca**	*dzookkah*
radishes	**ravanelli**	*rahvahnayllee*
spinach	**spinaci**	*speenahchee*
tomatoes	**pomodori**	*pohmohdohree*
turnip	**rapa**	*rahpah*
vegetables	**verdura**	*vayrdoorah*

Fruit

almonds	**mandorle**	*mahndohrlay*
apple	**mela**	*maylah*
apricot	**albicocca**	*ahlbeekohkkah*
bananas	**banane**	*bahnahnay*
blackcurrants	**ribes**	*reebays*
cherry	**ciliegia**	*cheeleeayjah*
citrus fruit	**agrumi**	*ahgroomee*
figs	**fichi**	*feekee*
fruit	**frutta**	*froottah*
grapes	**uva**	*oovah*
hazelnuts	**nocciole**	*nohchchohlay*
lemon	**limone**	*leemohnay*
melon	**melone**	*maylohnay*
orange	**arancia**	*ahrahnchah*
peanuts	**arachidi**	*ahrahkeedee*
peach	**pesca**	*payskah*
pear	**pera**	*payrah*
plum	**prugna**	*proonyah*
raspberries	**lamponi**	*lahmpohnee*

strawberries	**fragole**	*frahgohlay*
tangerine	**mandarino**	*mahndahreenoh*
walnut	**noce**	*nohchay*
watermelon	**anguria**	*ahngooreeah*

SITUATIONAL DIALOGUES

Where's the nearest supermarket/market?	**Dov'è il supermercato/mercato più vicino?** *dohvay eel soopayrmayrkahtoh/mayrkahtoh peeoo veecheenoh*
Can you give me some change for a trolley?	**Può cambiarmi delle monete per il carrello?** *poooh kahmbeeahrmee dayllay mohnaytay payr eel kahrraylloh*
Where can I find the sugar?	**Dove trovo lo zucchero?** *dohvay trohvoh loh tzookkayroh*
Is there a frozen food section?	**C'è il reparto surgelati?** *chay eel raypahrtoh soorjaylahtee*
I'd like that piece of cheese	**Vorrei quel pezzo di formaggio** *vohrrayee kwayl paytztzoh dee fohrmahdgoh*
A pound of peaches/ four pounds of potatoes, please	**Per favore, mezzo chilo di pesche/due chili di patate** *payr fahvohray maydzdzoh keeloh dee payskay/ dooay keelee dee pahtahtay*

Qualcos'altro? *kwahlkohzahltroh*	Anything else?

Two bags, please	**Mi dia due sacchetti, per favore** *mee deeah dooay sahkkayttee payr fahvohray*
How much is that?	**Quant'è?** *kwahntay*

Food labels

Adatto ai vegetariani	*ahdahttoh ahee vayjaytahreeahnee*	Suitable for vegetarians
Coloranti	*kohlohrahntee*	Colours
Confezione sottovuoto	*kohnfaytzeeohnay sohttohvooohtoh*	Vacuum packed
Conservanti	*kohnsayrvahntee*	Preservatives
Conservare al fresco	*kohnsayrvahray ahl frayskoh*	Keep cool
Conservare in frigorifero	*kohnsayrvahray een freegohreefayroh*	Keep refrigerated

Da consumare preferibilmente entro	*dah kohnsoomahray prayfayreebeelmayntay ayntroh*	Best before
Essiccato	*aysseekkahtoh*	Dried
Grassi	*grahssee*	Fats
Naturale	*nahtoorahlay*	Natural
Non contiene OGM	*nohn kohnteeaynay oh jee aymmay*	GMO free
Pastorizzato	*pahstohreedzdzahtoh*	Pasteurized
Prodotto di agricoltura biologica	*prohdohttoh dee ahgreekohltoorah beeohlohjeekah*	Organically grown
Prodotto in... da	*prohdohttoh een... dah*	Produced in... by
Scadenza	*skahdayntzah*	Use by date
Una volta aperto consumare entro... giorni	*oonah vohltah ahpayrtoh kohnsoomahray ayntroh... johrnee*	Once opened consume within... days

Laundry/Dry-cleaner's

TARGET LANGUAGE

to clean	**smacchiare**	*smahkkeeahray*
dry-cleaner's	**tintoria**	*teentohreeah*
to iron	**stirare**	*steerahray*
laundry	**lavanderia**	*lahvahndayreeah*
launderette	**lavanderia a gettone**	*lahvahndayreeah ah jayttohnay*
to mend	**rammendare**	*rahmmayndahray*
stain	**macchia**	*mahkkeeah*
stain remover	**smacchiatore**	*smahkkeeahtohray*
to stitch	**cucire**	*koocheeray*
to wash	**lavare**	*lahvahray*
to hand wash	**lavare a mano**	*lahvahray ah mahnoh*
to dry-clean	**lavare a secco**	*lahvahray ah saykkoh*

SITUATIONAL DIALOGUES

I'd like to have these shirts washed and ironed	**Vorrei far lavare e stirare queste camicie** *vohrrayee fahr lahvahray ay steerahray kwaystay kahmeechay*
When will they be ready?	**Quando saranno pronte?** *kwahndoh sahrahnnoh prohntay*
These trousers must be dry cleaned	**Questi pantaloni devono essere lavati a secco** *kwaystee pahntahlohnee dayvohnoh ayssayray lahvahtee ah saykkoh*

I need them for tomorrow/as soon as possible	**Mi servono per domani/al più presto** *mee sayrvohnoh payr dohmahnee/ahl peeoo praystoh*
This skirt hasn't been cleaned properly	**Questa gonna non è venuta pulita** *kwaystah gohnnah nohn ay vaynootah pooleetah*
Can you remove this stain?	**Può togliere questa macchia?** *poooh tohllyayray kwaystah mahkkeeah*
Do you also do repairs?	**Fate anche delle riparazioni?** *fahtay ahnkay dayllay reepahrahtzeeohnee*
Can this be invisibly mended?	**Mi può fare un rammendo invisibile?** *mee poooh fahray oon rahmmayndoh eenveezeebeelay*

At the shoemaker's

SITUATIONAL DIALOGUES

Riparazioni rapide *reepahratzeeohnee rahpeeday*	Quick repairs
This heel has come off, can you stick it?	**Questo tacco si è staccato, lo può incollare?** *kwaystoh tahkkoh see ay stahkkahtoh loh poooh eenkohllahray*
Can you repair it immediately? How long will I have to wait?	**Può ripararlo subito? Quanto dovrò aspettare?** *poooh reepahrahrloh soobeetoh kwahntoh dohvroh ahspayttahray*
This pair of shoes needs resoling	**Questo paio di scarpe deve essere risuolato** *kwaystoh paheeoh dee skahrpay dayvay ayssayray reesooohlahtoh*
I want new soles and heels	**Desidero suole e tacchi nuovi** *dayzeedayroh sooohlay ay tahkkee nooohvee*
How much does a leather/rubber sole cost?	**Quanto costa la risuolatura in cuoio/gomma?** *kwahntoh kohstah lah reesooohlahtoorah een koooheeoh/gohmmah*
I need them as soon as possible. When will they be ready?	**Mi servono al più presto. Quando saranno pronte?** *mee sayrvohnoh ahl peeoo praystoh/kwahndoh sahrahnnoh prohntay*

At the barber's/At the hairdresser's

TARGET LANGUAGE

barber	**parrucchiere da uomo/barbiere**	*pahrrookkeeayray dah ooohmoh/bahrbeeayray*

beard	**barba**	*bahrbah*
to shave	**radere**	*rahdayray*
to bleach	**ossigenare**	*ohsseejaynahray*
to brush	**spazzolare**	*spahtztzohlahray*
brush	**spazzola**	*spahtztzohlah*
to comb	**pettinare**	*paytteenahray*
conditioner	**balsamo**	*bahlsahmoh*
to cut	**tagliare**	*tahllyahray*
dandruff	**forfora**	*fohrfohrah*
to dye	**tingere**	*teenjayray*
dryer	**(apparecchio) casco**	*kahskoh*
friction	**frizione**	*freetzeeohnay*
fringe	**frangia**	*frahnjah*
hair	**capelli**	*kahpayllee*
greasy/dry	**grassi/secchi**	*grahssee/saykkee*
straight/wavy	**lisci/ondulati**	*leeshee/ohndoolahtee*
curly/frizzy	**ricci/crespi**	*reechchee/krayspee*
to curl	**arricciare**	*ahrreechchahray*
to straighten	**stirare**	*steerahray*
haircut	**taglio**	*tahllyoh*
hair dye	**tintura per capelli**	*teentoorah payr kahpayllee*
hair spray	**lacca**	*lahkkah*
hair style	**pettinatura**	*paytteenahtoorah*
hand dryer	**asciugacapelli/ fon**	*ahshoogahkahpayllee/ fohn*
ladies hairdresser	**parrucchiere da donna**	*pahrrookkeeayray dah dohnnah*
lather	**schiuma**	*skeeoomah*
lotion	**lozione**	*lohtzeeohnay*
streaks	**mèches**	*maysh*
highlights	**colpi di sole**	*kohlpee dee sohlay*
moustache	**baffi**	*bahffee*
nail varnish	**smalto per unghie**	*smahltoh payr oongheeay*
pageboy	**(taglio di capelli) caschetto**	*kahskayttoh*
parting	**riga/ scriminatura**	*reegah/ skreemeenahtoorah*
perm	**permanente**	*payrmahnayntay*
plait	**treccia**	*traychchah*
quiff	**ciuffo**	*chooffoh*
razor	**rasoio**	*rahzoheeoh*
rollers	**bigodini**	*beegohdeenee*
shampoo	shampoo	*shahmpoh*
set	**messa in piega**	*mayssah een peeaygah*
to blow dry	**asciugare col fon**	*ahshoogahray kohl fohn*
to trim	**spuntare**	*spoontahray*

to wash the hair	**lavare i capelli**	*lahvahray ee kahpayllee*
wave	**ondulazione**	*ohndoolahtzeeohnay*

SITUATIONAL DIALOGUES

At the barber's

A shave and haircut, please	**Mi faccia barba e capelli, per favore** *mee fahchchah bahrbah ay kahpayllee payr fahvohray*
Trim my beard, please	**Mi spunti la barba, per favore** *mee spoontee lah bahrbah payr fahvohray*
An antidandruff shampoo/lotion, please	**Per favore, uno shampoo/lozione antiforfora** *payr fahvohray oonoh shahmpoh/lohtzeeohnay ahnteefohrfohrah*

At the hairdresser's

What time can I come to have my hair set?	**A che ora posso venire per una messa in piega?** *ah kay ohrah pohssoh vayneeray payr oonah mayssah een peeaygah*
Ha un appuntamento? *ah oon ahppoontahmayntoh*	Have you got an appointment?
I want a dye and a perm	**Desidero fare la tinta e la permanente** *dayzeedayroh fahray lah teentah ay lah payrmahnayntay*
I'd like dark brown	**Vorrei un colore castano scuro** *vohrrayee oon kohlohray kahstahnoh skooroh*
I'd like henna	**Vorrei l'henné** *vohrrayee laynnay*
I want my parting in the middle/on the left	**Desidero la riga in mezzo/a sinistra** *dayzeedayroh lah reegah een maydzdzoh/ah seeneestrah*
I'd like a shampoo and cut	**Vorrei lavare e tagliare i capelli** *vohrrayee lahvahray ay tahllyahray ee kahpayllee*
Not too short, just a trim	**Non troppo corti, solo una spuntata** *nohn trohppoh kohrtee sohloh oonah spoontahtah*

Bookshops and newsagents

TARGET LANGUAGE

advertisements	**inserzioni**	*eensayrtzeeohnee*
article	**articolo**	*ahrteekohloh*
leading article	**articolo di fondo**	*ahrteekohloh dee fohndoh*

author	**autore**	*ahootohray*
autobiography	**autobiografia**	*ahootohbeeohgrahfeeah*
biography	**biografia**	*beeohgrahfeeah*
brochure	**opuscolo**	*ohpooskohloh*
book	**libro**	*leebroh*
catalogue	**catalogo**	*kahtahlohgoh*
city map	**pianta della città**	*peeahntah dayllah cheettah*
collection	**raccolta**	*rahkkohltah*
comics	**fumetti**	*foomayttee*
crime news	**cronaca nera**	*krohnahkah nayrah*
cover	**copertina**	*kohpayrteenah*
diary	**agenda**	*ahjayndah*
dictionary	**vocabolario**	*vohkahbohlahreeoh*
edition out of print	**edizione esaurita**	*aydeetzeeohnay ayzahooreetah*
encyclopaedia	**enciclopedia**	*ayncheeklohpaydeeah*
extra edition	**edizione straordinaria**	*aydeetzeeohnay strahohrdeenahreeah*
guide book	**guida**	*gweedah*
half priced book	**libro a metà prezzo**	*leebroh ah maytah praytztzoh*
illustrated book	**libro illustrato**	*leebroh eelloostrahtoh*
index	**indice**	*eendeechay*
instalment	**dispensa/ fascicolo**	*deespaynsah/ fahsheekohloh*
manual	**manuale**	*mahnooahlay*
magazine	**rivista**	*reeveestah*
fortnightly/monthly magazine	**rivista quindicinale/ mensile**	*reeveestah kweendeecheenahlay/ maynseelay*
newspaper	**giornale**	*johrnahlay*
back number	**arretrato**	*ahrraytrahtoh*
daily paper	**quotidiano**	*kwohteedeeahnoh*
sports paper	**giornale sportivo**	*johrnahlay spohrteevoh*
newsagent	**giornalaio**	*johrnahlaheeoh*
newsagent's	**edicola**	*aydeekohlah*
newsstand	**chiosco (dei giornali)**	*keeohskoh (dayee johrnahlee)*
novel	**romanzo**	*rohmahndzoh*
science fiction	**fantascienza**	*fahntahshayntzah*
thriller	**romanzo giallo**	*rohmahndzoh jahlloh*
obituary	**necrologio**	*naykrohlohjoh*
paperback	**edizione tascabile**	*aydeetzeeohnay tahskahbeelay*
periodical	**periodico**	*payreeohdeekoh*
poem	**poesia**	*pohayseeah*
to print	**stampare**	*stahmpahray*

publisher	**editore**	*aydeetohray*
publishing house	**casa editrice**	*kahzah aydeetreechay*
reprint	**ristampa**	*reestahmpah*
road map	**pianta stradale**	*peeahntah strahdahlay*
short story	**novella**	*nohvayllah*
subscription	**abbonamento**	*ahbbohnahmayntoh*
title	**titolo**	*teetohloh*
tourist guide	**guida turistica**	*gweedah tooreesteekah*
writer	**scrittore**	*skreettohray*
volume	**volume**	*vohloomay*

SITUATIONAL DIALOGUES

At the newsagent's

Where can I buy English papers?
Dove posso comprare giornali in inglese?
dohvay pohssoh kohmprahray jornahlee een eenglayzay

I want a map of the town, showing the monuments
Desidero una pianta della città con segnati i monumenti
dayzeedayroh oonah peeahntah dayllah cheettah kohn saynyahtee ee mohnoomayntee

I'd like a motoring map of the whole of Italy
Vorrei una carta automobilistica di tutta l'Italia
vohrrayee oonah kahrtah ahootohmohbeeleesteekah dee toottah leetahleeah

At the bookshop

Where's the guide-book section?
Dov'è la sezione delle guide turistiche?
dohvay lah saytzeeohnay dayllay gweeday tooreesteekay

Do you have second-hand books?
Avete libri d'occasione?
ahvaytay leebree dohkkahzeeohnay

I'd like an Italian dictionary
Vorrei un dizionario italiano
vohrrayee oon deetzeeohnahreeoh eetahleeahnoh

Can I see the catalogue of your publications?
Posso vedere il catalogo delle vostre edizioni?
pohssoh vaydayray eel kahtahlohgoh dayllay vohstray aydeetzeeohnee

Have you got the latest novel by... ?
Ha l'ultimo romanzo di... ?
ah loolteemoh rohmahndzoh dee...

I want to subscribe to this magazine
Voglio abbonarmi a questa rivista
vohllyoh ahbbohnahrmee ah kwaystah reeveestah

What's the subscription for a year? **Quant'è l'abbonamento annuale?** *kwahntay lahbbohnahmayntoh ahnnooahlay*

Worship

Visitors to churches should always be suitably dressed, even if they are there just as tourists. Shorts, short skirts and even short sleeves are often considered disrespectful and visitors so attired could even find themselves being asked to leave.

TARGET LANGUAGE

abbey **abbazia** *ahbbahtzeeah*
archbishop **arcivescovo** *ahrcheevayskohvoh*
Bible **Bibbia** *beebbeeah*
bishop **vescovo** *vayskohvoh*
to bless **benedire** *baynaydeeray*
blessing **benedizione** *baynaydeetzeeohnay*
buddhist **buddhista** *booddeestah*
cardinal **cardinale** *kahrdeenahlay*
cathedral **cattedrale** *kahttaydrahlay*
catholic **cattolico** *kahttohleekoh*
chapel **cappella** *kahppayllah*
to christen **battezzare** *bahttaydzdzahray*
christian **cristiano** *kreesteeahnoh*
Christianity **cristianesimo** *kreesteeahnayzeemoh*
church **chiesa** *keeayzah*
to confess **confessarsi** *kohnfayssahrsee*
convent **convento** *kohnvayntoh*
Cross **croce** *krohchay*
Crucifix **crocefisso** *krohchayfeessoh*
cult **culto** *kooltoh*
funeral **funerale** *foonayrahlay*
God **Dio** *deeoh*
Gospel **Vangelo** *vahnjayloh*
hindu **indù** *eendoo*
host **ostia** *ohsteeah*
Imam **Imam** *eemahm*
Jesus Christ **Gesù Cristo** *jayzoo kreestoh*
Koran **Corano** *kohrahnoh*
mass **messa** *mayssah*
minister **pastore protestante** *pahstohray prohtaystahntay*
mosque **moschea** *mohskayah*
muslim **musulmano** *moozoolmahnoh*
nun **suora** *sooohrah*
orthodox **ortodosso** *ohrtohdohssoh*

Our Lady	**Madonna**	*mahdohnnah*
parish	**parrocchia**	*pahrrohkkeeah*
parson	**pastore anglicano**	*pahstohray ahngleekahnoh*
Pope	**Papa**	*pahpah*
to pray	**pregare**	*praygahray*
prayer	**preghiera**	*praygheeayrah*
priest	**prete/sacerdote**	*praytay/sahchayrdohtay*
protestant	**protestante**	*prohtaystahntay*
rabbi	**rabbino**	*rahbbeenoh*
religion	**religione**	*rayleejohnay*
sacrament	**sacramento**	*sahkrahmayntoh*
christening	**battesimo**	*bahttayzeemoh*
communion	**comunione**	*kohmooneeohnay*
confession	**confessione**	*kohnfaysseeohnay*
confirmation	**cresima**	*krayzeemah*
extreme unction	**estrema unzione**	*aystraymah oontzeeohnay*
marriage	**matrimonio**	*mahtreemohneeoh*
sanctuary	**santuario**	*sahntooahreeoh*
service	**funzione religiosa**	*foontzeeohnay rayleejohzah*
Synagogue	**sinagoga**	*seenahgohgah*
temple	**tempio**	*taympeeoh*

SITUATIONAL DIALOGUES

What religion are you? **Di che religione sei?**
dee kay rayleejohnay sayee

Sono buddhista/induista — I am a Buddhist/a Hindu
sohnoh booddeestah/eendooeestah

Non sono credente — I am not a believer
nohn sohnoh kraydayntay

Sono agnostico/ateo — I'm an agnostic/an atheist
sohnoh ahnyohsteekoh/ahtayoh

Is there a synagogue/mosque near here? **C'è una sinagoga/moschea qui vicino?**
chay oonah seenahgohgah/mohskayah kwee veecheenoh

At what time is the service? **A che ora è la funzione?**
ah kay ohrah ay lah foontzeohnay

Where can I find a priest who speaks English? **Dove posso trovare un prete che parla inglese?**
dohvay pohssoh trohvahray oon praytay kay pahrlah eenglayzay

I'd like to go to confession **Vorrei confessarmi**
vohrrayee kohnfayssahrmee

Can you tell me where there is a Protestant church?	**Può dirmi dov'è una chiesa protestante?** *pooooh deermee dohvay oonah keeayzah prohtaystahntay*
At what time are the Sunday services?	**Qual è l'orario delle funzioni domenicali?** *kwahlay lohrahreeoh dayllay foontzeeohnee dohmayneekahlee*

Dealing with daily problems

SITUATIONAL DIALOGUES

Where can I have... repaired?	**Dove posso far riparare... ?** *dohvay pohssoh fahr reepahrahray...*
Is there a locksmith's open on Saturdays/ Sundays?	**C'è un fabbro aperto di sabato/domenica?** *chay oon fahbbroh ahpayrtoh dee sahbahtoh/dohmayneekah*
I need a plumber urgently	**Ho bisogno con urgenza di un idraulico** *oh beezohnyeeoh kohn oorjayntzah dee oon eedrahooleekoh*
Where can I find a computer/mobile phone repair shop?	**Dove trovo un centro assistenza per computer/cellulari?** *dohvay trohvoh oon chayntroh dee ahsseestayntzah payr kohmpeeootayr/chayllоolahree*

Dov'è la farmacia di turno?
dohvay lah fahrmahcheeah dee toornoh
Where's the late duty chemist?

Toilets		
Gabinetti	*gahbeenayttee*	Toilets/Restroom
Uomini	*ooohmeenee*	Gentlemen/Men
Donne	*dohnnay*	Ladies/Women
Disabili	*deezahbeelee*	For the disabled
Occupato	*ohkkoopahtoh*	Engaged
Libero	*leebayroh*	Vacant
Asciugamani ad aria	*ahshoogahmahnee ahd ahreeah*	Hand dryer
Asciugamani di carta	*ahshoogahmahnee dee kahrtah*	Paper towels
Contenitore per assorbenti igienici	*kohntayneetohray payr ahssohrbayntee eejayneechee*	Sanitary towel bin

Where is the toilet, please?	**Dov'è la toilette, per favore?** *dohvay lah tooahlayt payr fahvohray*

Is it free or is there a charge?	**È gratuita o a pagamento?** *ay grahtooeetah oh ah pahgahmayntoh*
The toilet paper's run out	**È finita la carta igienica** *ay feeneetah lah kahrtah eejayneekah*
The toilet is dirty	**La toilette è sporca** *lah tooahlayt ay spohrkah*

Tirare lo sciacquone — Flush the toilet
teerahray loh shahkkwohnay

The toilet won't flush	**Lo sciacquone non funziona** *loh shahkkwohnay nohn foontzeeohnah*
Is there a changing table for babies?	**C'è un fasciatoio per neonati?** *chay oon fahshahtoheeoh payr nayohnahtee*

Dealing with serious emergencies

SITUATIONAL DIALOGUES

Danger!	**Pericolo!** *payreekohloh*
Fire!	**Al fuoco!** *ahl fooohkoh*
Help!	**Aiuto!** *aheeootoh*
Call the fire brigade!	**Chiamate i vigili del fuoco!** *keeahmahtay ee veejeelee dayl fooohkoh*
It's an emergency!	**È un'emergenza!** *ay oonaymayrjayntzah*
Stay there/ Don't move!	**Fermo!** *fayrmoh*
Stop thief!	**Al ladro!** *ahl lahdroh*
Call the police!	**Chiamate la polizia!** *keeahmahtay lah pohleetzeeah*
Go away!	**Se ne vada!** *say nay vahdah*
Leave me alone!	**Mi lasci in pace!** *mee lahshee een pahchay*
Watch out!	**Attenzione!** *ahttayntzeeohnay*

There's a gas leak	**C'è una fuga di gas** *chay oonah foogah dee gahs*
There's been an explosion	**C'è stata un'esplosione** *chay stahtah oonaysplohseeohnay*
Where's the emergency exit?	**Dov'è l'uscita di emergenza?** *dohvay loosheetah dee aymayrjayntzah*
I feel very ill!	**Mi sento molto male!** *mee sayntoh mohltoh mahlay*
Is there anyone who can take me to a hospital?	**C'è qualcuno che mi può portare in ospedale?** *chay kwahlkoonoh kay mee poooh pohrtahray een ohspaydahlay*
Quick, call a doctor/ an ambulance!	**Presto, chiamate un dottore/un'ambulanza!** *praystoh keeahmahtay oon dohttohray/ oonahmboolahntzah*
Don't touch him/her, wait for the ambulance	**Non muovetelo/a, aspettiamo l'ambulanza** *nohn mooohvaytayloh/ah ahspaytteeahmoh lahmboolahntzah*
Quick, it's very serious!	**Presto, è molto grave!** *praystoh ay mohltoh grahvay*

5 • EATING AND DRINKING

Meals and the table

Meals

breakfast	**prima colazione**	*preemah kohlahtzeeohnay*
English breakfast	**colazione all'inglese**	*kohlahtzeeohnay ahlleenglayzay*
continental breakfast	**colazione continentale**	*kohlahtzeeohnay kohnteenayntahlay*
to have breakfast	**fare colazione**	*fahray kohlatzeeohnay*
dinner	**cena**	*chaynah*
to have dinner	**cenare**	*chaynahray*
lunch	**pranzo**	*prahntzoh*
to have lunch	**pranzare**	*prahntzahray*
snack	**merenda/ spuntino**	*mayrayndah/ spoonteenoh*
supper	**cena**	*chaynah*
hors d'oeuvres/starters	**antipasti**	*ahnteepahstee*
first courses	**primi piatti**	*preemee peeahttee*
main courses	**secondi piatti**	*saykohndee peeahttee*
side dishes	**contorni**	*kohntohrnee*
dessert	**dessert**	*dayssayrt*
fruit	**frutta**	*froottah*
traditional dishes/food	**piatti tipici**	*peeahttee teepeechee*

Laying the table

bottle	**bottiglia**	*bohtteellyah*
coffeepot	**caffettiera**	*kahffaytteeayrah*
corkscrew	**cavatappi**	*kahvahtahppee*
cruet	**oliera**	*ohleeayrah*
cup	**tazza/tazzina**	*tahtztzah/tahtztzeenah*
cutlery	**posate**	*pohzahtay*
fork	**forchetta**	*fohrkayttah*
fruit bowl	**fruttiera**	*frootteeayrah*
glass	**bicchiere**	*beekkeeayray*
knife	**coltello**	*kohltaylloh*
jug	**brocca**	*brohkkah*
napkin	**tovagliolo**	*tohvahllyohloh*
nut-cracker	**schiaccianoci**	*skeeahchchahnohchee*

plate	**piatto**	*peeahttoh*
soup plate/plate	**piatto fondo/ piano**	*peeahttoh fohndoh/ peeahnoh*
side plate	**piatto da frutta**	*peeahttoh dah froottah*
salad bowl	**insalatiera**	*eensahlahteeayrah*
salt cellar	**saliera**	*sahleeayrah*
saucer	**(di tazza) piattino**	*peeahtteenoh*
spoon	**cucchiaio**	*kookkeeaheeoh*
sugar bowl	**zuccheriera**	*tzookkayreeayrah*
table	**tavola**	*tahvohlah*
tablecloth	**tovaglia**	*tohvahllyah*
teapot	**teiera**	*tayeeayrah*
teaspoon	**cucchiaino**	*kookkeeaheenoh*
tooth-pick	**stuzzicadenti**	*stootztzeekahdayntee*
tray	**vassoio**	*vahssoheeoh*

Italian eateries and full-service restaurants

bar
bahr
Italian bars do of course serve alcohol, but many operate primarily as cafés. They are casual places where one may have an espresso and munch on a variety of rolls and sandwiches, including tramezzini, triangular sandwiches with the crusts trimmed off. In most of them you have first to get a ticket from the cashier. Then you go to the counter and order what you want. Several bars have tables and chairs. If you want to be served at a table, the charge for your drink and food will be slightly higher

enoteca
aynohtaykah
is a special type of wine bar that lets you sample regional wines by the glass while snacking on a variety of finger foods

pizza al taglio
peetztzah ahl tahllyoh
is a very small establishment where you can order pizza by the slice for take-out

tavola calda
tahvohlah kahldah
here you can find a wide variety of hot foods that you can order for take-out or eat at one of the tables located either inside or outside the establishment

rosticceria
rohsteechchayreeah
is similar to a tavola calda, but specializes in roasted meat and poultry. Items are priced by the portion and prices are quite reasonable

latteria
lahttayreeah
sells cheese and other dairy products; it can be also a place for a quick simple meal

pasticceria
pahsteechchayreeah
serves assortment of fresh pastries; it can be a place for a quick snack

gelateria *jaylahtayreeah*	serves delicious Italian ice cream; it can also be a place for a quick snack

Osteria, trattoria and **ristorante** are known as full-service restaurants.

An **osteria** *ohstayreeah*	is typically a small, very casual sit-down restaurant, serving basic and quite filling meals. Prices tend to be very reasonable
A **trattoria** *trahttohreeah*	is generally a family-run restaurant serving regional food in the home-cooked style. Prices tend to be less expensive than in a restaurant but higher than in an osteria
A **ristorante** *reestohrahntay*	is a formal up-scale restaurant, with elaborate menus, extensive selection of wines, expensive decor, uniformed waiters and high prices

In restaurants where price is not expensive and service is very good and friendly you often have to queue a bit outside to have a table unless you book in advance. This queue shows how popular that restaurant is and once inside your patience will be rewarded.
In restaurants, a tip of 5-10% is customary (unless "servizio" has been specified on the bill), though many Italians just leave a few euros on the table without calculating the percentage.

Eating out

Parts of a meal

TARGET LANGUAGE

antipasti	*ahnteepahstee*	hors d'oeuvres/starters
primi piatti	*preemee peeahttee*	first courses
secondi piatti	*saykohndee peeahttee*	main courses
contorni	*kohntohrnee*	side dishes
dessert	*dayssayrt*	dessert
frutta	*froottah*	fruit
piatti tipici	*peeahttee teepeechee*	traditional dishes/food

Appetizers

acciughe	*ahchchooghay*	anchovies
affettati misti	*ahffayttahtee meestee*	cold cuts of pork
antipasto ai frutti di mare	*ahnteepahstoh ahee froottee dee mahray*	sea-food hors d'oeuvre

antipasto misto	*ahnteepahstoh meestoh*	assorted hors d'oeuvre
caviale	*kahveeahlay*	caviar
insalata russa	*eensahlahtah roossah*	Russian salad
mortadella	*mohrtahdayllah*	Bologna sausage
mozzarella	*mohtztzahrayllah*	mozzarella cheese
olive	*ohleevay*	olives
ostriche	*ohstreekay*	oysters
paté di fegato	*pahtay dee faygahtoh*	paté
prosciutto con melone	*prohshoottoh kohn maylohnay*	ham with melon
prosciutto crudo di Parma	*prohshoottoh kroodoh dee pahrmah*	Parma ham
salame	*sahlahmay*	salami
salmone affumicato	*sahlmohnay ahffoomeekahtoh*	smoked salmon
sardine all'olio	*sahrdeenay ahllohleeoh*	sardines in oil
tonno	*tohnnoh*	tunny in oil

First course

The well-known "spaghetti" should be eaten by selecting a few strands with the fork, and twisting the latter in one's hand until the lengths of spaghetti are neatly wound round the prongs.

brodo	*brohdoh*	consommé
gnocchi di patate	*nyohkkee dee pahtahtay*	potato "gnocchi"
minestra	*meenaystrah*	soup
minestrone	*meenaystrohnay*	rice and vegetable soup
pasta asciutta	*pahstah ahshoottah*	pasta
risotto	*reezohttoh*	risotto
spaghetti	*spahghayttee*	spaghetti
tagliatelle	*tahllyahtayllay*	noodles
zuppa	*dzooppah*	soup

Meat

arrosto	*ahrrohstoh*	roast
bistecca	*beestaykkah*	steak
braciola di maiale	*brahchohlah dee maheeahlay*	pork chop
costolette d'agnello	*kohstohlayttay dahnyaylloh*	lamb chops

cotoletta — *kohtohlayttah* — cutlet
fegato — *faygahtoh* — liver
filetto — *feelayttoh* — fillet steak
grigliata mista — *greellyahtah meestah* — mixed grill
involtini — *eenvohlteenee* — rolled veal fillets
lingua — *leengwah* — tongue
lombo di manzo — *lohmboh dee mahndzoh* — sirloin
ossobuco — *ohssohbookoh* — marrow bone
polpette — *pohlpayttay* — meatballs
rognone — *rohnyohnay* — kidneys
salsiccia — *sahlseechchah* — sausage
scaloppina — *skahlohppeenah* — escalope
spezzatino — *spaytztzahteenoh* — stew
spiedini — *speeaydeenee* — kebabs
trippa — *treeppah* — tripe
vitello tonnato — *veetaylloh tohnnahtoh* — veal with tunny sauce
zampone — *dzahmpohnay* — pig's trotter

Game and poultry

anatra — *ahnahtrah* — duck
capretto — *kahpraytoh* — kid goat
cervo — *chayrvoh* — venison
cinghiale — *cheengheeahlay* — wild boar
coniglio — *kohneellyoh* — rabbit
fagiano — *fahjahnoh* — pheasant
faraona — *fahrahohnah* — guinea fowl
lepre — *laypray* — hare
oca — *ohkah* — goose
quaglia — *kwahllyah* — quail
pernice — *payrneechay* — partridge
pollo — *pohlloh* — chicken
tacchino — *tahkkeenoh* — turkey

Fish

acciughe — *ahchchooghay* — anchovies
anguilla — *ahngweellah* — eel
aragosta — *ahrahgohstah* — lobster
aringa — *ahreengah* — herring
aringa affumicata — *ahreengah ahffoomeekahtah* — kipper
bastoncini di pesce — *bahstohncheenee dee payshay* — fish fingers
bianchetti — *beeahnkayttee* — whitebait
branzino — *brahndzeenoh* — sea bass

calamari	*kahlahmahree*	squid
cozze	*kohtztzay*	mussels
eglefino (simile al merluzzo)	*ayglayfeenoh*	haddock
frutti di mare	*froottee dee mahray*	seafood
gamberetti	*gahmbayrayttee*	shrimps
gamberi/scampi	*gahmbayree/ skahmpee*	prawns
granchio	*grahnkeeoh*	crab
merluzzo	*mayrlootztzoh*	cod
nasello	*nahsaylloh*	hake
ostriche	*ohstreekay*	oysters
pesce spada	*payshay spahdah*	swordfish
platessa	*plahtayssah*	plaice
rombo	*rohmboh*	skate
salmone	*sahlmohnay*	salmon
sardine	*sahrdeenay*	sardines
seppia	*sayppeeah*	cuttlefish
sgombro	*sgohmbroh*	mackerel
sogliola	*sohllyohlah*	sole
storione	*stohreeohnay*	sturgeon
tonno	*tohnnoh*	tuna
trota	*trohtah*	trout
vongole	*vohngohlay*	clams

Egg dishes

frittata	*freettahtah*	omelette
uovo alla coque	*ooohvoh ahllah kohk*	boiled egg
uovo al tegame	*ooohvoh ahl taygahmay*	fried egg
uovo in camicia	*ooohvoh een kahmeechah*	poached egg
uovo ripieno	*ooohvoh reepeeaynoh*	stuffed egg
uovo sodo	*ooohvoh sohdoh*	hard boiled egg
uovo strapazzato	*ooohvoh strahpahtztzahtoh*	scrambled egg

Dairy products and cheese

burro	*boorroh*	butter
caprino	*kahpreenoh*	goat cheese
formaggio	*fohrmahdgoh*	cheese
formaggio fresco spalmabile	*fohrmahdgoh frayskoh spahlmahbeelay*	cream cheese
formaggio fresco (simile a ricotta)	*fohrmahdgoh frayskoh*	cottage cheese

latte	*lahttay*	milk
latticini	*lahtteecheenee*	dairy products
panna	*pahnnah*	cream
parmigiano	*pahrmeejahnoh*	Parmesan cheese
ricotta	*reekohttah*	ricotta cheese
yogurt	*eeohgoort*	yoghurt

Side dishes

asparagi	*ahspahrahjee*	asparagus
barbabietola	*bahrbahbeeaytohlah*	beetroot
carciofi	*kahrchohfee*	artichokes
carote	*kahrohtay*	carrots
cavolini di Bruxelles	*kahvohleenee dee broossayl*	Brussels sprouts
cavolfiore	*kahvohlfeeohray*	cauliflower
cavolo/verza	*kahvohloh/vayrdzah*	cabbage
ceci	*chaychee*	chick peas
cetrioli	*chaytreeohlee*	cucumbers
cipolle	*cheepohllay*	onions
contorno di insalata	*kohntohrnoh dee eensahlahtah*	side salad
fagioli	*fahjohlee*	beans
fagiolini	*fahjohleenee*	French beans
fave	*fahvay*	broad beans
finocchio	*feenohkkeeoh*	fennel
funghi	*foonghee*	mushrooms
germogli di soia	*jayrmohllyee dee soheeah*	beansprouts
insalata verde	*eensahlahtah vayrday*	green salad
lattuga	*lahttoogah*	lettuce
lenticchie	*layneekkeeay*	lentils
mais	*mahees*	sweetcorn
melanzane	*maylahndzahnay*	aubergines
patate	*pahtahtay*	potatoes
patatine fritte	*pahtahteenay freettay*	chips
peperoni	*paypayrohnee*	peppers
piselli	*peezayllee*	peas
pomodori	*pohmohdohree*	tomatoes
porri	*pohrree*	leeks
rape	*rahpay*	turnips
ravanelli	*rahvahnayllee*	radishes
rucola	*rookohlah*	rocket
sedano	*saydahnoh*	celery
spinaci	*speenahchee*	spinach
verdure miste	*vayrdooray meestay*	mixed vegetables

zucca *dzookkah* pumpkin
zucchine *dzookkeenay* courgettes

Dessert

budino *boodeenoh* pudding/blancmange
crema pasticciera *kraymah pahsteechchayrah* custard
crostata *krohstahtah* tart
gelato *jaylahtoh* ice cream
panna montata *pahnnah mohntahtah* whipped cream
paste *pahstay* pastries
sorbetto *sohrbayttoh* sorbet
torta *tohrtah* cake
torta ripiena *tohrtah reepeeaynah* pie
zuppa inglese *dzooppah eenglayzay* trifle

Fruit

albicocca *ahlbeekohkkah* apricot
ananas *ahnahnahs* pineapple
anguria *ahngooreeah* watermelon
arancia *ahrahnchah* orange
banana *bahnahnah* banana
castagne *kahstahnyay* chestnuts
cedro *chaydroh* lime
ciliegie *cheeleeayjay* cherries
fichi *feekee* figs
fragole *frahgohlay* strawberries
frutti di bosco *froottee dee bohskoh* fruits of the forest
lamponi *lahmpohnee* raspberries
limone *leemohnay* lemon
macedonia di frutta *mahchaydohneeah dee froottah* fruit salad
mandarino *mahndahreenoh* tangerine
mandorle *mahndohrlay* almonds
mela *maylah* apple
melone *maylohnay* melon
mirtilli *meerteellee* blueberries
more *mohray* blackberries
noci *nohchee* walnuts
nocciole *nohchchohlay* hazelnuts
pera *payrah* pear
pesca *payskah* peach
pompelmo *pohmpaylmoh* grapefruit
prugna *proonyah* plum
prugne secche *proonyay saykkay* prunes

ribes nero	*reebays nayroh*	blackcurrant
ribes rosso	*reebays rohssoh*	redcurrant
uva	*oovah*	grapes

Spices and herbs

aglio	*ahllyoh*	garlic
alloro	*ahllohroh*	bayleaf
basilico	*bahzeeleekoh*	basil
cannella	*kahnnayllah*	cinnamon
menta	*mayntah*	mint
noce moscata	*nohchay mohskahtah*	nutmeg
origano	*ohreegahnoh*	origan
pepe	*paypay*	pepper
peperoncino	*paypayrohncheenoh*	chilli
prezzemolo	*praytztzaymohloh*	parsley
rosmarino	*rohsmahreenoh*	rosemary
salvia	*sahlveeah*	sage
timo	*teemoh*	thyme
zafferano	*dzahffayrahnoh*	saffron
zenzero	*dzayndzayroh*	ginger

Ways of cooking food

affumicato	*ahffoomeekahtoh*	smoked
ai ferri/alla griglia	*ahee fayrree/ ahllah greellyah*	grilled
al forno	*ahl fohrnoh*	baked
al sangue	*ahl sahngway*	rare
allo spiedo	*ahlloh speeaydoh*	on the spit
al vapore	*ahl vahpohray*	steamed
arrosto	*ahrrohstoh*	roast
ben cotto	*bayn kohttoh*	well-done
bollito/lessato	*bohlleetoh/layssahtoh*	boiled
brasato	*brahzahtoh*	braised
cotto	*kohttoh*	cooked
crudo	*kroodoh*	raw
farcito/ripieno	*fahrcheetoh/ reepeeaynoh*	stuffed
fritto	*freettoh*	fried
impanato	*eempahnahtoh*	dipped in breadcrumbs
in umido/stufato	*een oomeedoh/ stoofahtoh*	stewed
marinato	*mahreenahtoh*	marinaded
non troppo cotto	*nohn trohppoh kohttoh*	medium
precotto	*praykohttoh*	precooked

At the restaurant

TARGET LANGUAGE

barman	**barista**	*bahreestah*
cook	**cuoco**	*kooohkoh*
cover charge	**coperto**	*kohpayrtoh*
menu	**menu**	*maynoo*
à la carte	**alla carta**	*ahllah kahrtah*
set price	**a prezzo fisso**	*ah praytztzoh feessoh*
vegetarian	**vegetariano**	*vayjaytahreeahnoh*
head-waiter	**capocameriere**	*kahpohkahmayreeayray*
waiter	**cameriere**	*kahmayreeayray*
waitress	**cameriera**	*kahmayreeayrah*
wine list	**carta dei vini**	*kahrtah dayee veenee*

In the restaurant

When eating out you may see on the menu "il vino della casa" (the house wine). House wines are well worth trying as they are normally cheaper than bottled wines without being of inferior quality.
A tourist menu offers a fixed-price three or four course meal with limited choice, or the speciality of the day.

SITUATIONAL DIALOGUES

Is there a restaurant near here?	**C'è un ristorante qui vicino?** *chay oon reestohrahntay kwee veecheenoh*
Are there any cheap/nice restaurants around here?	**Ci sono ristoranti economici/carini qui vicino?** *chee sohnoh reestohrahntee aykohnohmeechee/kahreenee kwee veecheenoh*
I'd like to reserve a table for 6	**Vorrei prenotare un tavolo per 6** *vohrrayee praynohtahray oon tahvohloh payr sayee*
Could we have a table on the terrace?	**Potremmo avere un tavolo sulla terrazza?** *pohtraymmoh ahvayray oon tahvohloh soollah tayrrahtztzah*
Waiter, can I see the menu and the drinks list please?	**Cameriere, posso vedere il menu e la lista delle bevande per favore?** *kahmayreeayray pohssoh vaydayray eel maynoo ay lah leestah dayllay bayvahnday payr fahvohray*
Che cosa desidera ordinare? *kay kohzah dayzeedayrah ohrdeenahray*	What would you like to order?
I am allergic to...	**Sono allergico a...** *sohnoh ahllayrjeekoh ah...*
What's on the tourist menu?	**Cosa offre il menu turistico?** *kohzah ohffray eel maynoo tooreesteekoh*

What do you recommend?	**Cosa ci consiglia?** *kohzah chee kohnseellyah*
What is your speciality?	**Qual è la vostra specialità?** *kwahlay lah vohstrah spaychahleetah*
I'd like a bottle of red wine and some mineral water	**Vorrei una bottiglia di vino rosso e dell'acqua minerale** *vohrrayee oonah bohtteellyah dee veenoh rohssoh ay dayllahkkwah meenayrahlay*
I'd like a grilled steak	**Vorrei una bistecca alla fiorentina** *vohrrayee oonah beestaykkah ahllah feeohraynteenah*

Vuole la carne al sangue, a media cottura o ben cotta?
vooohlay lah kahrnay ahl sahngway ah maydeeah kohttoorah oh bayn kohttah
Do you like your meat rare, medium or well-done?

I'd like a dessert, please	**Vorrei un dessert, per favore** *vohrrayee oon dayssayrt payr fahvohray*

Desidera qualcos'altro?
dayzeedayrah kwahlkohzahltroh
Would you like anything else?

No, thank you, that's enough	**No, grazie, basta così** *noh grahtzeeay bahstah kohzee*

The bill

The bill, please	**Il conto per favore** *eel kohntoh payr fahvohray*
I'd like to pay	**Vorrei pagare** *vohrrayee pahgahray*
Is service included?	**Il servizio è compreso?** *eel sayrveetzeeoh ay kohmprayzoh*

Posso pagare con questa carta di credito?
pohssoh pahgahray kohn kwaystah kahrtah dee kraydeetoh
Can I pay with this credit card?

Keep the change	**Tenga il resto** *tayngah eel raystoh*
Thank you, this is for you	**Grazie, questo è per lei** *grahtzeeay kwaystoh ay payr layee*

Complaints

The meat is overdone	**La carne è troppo cotta** *lah kahrnay ay trohppoh kohttah*

It is too salty	**È troppo salato** *ay trohppoh sahlahtoh*
The food is cold	**Il cibo è freddo** *eel cheeboh ay frayddoh*
The fish isn't fresh	**Il pesce non è fresco** *eel payshay nohn ay frayskoh*
This glass isn't clean	**Questo bicchiere non è pulito** *kwaystoh beekkeeayray nohn ay pooleetoh*
I want to speak to the manager	**Desidero parlare col direttore** *dayzeedayroh pahrlahray kohl deerayttohray*
I think there is a mistake in the bill	**Credo ci sia un errore nel conto** *kraydoh chee seeah oon ayrrohray nayl kohntoh*

Ha ragione, mi dispiace *ah rahjohnay mee deespeeahchay*	Yes, you're right, I'm very sorry

Local dishes

Liguria

minestrone alla genovese *meenaystrohnay ahllah jaynohvayzay*	thick vegetable soup with rice or pasta
pesto *paystoh*	a sauce made with garlic, basil, parmesan cheese, pine kernels and mixed in oil
trenette al pesto *traynayttay ahl paystoh*	small pieces of pasta flavoured with pesto

Piemonte

fonduta *fohndootah*	cream cheese with butter, eggs, milk and white truffles
bagna cauda *bahnyah kahoodah*	artichokes and celery served with a sauce of truffles, garlic, anchovy, butter and oil

Lombardia

cassola *kahssohlah*	a mixture of various different kinds of meat, cooked with vegetables
cotoletta alla milanese *kohtohlayttah ahllah meelahnayzay*	veal cutlets, which have been dipped in eggs and breadcrumbs and fried

osso buco *ohssoh bookoh*	a stew of veal with marrow bones, mixed vegetables and spices
risotto allo zafferano *reezohttoh ahlloh dzahffayrahnoh*	rice flavoured with saffron

Veneto

brodetto *brohdayttoh*	fish soup served with cornmeal mush (polenta)
baccalà mantecato *bahkkahlah mahntaykahtoh*	dried cod which has been boiled and beaten up in oil

Emilia

tortellini *tohrtaylleenee*	rings of dough filled with seasoned minced meat and served in broth or with a sauce
zampone e mortadella *dzahmpohnay ay mohrtahdayllah*	local pork sausages which are very highly seasoned

Toscana

bistecca alla fiorentina *beestaykkah ahllah feeohraynteenah*	grilled veal cutlet, seasoned with salt, pepper and lemon juice

Lazio

gnocchi alla romana *nyohkkee ahllah rohmahnah*	baked semolina gnocchi, with milk and cheese
fettuccine alla romana *fayttoochcheenay ahllah rohmahnah*	egg pasta flavoured with beef gravy

Campania

maccheroni al ragù *mahkkayrohnee ahl rahgoo*	macaroni with ragù
maccheroni alla marinara *mahkkayrohnee ahllah mahreenahrah*	macaroni with a sauce made of mussels, garlic, oil and parsley

parmigiana di melanzane *pahrmeejahnah dee maylahndzahnay*	Parmesan cheese with aubergines
pizza napoletana *peetztzah nahpohlaytahnah*	flat dough circles baked with cheese, anchovies, tomato sauce etc.

Sicilia

pasta alle sarde *pahstah ahllay sahrday*	pasta with sardines
caponata *kahpohnahtah*	aubergines and celery cooked with sieved tomato, peppers and olives

At the bar

Cappuccino is a delicious mixture of coffee and hot milk, dusted with cocoa.
The Italian caffè espresso is served in demi-tasses and it is stronger than ordinary coffee.

TARGET LANGUAGE

Drinks

camomile	**camomilla**	*kahmohmeellah*
cappuccino	**cappuccino**	*kahppoochcheenoh*
chocolate	**cioccolata**	*chohkkohlahtah*
coffee	**caffè**	*kahffay*
black/white	**nero/macchiato**	*nayroh/mahkkeeahtoh*
decaffeinated	**decaffeinato**	*daykahffayeenahtoh*
espresso	**espresso**	*ayspRayssoh*
coffee with cream	**caffè con panna**	*kahffay kohn pahnnah*
coke	**coca cola**	*kohkah kohlah*
fruit juice	**succo di frutta**	*sookkoh dee froottah*
lemonade	**limonata**	*leemohnahtah*
(milk) shake	**frappè/frullato**	*frahppay/froollahtoh*
milk with coffee	**latte macchiato**	*lahttay mahkkeeahtoh*
mineral water	**acqua minerale**	*ahkkwah meenayrahlay*
sparkling/still	**gassata/naturale**	*gahssahtah/nahtoorahlay*
non-alcoholic aperitif	**aperitivo analcolico**	*ahpayreeteevoh ahnahlkohleekoh*
orangeade	**aranciata**	*ahrahnchahtah*
orange juice	**spremuta d'arancio**	*spraymootah dahrahnchoh*

tea	**tè**	*tay*
with lemon/with milk	**con limone/con latte**	*kohn leemohnay/kohn lahttay*
tomato juice	**succo di pomodoro**	*sookkoh dee pohmohdohroh*
tonic water	**acqua tonica**	*ahkkwah tohneekah*

Alcoholic drinks

Italy produces more wine than any other country and names like Frascati, Lambrusco and Chianti are known throughout the world. In Italy wine is normally drunk during meals but it is also taken as an aperitif and with desserts. All bars and cafes are licensed to sell alcohol and one can have a glass of wine or spirits at any time of the day. Osterie and enoteche (wine bars) have wine on tap and sell a huge range of Italian and foreign wines. You'll often see the letters DOC on the label of a wine bottle: this stands for "denominazione di origine controllata" and means that the wine has been produced with high quality grapes and that a quality control has been carried out to verify this.

aperitif	**aperitivo**	*ahpayreeteevoh*
beer	**birra**	*beerrah*
ale/lager	**scura/chiara**	*skoorah/keeahrah*
on draught	**alla spina**	*ahllah speenah*
brandy	**brandy**	*brayndee*
wine	**vino**	*veenoh*
red/white	**rosso/bianco**	*rohssoh/beeahnkoh*
dry/sweet	**secco/dolce**	*saykkoh/dohlchay*
sparkling	**spumante**	*spoomahntay*

Ice creams

ice creams	**gelati**	*jaylahtee*
cornet	**cono**	*kohnoh*
cup	**coppa**	*kohppah*
granita	**granita**	*grahneetah*
mixed ice cream with whipped cream	**gelato misto con panna montata**	*jaylahtoh meestoh kohn pahnnah mohntahtah*
semifreddo	**semifreddo**	*saymeefrayddoh*

SITUATIONAL DIALOGUES

I'd like a caffè espresso, please
Per favore, (vorrei) un caffè espresso
payr fahvohray (vohrrayee) oon kahffay aysprayssoh

How much is it?
Quant'è?
kwahntay

Ritiri lo scontrino alla cassa *reeteeree loh skohntreenoh ahllah kahssah*	Please get the ticket at the cash desk
Please a cappuccino and a croissant	**Per favore, un cappuccino e una brioche** *payr fahvohray oon kahppoochcheenoh ay oonah breeohsh*
Che cosa desidera bere? *kay kohzah dayzeedayrah bayray*	What would you like to drink?
A mug of dark beer, please	**Un boccale di birra scura, per favore** *oon bohkkahlay dee beerrah skoorah payr fahvohray*
Please another glass of chilled white wine and an aperitif with some nibbles	**Per favore, un altro bicchiere di vino bianco freddo e un aperitivo con degli stuzzichini** *payr fahvohray oon ahltroh beekkeeayray dee veenoh beeahnkoh frayddoh ay oon ahpayreeteevoh kohn dayllyee stootztzeekeenee*

6 • FREE TIME

In Italy there are a thousand ways to use your free time: practising sports, cultivating hobbies, developing your culture, going to a concert, a play, a traditional festival, or to watch a sporting event.
Alternatively you can simply sit in a bar and enjoy a cappuccino or a glass of good wine, or you can wander around Italian beautiful towns, admiring and visiting their churches, palaces, monuments, castles, archaeological sites, museums, galleries, squares and streets. There are so many art treasures of such quality spread so well across the country, that Italy can rightly be considered an open-air art gallery.

Tourism

Going sightseeing

TARGET LANGUAGE

aquarium	**acquario**	*ahkkwahreeoh*
alley/lane	**vicolo**	*veekohloh*
barracks	**caserma**	*kahsayrmah*
bench	**panchina**	*pahnkeenah*
block	**isolato**	*eezohlahtoh*
botanical gardens	**orto botanico**	*ohrtoh bohtahneekoh*
bridge	**ponte**	*pohntay*
building	**edificio**	*aydeefeechoh*
cemetery	**cimitero**	*cheemeetayroh*
cinema	**cinema**	*cheenaymah*
corner	**angolo**	*ahngohloh*
district	**quartiere**	*kwahrteeayray*
industrial	**industriale**	*eendoostreeahlay*
residential	**residenziale**	*rayseedayntzeeahlay*
drinking fountain	**fontanella**	*fohntahnayllah*
exhibition centre	**fiera**	*feeayrah*
factory	**fabbrica**	*fahbbreekah*
fairground	**lunapark**	*loonahpahrk*
house	**casa**	*kahzah*
lakeside	**lungolago**	*loongohlahgoh*
law courts	**tribunale**	*treeboonahlay*
library	**biblioteca**	*beebleeohtaykah*
Ministry	**Ministero**	*meeneestayroh*
outskirts	**periferia**	*payreefayreeah*
park	**parco**	*pahrkoh*
Parliament	**Parlamento**	*pahrlahmayntoh*

pavement	**marciapiede**	*mahrchahpeeayday*
pedestrian precinct	**isola/zona pedonale**	*eezohlah/dzohnah paydohnahlay*
police station	**questura**	*kwaystoorah*
porch	**portico**	*pohrteekoh*
public gardens	**giardini pubblici**	*jahrdeenee poobbleechee*
public toilets	**gabinetti pubblici**	*gahbeenayttee poobbleechee*
riverside	**lungofiume**	*loongohfeeoomay*
road/street	**via**	*veeah*
rubbish bin	**cestino dei rifiuti**	*chaysteenoh dayee reefeeootee*
school	**scuola**	*skooohlah*
seafront	**lungomare**	*loongohmahray*
shopping arcade	**centro commerciale**	*chayntroh kohmmayrchahlay*
sights	**luoghi d'interesse**	*looohghee deentayrayssay*
skyscraper	**grattacielo**	*grahttahchayloh*
square	**piazza/piazzale**	*peeahtztzah/ peeahtztzahlay*
stadium	**stadio**	*stahdeeoh*
street	**strada**	*strahdah*
streetlamp	**lampione**	*lahmpeeohnay*
surroundings	**dintorni**	*deentohrnee*
tourism	**turismo**	*tooreesmoh*
tourist	**turista**	*tooreestah*
town	**città**	*cheettah*
city	**grande città**	*grahnday cheettah*
town centre	**centro città**	*chayntroh cheettah*
old town	**centro storico**	*chayntroh stohreekoh*
town hall	**comune/municipio**	*kohmoonay/ mooneecheepeeoh*
triumphal arch	**arco di trionfo**	*ahrkoh dee treeohnfoh*
university	**università**	*ooneevayrseetah*
zebra crossing	**strisce pedonali**	*streeshay paydohnahlee*
zoo	**zoo**	*dzohoh*

Monuments

TARGET LANGUAGE

abbey	**abbazia**	*ahbbahtzeeah*
altar	**altare**	*ahltahray*
amphitheatre	**anfiteatro**	*ahnfeetayahtroh*
apse	**abside**	*ahbseeday*

architecture	**architettura**	*ahrkeetayttoorah*
architect	**architetto**	*ahrkeetayttoh*
armour	**armature**	*ahrmahtooray*
balustrade	**balaustra**	*bahlahoostrah*
battlement	**merlo**	*mayrloh*
baptistery	**battistero**	*bahtteestayroh*
bell tower	**campanile**	*kahmpahneelay*
bridge	**ponte**	*pohntay*
capital (of pillar)	**capitello**	*kahpeetaylloh*
castle	**castello**	*kahstaylloh*
catacombs	**catacombe**	*kahtahkohmbay*
cathedral	**cattedrale/duomo**	*kahttaydrahlay/dooohmoh*
chapel	**cappella**	*kahppayllah*
choir	**coro**	*kohroh*
church	**chiesa**	*keeayzah*
city gate	**porta della città**	*pohrtah dayllah cheettah*
city walls	**mura**	*moorah*
cloister	**chiostro**	*keeohstroh*
citadel	**cittadella**	*cheettahdayllah*
column	**colonna**	*kohlohnnah*
convent	**convento**	*kohnvayntoh*
courtyard	**cortile**	*kohrteelay*
dome	**cupola**	*koopohlah*
double window	**bifora**	*beefohrah*
drawbridge	**ponte levatoio**	*pohntay layvahtoheeoh*
excavations	**scavi**	*skahvee*
façade	**facciata**	*fahchchahtah*
fountain	**fontana**	*fohntahnah*
fortress	**fortezza**	*fohrtaytztzah*
fresco	**affresco**	*ahffrayskoh*
glass window	**vetrata**	*vaytrahtah*
gothic	**gotico**	*gohteekoh*
grave	**tomba**	*tohmbah*
graveyard	**cimitero**	*cheemeetayroh*
library	**biblioteca**	*beebleeohtaykah*
monastery	**monastero**	*mohnahstayroh*
monument	**monumento**	*mohnoomayntoh*
memorial	**monumento commemorativo**	*mohnoomayntoh kohmmaymohrahteevoh*
mosaic	**mosaico**	*mohzaheekoh*
nave	**navata**	*nahvahtah*
obelisk	**obelisco**	*ohbayleeskoh*
palace	**palazzo**	*pahlahtztzoh*
pillar	**pilastro**	*peelahstroh*
plaque	**lapide**	*lahpeeday*
gravestone	**lapide sepolcrale**	*lahpeeday saypohlkrahlay*
portal	**portale**	*pohrtahlay*
pulpit	**pulpito**	*poolpeetoh*

ruins	**resti/rovine**	*raystee/rohveenay*
sanctuary	**santuario**	*sahntooahreeoh*
sarcophagus	**sarcofago**	*sahrkohfahgoh*
spire	**guglia**	*goollyah*
statue	**statua**	*stahtooah*
tapestry	**arazzo**	*ahrahtztzoh*
theatre	**teatro**	*tayahtroh*
temple	**tempio**	*taympeeoh*
tomb	**tomba**	*tohmbah*
tower	**torre**	*tohrray*
vault	**volta**	*vohltah*
weapons	**armi**	*ahrmee*

SITUATIONAL DIALOGUES

Could you tell me where the tourist office is, please?
Dov'è l'ufficio turistico, per favore?
dohvay looffeechoh tooreesteekoh payr fahvohray

I'd like some information about the town/a map of the town, please
Desidero informazioni sulla città/una pianta della città, per favore
dayzeedayroh eenfohrmatzeeohnee soollah cheettah/oonah peeahntah dayllah cheettah payr fahvohray

What are the most important sights?
Quali sono i monumenti più importanti?
kwahlee sohnoh ee mohnoomayntee peeoo eempohrtahntee

What building is this? What century is it?
Che palazzo è questo? Di che secolo è?
kay pahlahtztzoh ay kwaystoh/dee kay saykohloh ay

Can you go to the top of the tower/the bell tower?
Si può salire in cima alla torre/al campanile?
see poooh sahleeray een cheemah ahllah tohrray/ahl kahmpahneelay

Which way to go up?
Da che parte si sale?
dah kay pahrtay see sahlay

Is there a lift?
C'è un ascensore?
chay oon ahshaynsohray

Are there guided tours? Do you have to book?
Ci sono visite guidate? È necessario prenotarsi?
chee sohnoh veezeetay gweedahtay/ay naychayssahreeoh praynohtahrsee

Do you do trips to.../round the area?
Organizzate escursioni a.../nei dintorni?
ohrgahneedzdzahtay ayskoorseeohnee ah.../nayee deentohrnee

What's the itinerary of the trip? How much
Qual è il programma della gita? Quanto costa e da dove si parte?

is it and where does it leave from?	*kwahlay eel prohgrahmmah dayllah jeetah/ kwahntoh kohstah ay dah dohvay see pahrtay*
What's included in the fare?	**Che cos'è compreso nel prezzo?** *kay kohzay kohmprayzoh nayl praytztzoh*
What time does it get back?	**A che ora è previsto il ritorno?** *ah kay ohrah ay prayveestoh eel reetohrnoh*

Museums

Most museums in Italy are open from Tuesday to Sunday, and closed on Monday. Not all museums are free, but there are often museum cards and combined tickets to visit the most important museums and sights in a town at an affordable price.

TARGET LANGUAGE

archaeological exhibit	**reperto archeologico**	*raypayrtoh ahrkayohlohjeekoh*
art	**arte**	*ahrtay*
artist	**artista**	*ahrteestah*
art gallery	**galleria d'arte**	*gahllayreeah dahrtay*
attendant	**custode**	*koostohday*
catalogue	**catalogo**	*kahtahlohgoh*
cloakroom	**guardaroba**	*gwahrdahrohbah*
collection	**collezione**	*kohllaytzeeohnay*
exhibition	**mostra**	*mohstrah*
guide	**guida**	*gweedah*
audioguide	**audioguida**	*ahoodeeohgweedah*
guided tour	**visita guidata**	*veezeetah gweedahtah*
masterpiece	**capolavoro**	*kahpohlahvohroh*
miniature	**miniatura**	*meeneeahtoorah*
museum	**museo**	*moozayoh*
archaeological	**archeologico**	*ahrkayohlohjeekoh*
of modern art	**d'arte moderna**	*dahrtay mohdayrnah*
natural history	**di storia naturale**	*dee stohreeah nahtoorahlay*
one-man exhibition	**personale dell'artista**	*payrsohnahlay dayllahrteestah*
opening hours	**orario**	*ohrahreeoh*
painter	**pittore**	*peettohray*
painting	**pittura**	*peettoorah*
abstract	**astratta**	*ahstrahttah*
landscape	**paesaggio**	*pahayzahdgoh*
portrait	**ritratto**	*reetrahttoh*
still life	**natura morta**	*nahtoorah mohrtah*
picture	**dipinto/quadro**	*deepeentoh/kwahdroh*
engraving	**incisione**	*eencheezeeohnay*

etching	**acquaforte**	*ahkkwahfohrtay*
watercolour	**acquerello**	*ahkkwayraylloh*
woodcut	**litografia**	*leetohgrahfeeah*
picture gallery	**pinacoteca**	*peenahkohtaykah*
restoration	**restauro**	*raystahooroh*
sculpture	**scultura**	*skooltoorah*
sculptor	**scultore**	*skooltohray*
statue	**statua**	*stahtooah*
ticket	**biglietto**	*beellyayttoh*
work of art	**opera d'arte**	*ohpayrah dahrtay*

SITUATIONAL DIALOGUES

I'd like to visit the museum	**Vorrei visitare il museo** *vorrayee veezeetahray eel moozayoh*
When does it open?	**Quando apre?** *kwahndoh ahpray*
When does it close?	**Quando chiude?** *kwahndoh keeooday*
What day is it closed on?	**Qual è il giorno di chiusura?** *kwahlay eel johrnoh dee keeoozoorah*
How much does the ticket cost?	**Quanto costa il biglietto?** *kwahntoh kohstah eel beellyayttoh*
Are there reductions for children/students/ senior citizens?	**Ci sono riduzioni per bambini/studenti/anziani?** *chee sohnoh reedootzeeohnee payr bahmbeenee/ stoodayntee/ahntzeeahnee*

Bambini fino a dieci anni gratis *bahmbeenee feenoh ah deeaychee ahnnee grahtees*	Admission free for children under 10

Is there an English-speaking guide?	**C'è una guida che parla inglese?** *chay oonah gweedah kay pahrlah eenglayzay*
What time does the guided tour start?	**A che ora inizia la visita guidata?** *ah kay ohrah eeneetzeeah lah veezeetah gweedahtah*
Have you got a catalogue in English?	**Avete un catalogo in inglese?** *ahvaytay oon kahtahlohgoh een eenglayzay*
I want to hire an audioguide	**Desidero noleggiare un'audioguida** *dayzeedayroh nohlaydgahray oonahoodeeohgweedah*
Are we allowed to take photos?	**È permesso fare fotografie?** *ay payrmayssoh fahray fohtohgrahfeeay*

Non è consentito fotografare *nohn ay kohnsaynteetoh fohtohgrahfahray*	No photographs

È vietato fotografare col flash
ay veeaytahtoh fohtohgrahfahray kohl flaysh
No flash allowed

Non avvicinarsi alle opere oltre il limite indicato
nohn ahvveecheenahrsee ahllay ohpayray ohltray eel leemeetay eendeekahtoh
Do not cross the barrier/line

Non toccare le opere d'arte
nohn tohkkahray lay ohpayray dahrtay
Do not touch the art works

How long is the exhibition on for?
Fino a quando dura la mostra?
feenoh ah kwahndoh doorah lah mohstrah

La mostra è stata prorogata fino al...
lah mohstrah ay stahtah prohrohgahtah feenoh ahl...
The exhibition has been extended until...

La pinacoteca è chiusa per restauri
lah peenahkohtaykah ay keeoozah payr raystahooree
The picture gallery is closed for restoration work

Asking the way

Cardinal points		
est	*ayst*	east
ovest	*ohvayst*	west
nord	*nohrd*	north
sud	*sood*	south

SITUATIONAL DIALOGUES

Is via Manzoni far?
È lontana via Manzoni?
ay lohntahnah veeah mahndzohnee

È a tre isolati da qui
ay ah tray eesohlahtee dah kwee
It's three blocks away

Can you help me please? I'm looking for this address
Mi può aiutare per favore? Cerco questo indirizzo
mee pooоh aheeootahray payr fahvohray chayrkoh kwaystoh eendeereetztzoh

How long does it take to get there on foot?
Quanto tempo ci vuole per andare là a piedi?
kwahntoh taympoh chee vooohlay payr ahndahray lah ah peeaydee

Can you show me on the map where I am?
Può mostrarmi sulla pianta dove mi trovo?
pooоh mohstrahrmee soollah peeahntah dohvay mee trohvoh

Which road do I take for Genoa?
Può indicarmi la strada per Genova?
pooоh eendeekahrmee lah strahdah payr jaynohvah

Is this the right road for the motorway?
È questa la direzione giusta per l'autostrada?
ay kwaystah lah deeraytzeeohnay joostah payr lahootohstrahdah

No, ha sbagliato, deve tornare indietro
noh ah sbahllyahtoh dayvay tohrnahray eendeeaytroh
No, you're on the wrong road, you'll have to turn back

How far away is the airport?
Quanto dista l'aeroporto?
kwahntoh deestah lahayrohpohrtoh

È a 10 chilometri a nord del centro urbano
ay ah deeaychee keelohmaytree ah nohrd dayl chayntroh oorbahnoh
It's 10 kilometres north of the city

How do you get to the city centre?
Come si raggiunge il centro città?
kohmay see rahdgoonjay eel chayntroh cheettah

Are cars allowed into the city centre?
È consentito alle auto entrare nel centro città?
ay kohnsaynteetoh ahllay ahootoh ayntrahray nayl chayntroh cheettah

No, è zona pedonale
noh ay dzohnah paydohnahlay
No, it's a pedestrian precinct

Is the Sforza Castle far from here?
Il Castello Sforzesco è lontano da qui?
eel kahstaylloh sfohrtzayskoh ay lohntahnoh dah kwee

Svolti a destra all'incrocio e vada dritto fino alla piazza
svohltee ah daystrah ahlleenkrohchoh ay vahdah dreettoh feenoh ahllah peeahtztzah
Turn right at the crossroads and go straight on as far as the square

Non può svoltare a sinistra
nohn pooоh svohltahray ah seeneestrah
You can't turn left

Deve dare la precedenza
dayvay dahray lah praychaydayntzah
You have to give way

Who has right of way on roundabouts?
Chi ha la precedenza nelle rotatorie?
kee ah lah praychaydayntzah nayllay rohtahtohreeay

Which way must I go for the stadium?
Qual è la strada per lo stadio?
kwahlay lah strahdah payr loh stahdeeoh

Prosegua fino al semaforo, poi chieda di nuovo
prohsaygwah feenoh ahl saymahfohroh pohee keeaydah dee nooohvoh
Go on to the traffic lights, then ask again

Prenda il sottopassaggio
prayndah eel sohttohpahssahdgoh
Take the subway

Outdoor recreational activities

The words of holidays

TARGET LANGUAGE

excursion/trip	**escursione**	*ayskoorseeohnay*
tripper	**escursionista**	*ayskoorseeohneestah*
folklore	**folklore**	*fohlklohray*
dance	**ballo**	*bahlloh*
traditional costume	**costume tradizionale**	*kohstoomay trahdeetzeeohnahlay*
heritage village/park	**villaggio-museo**	*veellahdgoh moozayoh*
holiday	**vacanza/ villeggiatura**	*vahkahntzah/ veellaydgahtoorah*
national park	**parco nazionale**	*pahrkoh nahtzeeohnahlay*
nature reserve	**riserva naturale**	*reezayrvah nahtoorahlay*
trip	**gita/giro**	*jeetah/jeeroh*
drive	**giro in auto**	*jeeroh een ahootoh*
bicycle ride	**giro in bicicletta**	*jeeroh een beecheeklayttah*
view	**panorama/vista**	*pahnohrahmah/veestah*
village	**paese/villaggio**	*pahayzay/veellahdgoh*
walk	**passeggiata/ camminata**	*pahssaydgahtah/ kahmmeenahtah*
to go for a walk	**fare una passeggiata**	*fahray oonah pahssaydgahtah*

Holidaying at the sea, the lake, the river

TARGET LANGUAGE

bay	**baia/golfo**	*baheeah/gohlfoh*
beach	**spiaggia**	*speeahdgah*
beach towel	**telo da spiaggia**	*tayloh dah speeahdgah*
beach umbrella	**ombrellone**	*ohmbrayllohnay*
boat	**barca**	*bahrkah*
motorboat	**barca a motore**	*bahrkah ah mohtohray*
rowing boat	**barca a remi**	*bahrkah ah raymee*
sailing boat	**barca a vela**	*bahrkah ah vaylah*
boat trip	**gita in barca**	*jeetah een bahrkah*
bucket	**secchiello**	*saykkeeaylloh*
mould	**formina**	*fohrmeenah*
spade	**paletta**	*pahlayttah*
buoy	**boa**	*bohah*
cabin	**cabina**	*kahbeenah*
cave	**grotta**	*grohttah*
cliff	**scogliera**	*skohllyayrah*
coast	**costa**	*kohstah*
deckchair	**sedia a sdraio**	*saydeeah ah sdraheeoh*

dinghy	**canotto**	*kahnohttoh*
diving/scuba mask	**maschera subacquea**	*mahskayrah soobahkkwayah*
snorkel	**boccaglio**	*bohkkahllyoh*
flippers	**pinne**	*peennay*
inflatable mattress	**materassino gonfiabile**	*mahtayrahsseenoh gohnfeeahbeelay*
inlet	**insenatura**	*eensaynahtoorah*
island	**isola**	*eezohlah*
jellyfish	**medusa**	*maydoozah*
jet ski	**acquascooter**	*ahkkwahskootayr*
lake	**lago**	*lahgoh*
lifeguard	**(di spiaggia) bagnino**	*bahnyeenoh*
attendant	**(di piscina) bagnino**	*bahnyeenoh*
lifejacket	**giubbotto di salvataggio**	*joobbohttoh dee sahlvahtahdgoh*
motorboat	**motoscafo**	*mohtohskahfoh*
oar	**remo**	*raymoh*
pedalo	**pedalò**	*paydahloh*
river	**fiume**	*feeoomay*
rock	**scoglio**	*skohllyoh*
to row	**remare**	*raymahray*
rubberdinghy	**gommone**	*gohmmohnay*
sand	**sabbia**	*sahbbeeah*
sea	**mare**	*mahray*
sea urchin	**riccio di mare**	*reechchoh dee mahray*
shell	**conchiglia**	*kohnkeellyah*
stream	**ruscello/torrente**	*rooshaylloh/tohrrayntay*
sun lounger	**lettino da spiaggia**	*laytteenoh dah speeahdgah*
suntan	**abbronzatura**	*ahbbrohndzahtoorah*
swim	**bagno/nuotata**	*bahnyoh/nooohtahtah*
to swim	**nuotare**	*nooohtahray*
to have a swim	**fare il bagno**	*fahray eel bahnyoh*
swimming cap	**cuffia da bagno**	*kooffeeah dah bahnyoh*
swimming pool	**piscina**	*peesheenah*
tide	**marea**	*mahrayah*
high/low tide	**alta/bassa marea**	*ahltah/bahssah mahrayah*
water	**acqua**	*ahkkwah*
waterwings	**braccioli**	*brahchchohlee*
wave	**onda**	*ohndah*

SITUATIONAL DIALOGUES

Let's go for a swim — **Facciamo una nuotata**
fahchchahmoh oonah nooohtahtah

Is swimming allowed here? — **Si può fare il bagno qui?**
see poooh fahray eel bahnyoh kwee

No, qui c'è divieto di balneazione *noh kwee chay deeveeaytoh dee bahlnayahtzeeohnay*	No, swimming is prohibited here
Ci sono correnti pericolose *chee sohnoh kohrrayntee payreekohlohzay*	There are dangerous currents
Can you suggest a beach near here?	**Ci può consigliare una spiaggia qui vicino?** *chee pooohkohnseellyahray oonah speeahdgah kwee veecheenoh*
Is it a sandy/pebbly beach?	**È una spiaggia sabbiosa/ghiaiosa?** *ay oonah speeahdgah sahbbeeohzah/ gheeaheeohzah*
I want to hire a beach umbrella	**Desidero noleggiare un ombrellone** *dayzeedayroh nohlaydgahray oon ohmbrayllohnay*
Are there any nudist beaches?	**Ci sono spiagge per nudisti?** *chee sohnoh speeahdgay payr noodeestee*
I'm going for a swim. Can I leave my things here?	**Vado a fare una nuotata. Posso lasciare qui la mia roba?** *vahdoh ah fahray oonah nooohtahtah pohssoh lahshahray kwee lah meeah rohbah*
Is there a swimming pool here?	**C'è una piscina qui?** *chay oonah peesheenah kwee*
Where can we hire a boat?	**Dove possiamo noleggiare una barca?** *dohvay pohsseeahmoh nohlaydgahray oonah bahrkah*
How much does it cost for an hour/ half a day?	**Quanto costa all'ora/per mezza giornata?** *kwahntoh kohstah ahllohrah/payr maydzdzah johrnahtah*
What time does the tide start coming in/ going out?	**A che ora inizia l'alta/la bassa marea?** *ah kay ohrah eeneetzeeah lahltah/lah bahssah mahrayah*

Holidaying in the country, in the mountains

TARGET LANGUAGE

animal	**animale**	*ahneemahlay*
pet/wild animal	**animale domestico/ selvatico**	*ahneemahlay dohmaysteekoh/ saylvahteekoh*
bridge	**ponte/ponticello**	*pohntay/pohnteechaylloh*
cable car	**funivia**	*fooneeveeah*
canal	**canale**	*kahnahlay*
chalet	**baita**	*baheetah*

farm	**fattoria**	*fahttohreeah*
farmer	**contadino**	*kohntahdeenoh*
farmhouse holidays	**agriturismo**	*ahgreetooreezmoh*
field	**campo**	*kahmpoh*
flock	**gregge**	*graydgay*
flower	**fiore**	*feeohray*
forest	**foresta**	*fohraystah*
glacier	**ghiacciaio**	*gheeahchchaheeoh*
herd	**mandria**	*mahndreeah*
hill	**colle/collina**	*kohllay/kohlleenah*
meadow	**prato**	*prahtoh*
mill	**mulino**	*mooleenoh*
windmill	**mulino a vento**	*mooleenoh ah vayntoh*
mountain	**montagna**	*mohntahnyah*
mushroom	**fungo**	*foongoh*
pass	**valico**	*vahleekoh*
path	**sentiero**	*saynteeayroh*
plain	**pianura**	*peeahnoorah*
pine forest	**pineta**	*peenaytah*
plant	**pianta**	*peeahntah*
plateau	**altopiano**	*ahltohpeeahnoh*
refuge	**rifugio**	*reefoojoh*
rock	**roccia**	*rohchchah*
shepherd	**pastore**	*pahstohray*
short cut	**scorciatoia**	*skohrchahtoheeah*
skiing holiday	**settimana bianca**	*saytteemahnah beeahnkah*
stable	**stalla**	*stahllah*
stick	**bastone**	*bahstohnay*
summit	**vetta/cima**	*vayttah/cheemah*
tree	**albero**	*ahlbayroh*
valley	**valle**	*vahllay*
vegetable garden	**orto**	*ohrtoh*
water bottle	**borraccia**	*bohrrahchchah*
waterfall	**cascata**	*kahskahtah*
wind turbine	**turbina eolica**	*toorbeenah ayohleekah*
wood	**bosco**	*bohskoh*

SITUATIONAL DIALOGUES

I'd like to go for a walk/ to hire a bike

Vorrei fare una camminata/noleggiare una bicicletta
vohrrayee fahray oonah kahmmeenahtah/ nohlaydgahray oonah beecheeklayttah

Have you got a map of the walks in the area?

Avete una carta dei sentieri della zona?
ahvaytay oonah kahrtah dayee saynteeayree dayllah dzohnah

Can you show me a medium-difficulty walk?	**Può indicarmi un percorso di media difficoltà?** *pooōh eendeekāhrmee oon payrkōhrsoh dee māydeeah deeffeekohltāh*
Are there picnic areas?	**Ci sono aree per picnic?** *chee sōhnoh āhrayay payr peeknēek*
Is picking mushrooms/flowers allowed?	**È permesso raccogliere i funghi/i fiori?** *āy payrmāyssoh rahkkōhllyayray ee fōonghee/ee feeōhree*

È vietato raccogliere i funghi, i fiori *āy veeaytāhtoh rahkkōhllyayray ee fōonghee/ee feeōhree*	Picking mushrooms/flowers is forbidden
Durante le gite non abbandonate mai i sentieri *doorāhntay lay jēetay nohn ahbbahndohnāhtay māhee ee saynteeāyree*	Never leave the path during excursions

Are there any ski runs for beginners?	**Ci sono piste per principianti?** *chee sōhnoh pēestay payr preencheepeeāhntee*
I want to hire skiing equipment	**Desidero noleggiare una tenuta da sci** *dayzēedayroh nohlaydgāhray ōonah taynōotah dah shēe*

Playing sports

TARGET LANGUAGE

Athletics

athlete	**atleta**	*ahtlāytah*
athletics	**atletica leggera**	*ahtlāyteekah laydgāyrah*
finishing line	**traguardo/arrivo**	*trahgwāhrdoh/ahrrēevoh*
gymnasium	**palestra**	*pahlāystrah*
gymnastic	**ginnastica**	*jeennāhsteekah*
jump	**salto**	*sāhltoh*
high jump	**salto in alto**	*sāhltoh een āhltoh*
long jump	**salto in lungo**	*sāhltoh een lōongoh*
pole jump	**salto con l'asta**	*sāhltoh kohn lāhstah*
to lose	**perdere**	*payrdayray*
marathon	**maratona**	*mahrahtōhnah*
runner	**corridore**	*kohrreedōhray*
running	**corsa**	*kōhrsah*
sprinter	**corridore di breve distanza**	*kohrreedōhray dee brāyvay deestāhntzah*
stand	**tribuna**	*treebōonah*
track	**pista**	*pēestah*

throwing the discus	**lancio del disco**	*lahnchoh dayl deeskoh*
throwing the hammer	**lancio del martello**	*lahnchoh dayl mahrtaylloh*
throwing the javelin	**lancio del giavellotto**	*lahnchoh dayl jahvayllohttoh*
throwing the weight	**lancio del peso**	*lahnchoh dayl paysoh*
weight-lifting	**sollevamento pesi**	*sohllayvahmayntoh paysee*
to win	**vincere**	*veenchayray*

Baseball

bat	**mazza**	*mahtztzah*
batter	**battitore**	*bahtteetohray*
catcher	**prenditore**	*prayndeetohray*
diamond	**campo**	*kahmpoh*
bases	**angoli del campo**	*ahngohlee dayl kahmpoh*
fair hit	**colpo giusto**	*kohlpoh joostoh*
foul hit	**colpo errato**	*kohlpoh ayrrahtoh*
pitcher	**lanciatore**	*lahnchahtohray*
team	**squadra**	*skwahdrah*
umpire/referee	**arbitro**	*ahrbeetroh*

Boxing

bantam-weight	**peso gallo**	*paysoh gahlloh*
boxer	**pugile**	*poojeelay*
boxing	**pugilato**	*poojeelahtoh*
boxing glove	**guantone**	*gwahntohnay*
boxing match	**incontro di pugilato**	*eenkohntroh dee poojeelahtoh*
blow	**colpo**	*kohlpoh*
low blow	**colpo basso**	*kohlpoh bahssoh*
to receive blows	**incassare colpi**	*eenkahssahray kohlpee*
corner	**angolo**	*ahngohloh*
disqualified	**squalificato**	*skwahleefeekahtoh*
fly weight	**peso mosca**	*paysoh mohskah*
hook	**gancio**	*gahnchoh*
k.o. = knock out (technical k.o.)	**k.o. tecnico**	*kahppah oh tayknee koh*
punch	**pugno**	*poonyoh*
referee	**arbitro**	*ahrbeetroh*
rope	**corda**	*kohrdah*
straight	**diretto**	*deeraytoh*
to win by points	**battere ai punti**	*bahttayray ahee poontee*

Canoeing

canoeing	**canottaggio**	*kahnohttahdgoh*
canoe	**canoa**	*kahnohah*
paddle	**pagaia**	*pahgaheeah*
keel	**chiglia**	*keellyah*
oarsman	**vogatore**	*vohgahtohray*
regatta	**regata**	*raygahtah*
to row	**remare**	*raymahray*
oar	**remo**	*raymoh*
rowlock	**scalmo**	*skahlmoh*
rudder	**timone**	*teemohnay*
cox	**timoniere**	*teemohneeayray*
sliding seat	**sedile scorrevole**	*saydeelay skohrrayvohlay*
stretcher	**poggiapiedi**	*pohdgahpeeaydee*

Climbing

alpine guide	**guida alpina**	*gweedah ahlpeenah*
bivouac	**bivacco**	*beevahkkoh*
chasm	**voragine**	*vohrahjeenay*
to climb	**scalare**	*skahlahray*
climbing	**alpinismo**	*ahlpeeneesmoh*
mountain climber	**alpinista**	*ahlpeeneestah*
climbing boots	**scarponi da montagna**	*skahrpohnee dah mohntahnyah*
crampons	**ramponi**	*rahmpohnee*
crevasse	**crepaccio**	*kraypahchchoh*
glacier	**ghiacciaio**	*gheeahchchaheeoh*
hut	**rifugio**	*reefoojoh*
pick	**piccozza**	*peekkohtztzah*
piton	**chiodo**	*keeohdoh*
rock	**roccia**	*rohchchah*
rope	**corda**	*kohrdah*
roped party	**cordata**	*kohrdahtah*
rucksack	**sacco da montagna**	*sahkkoh dah mohntahn-yah*
sleeping bag	**sacco a pelo**	*sahkkoh ah payloh*
snow goggles	**occhiali da neve**	*ohkkeeahlee dah nayvay*

Cycling

bicycle	**bicicletta**	*beecheeklayttah*
racing bicycle	**bicicletta da corsa**	*beecheeklayttah dah kohrsah*
bell	**campanello**	*kahmpahnaylloh*
brake	**freno**	*fraynoh*
chain	**catena**	*kahtaynah*
lamp	**fanale**	*fahnahlay*

rim	**cerchione**	*chayrkeeohnay*
spokes	**raggi**	*rahdgee*
cycling	**ciclismo**	*cheekleezmoh*
cyclist	**ciclista/corridore**	*cheekleestah/ kohrreedohray*
descent	**discesa**	*deeshaysah*
frame	**telaio**	*taylaheeoh*
handlebar	**manubrio**	*mahnoobreeoh*
handlebar stem	**sterzo**	*stayrtzoh*
high speed	**fuga**	*foogah*
inner tube	**camera d'aria**	*kahmayrah dahreeah*
mudguard	**parafango**	*pahrahfahngoh*
pedal	**pedale**	*paydahlay*
pink jersey (first place in the tour of Italy)	**maglia rosa**	*mahllyah rohzah*
pump	**pompa**	*pohmpah*
pursuit	**inseguimento**	*eensaygweemayntoh*
race track	**pista**	*peestah*
speedometer	**contachilometri**	*kohntahkeelohmaytree*
to spring	**scattare**	*skahttahray*
stage	**tappa**	*tahppah*
time lap	**tappa a cronometro**	*tahppah ah krohnohmaytroh*
winner of the stage	**vincitore di tappa**	*veencheetohray dee tahppah*
supporting rider	**gregario**	*graygahreeoh*
tyres	**gomme**	*gohmmay*
variable gear	**cambio di velocità**	*kahmbeeoh dee vaylohcheetah*
velodrome	**velodromo**	*vaylohdrohmoh*
wheel	**ruota**	*roooh tah*
front wheel	**ruota anteriore**	*rooohtah ahntayreeohray*
rear wheel	**ruota posteriore**	*rooohtah pohstayreeohray*

Diving

aqualung	**autorespiratore**	*ahootohrayspeerahtohray*
bottle	**bombola**	*bohmbohlah*
dive	**immersione**	*eemmayrseeohnay*
diver	**sub**	*soob*
speargun	**fucile subacqueo**	*foocheelay soobahkkwayoh*
wetsuit	**muta**	*mootah*
underwater fishing	**pesca subacquea**	*payskah soobahkkwayah*

Fencing

feint	**finta**	*feentah*
assault	**assalto**	*ahssahltoh*

to attack	**attaccare**	*ahttahkkahray*
cutting/downward blow	**fendente**	*fayndayntay*
to fence	**tirare di scherma**	*teerahray dee skayrmah*
fencer	**schermitore**	*skayrmeetohray*
fencing	**scherma**	*skayrmah*
fencing mask	**maschera**	*mahskayrah*
foil	**fioretto**	*feeohrayttoh*
foilsman	**fiorettista**	*feeohraytteestah*
in position of guard	**in guardia**	*een gwahrdeeah*
sabre	**sciabola**	*shahbohlah*
sword	**spada**	*spahdah*
thrust	**stoccata**	*stohkkahtah*

Fishing

angling	**pesca con la lenza**	*payskah kohn lah layntzah*
bait	**esca**	*ayskah*
fishing	**pesca con le reti**	*payskah kohn lay raytee*
hook	**amo**	*ahmoh*
line	**lenza**	*layntzah*
net	**rete**	*raytay*
rod	**canna da pesca**	*kahnnah dah payskah*

Football/Soccer

ball	**palla**	*pahllah*
captain	**capitano**	*kahpeetahnoh*
centre-forward	**centravanti**	*chayntrahvahntee*
championship	**campionato**	*kahmpeeohnahtoh*
corner	**calcio d'angolo**	*kahlchoh dahngohloh*
football	**calcio**	*kahlchoh*
football player	**calciatore**	*kahlchahtohray*
forwards	**attaccanti**	*ahttahkkahntee*
free kick	**calcio di punizione**	*kahlchoh dee pooneetzeeohnay*
game	**partita**	*pahrteetah*
goal	**porta**	*pohrtah*
goal keeper	**portiere**	*pohrteeayray*
ground	**campo**	*kahmpoh*
half-back	**mediano**	*maydeeahnoh*
inside right/left	**mezz'ala destra/sinistra**	*maydzdzahlah daystrah/seeneestrah*
left wing	**ala sinistra**	*ahlah seeneestrah*
linesmen	**guardalinee**	*gwahrdahleenayay*
net	**rete**	*raytay*
offside	**fuori gioco**	*fooohree johkoh*

overtime periods	**tempi supplementari**	*taympee soopplaymayntahree*
penalty	**punizione**	*pooneetzeeohnay*
penalty area	**area di rigore**	*ahrayah dee reegohray*
penalty kick	**calcio di rigore**	*kahlchoh dee reegohray*
pitch	**campo**	*kahmpoh*
to play at home	**giocare in casa**	*johkahray een kahzah*
to play away	**giocare in trasferta**	*johkahray een trahsfayrtah*
right wing	**ala destra**	*ahlah daystrah*
stadium	**stadio**	*stahdeeoh*
stand	**tribuna**	*treeboonah*
terrace	**gradinata**	*grahdeenahtah*
to support a team	**fare il tifo per una squadra**	*fahray eel teefoh payr oonah skwahdrah*
trainer	**allenatore**	*ahllaynahtohray*
warning	**ammonizione**	*ahmmohneetzeeohnay*

Gliding

to glide	**planare**	*plahnahray*
gliding	**volo a vela**	*vohloh ah vaylah*
glider	**aliante**	*ahleeahntay*

Golf

caddie	**ragazzo porta bastoni**	*rahgahtztzoh pohrtah bahstohnee*
golf	**golf**	*gohlf*
golf club	**mazza da golf**	*mahtztzah dah gohlf*
golf bag	**sacco porta bastoni**	*sahkkoh pohrtah bahstohnee*
golfer	**giocatore**	*johkahtohray*
golf course	**campo da golf**	*kahmpoh dah gohlf*
hole	**buca**	*bookah*
stroke	**colpo**	*kohlpoh*

Gymnastics

asymmetric parallel	**parallele asimmetriche**	*pahrahllaylay ahseemmaytreekay*
balancing form	**asse di equilibrio**	*ahssay dee aykweeleebreeoh*
floor exercise	**corpo libero**	*kohrpoh leebayroh*
gymnastics	**ginnastica da palestra**	*jeennahsteekah dah pahlaystrah*
horizontal bar	**sbarra fissa**	*sbahrrah feessah*
parallel bars	**parallele**	*pahrahllaylay*

rings	**anelli**	*ahnayllee*
vaulting horse	**cavallo**	*kahvahlloh*
wall bars	**spalliere**	*spahlleeayray*

Motor racing

driver	**pilota**	*peelohtah*
engine	**motore**	*mohtohray*
motorcar race	**corsa automobilistica**	*kohrsah ahootohmohbee-leesteekah*
motor racing	**automobilismo**	*ahootohmohbeeleezmoh*
racing car	**automobile da corsa**	*ahootohmohbeelay dah kohrsah*
racer	**corridore**	*kohrreedohray*
race on the road	**corsa su strada**	*kohrsah soo strahdah*
race on the track	**corsa su pista**	*kohrsah soo peestah*
race track	**autodromo**	*ahootohdrohmoh*

Riding

to bet	**scommettere**	*skohmmayttayray*
bet	**scommessa**	*skohmmayssah*
bit	**morso**	*mohrsoh*
blinkers	**paraocchi**	*pahrahohkkee*
bridle	**briglia**	*breellyah*
colt	**puledro**	*poolaydroh*
currycomb	**striglia**	*streellyah*
ditch	**fosso**	*fohssoh*
favourite	**favorito**	*fahvohreetoh*
fence	**siepe**	*seeaypay*
horse	**cavallo**	*kahvahlloh*
mane	**criniera**	*kreeneeayrah*
tail	**coda**	*kohdah*
horse race	**corsa di cavalli**	*kohrsah dee kahvahllee*
gallop race	**corsa al galoppo**	*kohrsah ahl gahlohppoh*
steeple chase	**corsa a ostacoli**	*kohrsah ah ohstahkohlee*
trotting match	**corsa al trotto**	*kohrsah ahl trohttoh*
jockey	**fantino**	*fahnteenoh*
jump	**salto**	*sahltoh*
mare	**cavalla**	*kahvahllah*
number board	**quadro degli arrivi**	*kwahdroh dayllyee ahrreevee*
pace	**andatura**	*ahndahtoorah*
trot	**trotto**	*trohttoh*
walk	**passo**	*pahssoh*
race course	**ippodromo**	*eeppohdrohmoh*
reins	**redini**	*raydeenee*

to ride	**cavalcare**	*kahvahlkahray*
riding	**equitazione**	*aykweetahtzeeohnay*
riding school	**maneggio**	*mahnaydgoh*
saddle	**sella**	*sayllah*
spurs	**speroni**	*spayrohnee*
starting gate	**partenza**	*pahrtayntzah*
stirrup	**staffa**	*stahffah*
totalizor	**totalizzatore**	*tohtahleedzdzahtohray*
track	**pista**	*peestah*
whip	**frusta**	*froostah*
winner	**vincente**	*veenchayntay*
winning post	**traguardo**	*trahgwahrdoh*

Sailing

bow	**prua**	*prooah*
drift	**deriva**	*dayreevah*
jib	**fiocco**	*feeohkkoh*
regatta	**regata**	*raygahtah*
rudder	**timone**	*teemohnay*
sailing	**vela**	*vaylah*
sailing boat	**barca a vela**	*bahrkah ah vaylah*
spanker	**randa**	*rahndah*
spanker-boom	**scotta**	*skohttah*
stern	**poppa**	*pohppah*

Shooting and target shooting

archery	**tiro con l'arco**	*teeroh kohn lahrkoh*
cartridge	**cartuccia**	*kahrtoochchah*
double-barelled gun	**doppietta**	*dohppeeayttah*
game	**selvaggina**	*saylvahdgeenah*
gamebag	**carniere**	*kahrneeayray*
game preserve	**riserva di caccia**	*reezayrvah dee kahchchah*
protected game	**selvaggina protetta**	*saylvahdgeenah prohtayttah*
to go hunting	**andare a caccia**	*ahndahray ah kahchchah*
hound	**cane da caccia**	*kahnay dah kahchchah*
hunter	**cacciatore**	*kahchchahtohray*
hunting	**caccia**	*kahchchah*
hunting permit	**permesso di caccia**	*payrmayssoh dee kahchchah*
to hit the bull's eye	**centrare il bersaglio**	*chayntrahray eel bayrsahllyoh*
pack of hounds	**muta di cani**	*mootah dee kahnee*
shooting	**caccia**	*kahchchah*
shooting dog	**cane da caccia**	*kahnay dah kahchchah*

shooting licence	**licenza di caccia**	*leechayntzah dee kahchchah*
shotgun	**fucile da caccia**	*foocheelay dah kahchchah*
to aim the gun	**puntare il fucile**	*poontahray eel foocheelay*
to load a gun	**caricare un fucile**	*kahreekahray oon foocheelay*
small shots	**pallini**	*pahlleenee*
to stalk	**mettersi alla posta**	*mayttayrsee ahllah pohstah*
to take aim	**mirare**	*meerahray*
target	**bersaglio**	*bayrsahllyoh*
target shooting	**tiro a segno**	*teeroh ah saynyoh*
trap shooting	**tiro al piattello**	*teeroh ahl peeahttaylloh*

Skating

roller-skates	**pattini a rotelle**	*pahtteenee ah rohtayllay*
skates	**pattini**	*pahtteenee*
skating	**pattinaggio**	*pahtteenahdgoh*
roller skating	**pattinaggio a rotelle**	*pahtteenahdgoh ah rohtayllay*
ice-skating	**pattinaggio su ghiaccio**	*pahtteenahdgoh soo gheeahchchoh*
figure skating	**pattinaggio artistico**	*pahtteenahdgoh ahrteesteekoh*
skating rink	**pista di pattinaggio**	*peestah dee pahtteenahdgoh*

Skiing

binding	**attacco**	*ahttahkkoh*
cross-country skiing	**sci di fondo**	*shee dee fohndoh*
piste	**pista**	*peestah*
to ski	**sciare**	*sheeahray*
ski boots	**scarponi**	*skahrpohnee*
skier	**sciatore**	*sheeahtohray*
skis	**(attrezzi) sci**	*shee*
ski wax	**sciolina**	*sheeohleenah*
stick	**racchetta**	*rahkkayttah*
water-skiing	**sci nautico**	*shee nahooteekoh*
wind jacket	**giacca a vento**	*jahkkah ah vayntoh*

Swimming

to dive	**tuffarsi**	*tooffahrsee*
dive	**tuffo**	*tooffoh*
diving board	**trampolino**	*trahmpohleenoh*
to swim	**nuotare**	*nooohtahray*
swimmer	**nuotatore**	*nooohtahtohray*

swimming	**nuoto**	*nooohtoh*
back stroke	**nuoto a dorso**	*nooohtoh ah dohrsoh*
breast stroke	**nuoto a rana**	*nooohtoh ah rahnah*
butterfly stroke	**nuoto a delfino**	*nooohtoh ah daylfeenoh*
crawl	**nuoto a bracciate**	*nooohtoh ah brahchchahtay*
free-style swimming	**nuoto a stile libero**	*nooohtoh ah steelay leebayroh*
swimming pool	**piscina**	*peesheenah*
lane	**corsia**	*kohrseeah*
swimming race	**gara di nuoto**	*gahrah dee nooohtoh*

Table tennis

ball	**pallina**	*pahlleenah*
bat	**racchetta**	*rahkkayttah*
game	**partita**	*pahrteetah*
net	**rete**	*raytay*
ping-pong table	**tavolo da ping-pong**	*tahvohloh dah peeng pohng*
points	**punteggio**	*poontaydgoh*

Tennis

backhand stroke	**rovescio**	*rohvayshoh*
ball	**palla**	*pahllah*
ballboy	**raccattapalle**	*rahkkahttahpahllay*
base line	**linea di fondo**	*leenayah dee fohndoh*
doubles	**doppio**	*dohppeeoh*
fault	**fallo**	*fahlloh*
forehand stroke	**diritto**	*deereettoh*
game	**gioco**	*johkoh*
net	**rete**	*raytay*
racket	**racchetta**	*rahkkayttah*
return stroke	**colpo di ritorno**	*kohlpoh dee reetohrnoh*
service	**battuta**	*bahttootah*
set	**set**	*sayt*
single match	**singolo**	*seengohloh*
smash	**schiacciata**	*skeeahchchahtah*
tennis court	**campo da tennis**	*kahmpoh dah taynnees*
tournament	**torneo**	*tohrnayoh*
tramlines	**corridoio**	*kohrreedoheeoh*

SITUATIONAL DIALOGUES

What sports do you do?	**Quali sport fai?** *kwahlee spohrt fahee*

Gioco al pallone/faccio canottaggio I play football/I do canoeing
johkoh ahl pahllohnay/fahchchoh kahnohttahdgoh

What sports can be played here? **Quali sport si possono praticare qui?**
kwahlee spohrt see pohssohnoh prahteekahray kwee

Is it a heated/indoor/open air pool? **La piscina è riscaldata/coperta/all'aperto?**
lah peesheenah ay reeskahldahtah/kohpayrtah/ahllahpayrtoh

Where are the best ski slopes? **Dove si trovano le migliori piste da sci?**
dohvay see trohvahnoh lay meellyohree peestay dah shee

How far are they from the ski lifts? **Quanto distano dagli impianti di risalita?**
kwahntoh deestahnoh dahllyee eempeeahntee dee reesahleetah

I'd like a game of golf **Vorrei fare una partita a golf**
vohrrayee fahray oonah pahrteetah ah gohlf

We'd like to do a sailing course **Vorremmo fare un corso di vela**
vohrraymmoh fahray oon kohrsoh dee vaylah

Where can we hire surfing gear? **Dove possiamo noleggiare l'attrezzatura per il surf?**
dohvay pohsseeahmoh nohlaydgahray lahttraytztzahtoorah payr eel surf

I'd like windsurf/swimming/tennis lessons **Vorrei prendere delle lezioni di windsurf/di nuoto/di tennis**
vohrrayee prayndayray dayllay laytzeeohnee dee windsurf/dee noohtoh/dee taynnees

Are they individual or group lessons? **Le lezioni sono individuali o collettive?**
lay laytzeeohnee sohnoh eendeeveedooahlee oh kohllaytteevay

Where are the tennis courts? **Dove sono i campi da tennis?**
dohvay sohnoh ee kahmpee dah taynnees

What's the charge per hour? **Qual è il prezzo per un'ora?**
kwahlay eel praytztzoh payr oonohrah

Can I rent rackets? **Posso noleggiare le racchette?**
pohssoh nohlaydgahray lay rahkkayttay

What sports events are held in this period? **Quali manifestazioni sportive ci sono in questo periodo?**
kwahlee mahneefaystahtzeeohnee spohrteevay chee sohnoh een kwaystoh payreeohdoh

I'd like to go to a football match	**Vorrei assistere a una partita di calcio** *vohrrayee ahsseestayray ah oonah pahrteetah dee kahlchoh*
Can you get me a ticket?	**Mi può procurare un biglietto?** *mee poooh prohkoorahray oon beellyayttoh*
I am a... supporter	**Sono un tifoso del...** *sohnoh oon teefohzoh dayl...*
Who won?	**Chi ha vinto?** *kee ah veentoh*

Ha vinto... per uno a zero *ah veentoh... payr oonoh ah tzayroh*	... won, one nil

Fitness centres

TARGET LANGUAGE

acupuncture	**agopuntura**	*ahghohpoontoorah*
aerobics	**aerobica**	*ahayrohbeekah*
fitness centre	**centro benessere**	*chayntroh baynayssayray*
gymnastics	**ginnastica**	*jeennahsteekah*
massage	**massaggio**	*mahssahdgoh*
mud baths	**fanghi**	*fahnghee*
relaxation techniques	**tecniche di rilassamento**	*taykneekay dee reelahssahmayntoh*
sauna	**sauna**	*sahoonah*
spa resort	**terme**	*tayrmay*
Turkish bath	**bagno turco**	*bahnyoh toorkoh*
Yoga	**yoga**	*eeohgah*

SITUATIONAL DIALOGUES

What activities are available in this centre?	**Quali discipline sono praticate in questo centro?** *kwahlee deesheepleenay sohnoh prahteekahtay een kwaystoh chayntroh*
Can I use the facilities just for the day?	**Posso accedere ai servizi per una sola giornata?** *pohssoh ahchchaydayray ahee sayrveetzee payr oonah sohlah johrnahtah*
How long does a full-body massage last?	**Quanto dura un massaggio di tutto il corpo?** *kwahntoh doorah oon mahssahdgoh dee toottoh eel kohrpoh*

Un massaggio di tutto il corpo dura circa un'ora *oon mahssahdgoh dee toottoh eel kohrpoh doorah cheerkah oonohrah*	A full-body massage lasts around one hour

Do you do season tickets?	**Ci sono abbonamenti?**	*chee sohnoh ahbbohnahmayntee*

Entertainments

Cinema

Weekly entertainment guides are available at major newsstands, at the tourist offices and at the hotel reception in the main towns in Italy. Almost all foreign films are dubbed with no subtitles.

TARGET LANGUAGE

actor/actress	**attore/attrice**	*ahttohray/ahttreechay*
balcony	**galleria**	*gahllayreeah*
cinema	**cinema**	*cheenaymah*
multiplex	**multisala**	*moolteesahlah*
director	**regista**	*rayjeestah*
documentary (film)	**documentario**	*dohkoomayntahreeoh*
dubbing	**doppiaggio**	*dohppeeahdgoh*
film	**film/pellicola**	*feelm/paylleekohlah*
dubbed	**doppiato**	*dohppeeahtoh*
foreign language	**in lingua originale**	*een leengwah ohreejeenahlay*
subtitled	**sottotitolato**	*sohttohteetohlahtoh*
black and white	**in bianco e nero**	*een beeahnkoh ay nayroh*
colour	**a colori**	*ah kohlohree*
adventure	**d'avventura**	*dahvvayntoorah*
blue movie	**film a luci rosse**	*feelm ah loochee rohssay*
cartoon film	**cartoni animati**	*kahrtohnee ahneemahtee*
comedy	**film comico**	*feelm kohmeekoh*
detective/crime	**giallo/poliziesco**	*jahlloh/pohleetzeeayskoh*
drama film	**film drammatico**	*feelm drahmmahteekoh*
horror film	**film dell'orrore**	*feelm dayllohrrohray*
love film	**film d'amore**	*feelm dahmohray*
musical	**film musicale**	*feelm moozeekahlay*
sci-fi	**di fantascienza**	*dee fahntahshayntzah*
war	**di guerra**	*dee gwayrrah*
first run/rerun	**prima/seconda visione**	*preemah/saykohndah veezeeohnay*
first part/second part	**primo/secondo tempo**	*preemoh/saykohndoh taympoh*
interval	**intervallo**	*eentayrvahlloh*
main character/ protagonist	**protagonista**	*prohtahgohneestah*
plot	**trama**	*trahmah*
projection	**proiezione**	*proheeaytzeeohnay*

scene	**scena**	*shaynah*
screen	**schermo**	*skayrmoh*
short (film)	**cortometraggio**	*kohrtohmaytrahdgoh*
show	**spettacolo**	*spayttahkohloh*
sound track	**colonna sonora**	*kohlohnnah sohnohrah*
stalls/pit	**platea**	*plahtayah*
ticket	**biglietto**	*beellyayttoh*
full/reduced rate ticket	**biglietto intero/ ridotto**	*beellyayttoh eentayroh/ reedohttoh*
title	**titolo**	*teetohloh*

SITUATIONAL DIALOGUES

Do you have a copy of this week's programme?
Ha il programma degli spettacoli di questa settimana?
ah eel prohgrahmmah dayllyee spayttahkohlee dee kwaystah saytteemahnah

What time does the film begin?
A che ora inizia il film?
ah kay ohrah eeneetzeeah eel feelm

What time is the last show?
A che ora è l'ultimo spettacolo?
ah kay ohrah ay loolteemoh spayttahkohloh

Is there a cinema where they show foreign language films?
Danno film in lingua originale in qualche cinema?
dahnnoh feelm een leengwah ohreejeenahlay een kwahlkay cheenaymah

Vietato ai minori di 18 anni
veeaytahtoh ahee meenohree dee deechohttoh ahnnee
18 certificate film

Can you recommend a good film?
Mi può consigliare un buon film?
mee poooh kohnseellyahray oon booohn feelm

Who's in it?
Chi sono gli attori?
kee sohnoh llyee ahttohree

Theatre

TARGET LANGUAGE

to act	**recitare**	*raycheetahray*
acting	**recitazione**	*raycheetahtzeeohnay*
actor	**attore**	*ahttohray*
actress	**attrice**	*ahttreechay*
to applaud	**applaudire**	*ahpplahoodeeray*
applause	**applauso**	*ahpplahoozoh*
audience	**pubblico**	*poobbleekoh*
character	**personaggio**	*payrsohnahdgoh*

costumes	**costumi**	*kohstoomee*
dance	**danza**	*dahntzah*
dancer	**ballerino/a**	*bahllayreenoh/ah*
ballet	**balletto**	*bahllayttoh*
choreography	**coreografia**	*kohrayohgrahfeeah*
encore	**bis**	*bees*
flop	**fiasco**	*feeahskoh*
foot lights	**luci della ribalta**	*loochee dayllah reebahltah*
hit	**successo**	*soochchayssoh*
part	**(ruolo) parte**	*pahrtay*
performance	**rappresentazione**	*rahpprayzayntah-tzeeohnay*
matinée	**rappresentazione diurna**	*rahpprayzayntahtzeeoh-nay deeoornah*
evening performance	**rappresentazione serale**	*rahpprayzayntahtzeeoh-nay sayrahlay*
play	**opera teatrale**	*ohpayrah tayahtrahlay*
comedy	**commedia**	*kohmmaydeeah*
drama	**dramma**	*drahmmah*
tragedy	**tragedia**	*trahjaydeeah*
act	**atto**	*ahttoh*
stage design	**scenografia**	*shaynohgrahfeeah*
theatre	**teatro**	*tayahtroh*
box in the 1st/2nd row	**palco di prima/ seconda fila**	*pahlkoh dee preemah/ saykohndah feelah*
curtain	**sipario**	*seepahreeoh*
dress circle	**balconata**	*bahlkohnahtah*
gallery	**galleria**	*gahllayreeah*
row	**(di poltrone) fila**	*feelah*
stage	**palcoscenico**	*pahlkohshayneekoh*
stalls	**platea**	*plahtayah*
seat	**posto**	*pohstoh*
theatre company	**compagnia teatrale**	*kohmpanyeeah tayahtrahlay*
ticket	**biglietto**	*beellyayttoh*
sold out	**tutto esaurito**	*toottoh ayzahooreetoh*
usher/usherette	**maschera**	*mahskayrah*

SITUATIONAL DIALOGUES

Are there any seats for tonight?
Ci sono posti per questa sera?
chee sohnoh pohstee payr kwaystah sayrah

Spiacente, tutto esaurito
speeahchayntay toottoh ayzahooreetoh
I'm sorry, we're sold out

I'd like two seats for the musical tomorrow evening
Vorrei due posti per il musical di domani sera
vohrrayee dooay pohstee payr eel meeoozeekohl dee dohmahnee sayrah

Can I book the seats over the phone?	**Posso prenotare i posti per telefono?**	*pohssoh praynohtahray ee pohstee payr taylayfohnoh*
What time does the performance end?	**A che ora termina lo spettacolo?**	*ah kay ohrah tayrmeenah loh spayttahkohloh*

Music and concerts

TARGET LANGUAGE

chorus	**coro**	*kohroh*
composer	**compositore**	*kohmpohzeetohray*
concert	**concerto**	*kohnchayrtoh*
concert hall	**auditorium/ sala da concerti**	*ahoodeetohreeoom/ sahlah dah kohnchayrtee*
to conduct	**dirigere**	*deereejayray*
conductor	**direttore d'orchestra**	*deerayttohray dohrkaystrah*
group	**complesso/gruppo**	*kohmplayssoh/grooppoh*
music	**musica**	*moozeekah*
classical	**classica**	*klahsseekah*
chamber	**da camera**	*dah kahmayrah*
electronic	**elettronica**	*aylayttrohneekah*
orchestral	**sinfonica**	*seenfohneekah*
musician	**musicista**	*moozeecheestah*
music school	**conservatorio**	*kohnsayrvahtohreeoh*
musical instruments	**strumenti musicali**	*stroomayntee moozeekahlee*
string instruments	**a corda**	*ah kohrdah*
wind instruments	**a fiato**	*ah feeahtoh*
percussion instruments	**a percussione**	*ah payrkoosseeohnay*
accordion	**fisarmonica**	*feezahrmohneekah*
clarinet	**clarinetto**	*klahreenayttoh*
cello	**violoncello**	*veeohlohnchaylloh*
double bass	**contrabbasso**	*kohntrahbbahssoh*
drum	**tamburo**	*tahmbooroh*
drums	**batteria**	*bahttayreeah*
electric guitar	**chitarra elettrica**	*keetahrrah aylayttreekah*
flute	**flauto**	*flahootoh*
guitar	**chitarra classica**	*keetahrrah klahsseekah*
harp	**arpa**	*ahrpah*
organ	**organo**	*ohrgahnoh*
piano	**pianoforte**	*peeahnohfohrtay*
saxophone	**saxofono**	*sahksohfohnoh*
synthesizer	**sintetizzatore**	*seentayteedzdzahtohray*
trumpet	**tromba**	*trohmbah*
violin	**violino**	*veeohleenoh*
opera	**opera lirica**	*ohpayrah leereekah*

orchestra	**orchestra**	*ohrkaystrah*
opera house	**teatro lirico**	*tayahtroh leereekoh*
to sing	**cantare**	*kahntahray*
singer	**cantante**	*kahntahntay*
singing	**canto**	*kahntoh*
singer-songwriter	**cantautore**	*kahntahootohray*
solo	**assolo**	*ahssohloh*
soloist	**solista**	*sohleestah*
symphony	**sinfonia**	*seenfohneeah*

Where's the opera house?
Dov'è il teatro dell'opera?
dohvay eel tayahtroh dayllohpayrah

What's on at the opera house tonight?
Cosa danno al teatro dell'opera questa sera?
kohzah dahnnoh ahl tayahtroh dayllohpayrah kwaystah sayrah

What time does the opera start?
A che ora inizia l'opera?
ah kay ohrah eeneetzeeah lohpayrah

Alle otto precise
ahllay ohttoh praycheezay
At exactly 8 pm

Who's conducting?
Chi dirige l'orchestra?
kee deereejay lohrkaystrah

What's the programme for this evening's concert?
Qual è il programma del concerto di stasera?
kwahlay eel prohgrahmmah dayl kohnchayrtoh dee stahsayrah

Are there still any seats left in the centre/on the sides?
Ci sono ancora posti liberi centrali/laterali?
chee sohnoh ahnkohrah pohstee leebayree chayntrahlee/lahtayrahlee

Is there a hip-hop concert this week?
C'è un concerto hip-hop questa settimana?
chay oon kohnchayrtoh eep ohp kwaystah saytteemahnah

How much does a ticket cost?
Quanto costa un biglietto?
kwahntoh kohstah oon beellyayttoh

Where can you buy tickets?
Dove si comprano i biglietti?
dohvay see kohmprahnoh ee beellyayttee

Discos and nightclubs

Ticket prices at discos and nightclubs normally include the cost of your first drink.

TARGET LANGUAGE

admission	**biglietto d'ingresso**	*beellyayttoh deengrayssoh*
bouncer	**buttafuori**	*boottahfoohree*

discotheque	**discoteca**	*deeskohtaykah*
to dance	**ballare**	*bahllahray*
dance	**ballo**	*bahlloh*
dance floor	**pista da ballo**	*peestah dah bahlloh*
to drink a toast (to)	**brindare (a)**	*breendahray (ah)*
toast	**brindisi**	*breendeezee*
gambling	**gioco d'azzardo**	*johkoh dahdzdzahrdoh*
nightclub	**locale notturno**	*lohkahlay nohttoornoh*
show	**spettacolo**	*spayttahkohloh*
striptease	**spogliarello**	*spohllyahraylloh*
stripper	**spogliarellista**	*spohllyahraylleestah*

SITUATIONAL DIALOGUES

Are there any good nightclubs/discos?
Ci sono dei buoni locali notturni/delle buone discoteche?
chee sohnoh dayee booohnee lohkahlee nohttoornee/dayllay booohnay deeskohtaykay

Is there a gay nightclub/a gay evening?
C'è un locale/una serata gay?
chay oon lohkahlay/oonah sayrahtah gayee

Where can you listen to live music?
Dove si può ascoltare musica dal vivo?
dohvay see poooh ahskohltahray moozeekah dahl veevoh

How can we get to the casino?
Come si può arrivare al casinò?
kohmay see poooh ahrreevahray ahl kahzeenoh

How much does it cost to get in?
Quanto costa l'ingresso?
kwahntoh kohstah leengrayssoh

Is evening dress necessary?
È necessario l'abito da sera?
ay naychayssahreeoh lahbeetoh dah sayrah

We want to reserve two seats for tonight
Vogliamo prenotare due posti per stasera
vohllyahmoh praynohtahray dooay pohstee payr stahsayrah

Where can we go to dance?
Dove possiamo andare per ballare?
dohvay pohsseeahmoh ahndahray payr bahllahray

Would you like to dance?
Vuole ballare?
vooohlay bahllahray

Radio and tv

cartoons	**cartoni animati**	*kahrtohnee ahneemahtee*
channel	**canale**	*kahnahlay*
commentary	**telecronaca**	*taylaykrohnahkah*
commercials	**pubblicità**	*poobbleecheetah*
drama series	**fiction**	*feekshohn*

news bulletin	**notiziario**	*nohteetzeeahreeoh*
programme	**trasmissione**	*trahsmeesseeohnay*
live	**in diretta**	*een deerayttah*
recorded	**in differita**	*een deeffayreetah*
quiz programme	**telequiz**	*taylaykwooeetz*
radio	**radio**	*rahdeeoh*
radio news bulletin	**giornale radio**	*johrnahlay rahdeeoh*
remote control	**telecomando**	*taylaykohmahndoh*
soap opera	**telenovela**	*taylaynohvaylah*
television	**televisione**	*taylayveezeeohnay*
television set	**televisore**	*taylayveezohray*
time signal	**segnale orario**	*saynyahlay ohrahreeoh*
variety show	**varietà**	*vahreeaytah*
TV movie	**telefilm**	*taylayfeelm*
TV series	**serial**	*sayreeahl*
volume/sound	**volume/audio**	*vohloomay/ahoodeeoh*

SITUATIONAL DIALOGUES

What's on TV/the radio this evening?
Che cosa c'è stasera in televisione/alla radio?
kay kohzah chay stahsayrah een taylayveezeeohnay/ahllah rahdeeoh

Can I switch on/off the television?
Posso accendere/spegnere il televisore?
pohssoh ahchchayndayray/spaynyayray eel taylayveezohray

What channel is the football match on?
Su quale canale è la partita?
soo kwahlay kahnahlay ay lah pahrteetah

Can you turn down/up the volume, please?
Può abbassare/alzare il volume per favore?
pooohahbbahssahray/ahltzahray eel vohloomay payr fahvohray

7 • SHOPPING

The words of shopping

TARGET LANGUAGE

to bargain	**contrattare**	*kohntrahttahray*
box	**scatola**	*skahtohlah*
can/tin	**scatola di latta**	*skahtohlah dee lahttah*
brand	**marca**	*mahrkah*
to buy	**acquistare/comprare**	*ahkkweestahray/ kohmprahray*
purchase	**acquisto**	*ahkkweestoh*
carrier bag	**sacchetto**	*sahkkayttoh*
paper/plastic bag	**sacchetto di carta/ di plastica**	*sahkkayttoh dee kahrtah/dee plahsteekah*
cash desk/till	**cassa**	*kahssah*
cashier	**cassiere/a**	*kahsseeayray/ah*
receipt	**scontrino**	*skohntreenoh*
to cost	**costare**	*kohstahray*
cost	**costo**	*kohstoh*
counter	**banco**	*bahnkoh*
discount	**sconto**	*skohntoh*
escalator	**scala mobile**	*skahlah mohbeelay*
floor	**piano**	*peeahnoh*
gift wrapping	**confezione regalo**	*kohnfaytzeeohnay raygahloh*
to pay	**pagare**	*pahgahray*
present	**regalo**	*raygahloh*
price	**prezzo**	*praytztzoh*
to sell	**vendere**	*vayndayray*
sale	**vendita**	*vayndeetah*
shelf	**scaffale**	*skahffahlay*
shop	**negozio**	*naygohtzeeoh*
department	**reparto**	*raypahrtoh*
opening times	**orario**	*ohrahreeoh*
shop window	**vetrina**	*vaytreenah*
shop assistant	**commesso/a**	*kohmmayssoh/ah*

SITUATIONAL DIALOGUES

Desidera? Posso aiutarla? — Can I help you?
dayzeedayrah/pohssoh aheeootahrlah

I'm just looking	**Sto solo guardando** *stoh sohloh gwahrdahndoh*
Posso servirla? *pohssoh sayrveerlah*	Are you being served?
I'm already being served	**Mi stanno già servendo** *mee stahnnoh jah sayrvayndoh*
How much is it/are they?	**Quanto costa/costano?** *kwahntoh kohstah/kohstahnoh*
That's too much	**È troppo caro** *ay trohppoh kahroh*
I'd like to spend less	**Vorrei spendere meno** *vohrrayee spayndayray maynoh*
Have you got anything cheaper?	**Ha qualcosa di più economico?** *ah kwahlkohzah dee peeoo aykohnohmeekoh*
Can you give me a discount?	**Mi può fare uno sconto?** *mee pooh fahray oonoh skohntoh*
I prezzi sono fissi *ee praytztzee sohnoh feessee*	The prices are non-negotiable
Il prezzo è già scontato *eel praytztzoh ay jah skohntahtoh*	The reduction is included in the price
Sugli oggetti in saldo non si fanno sconti *soollyee ohdgayttee een sahldoh nohn see fahnnoh skohntee*	There are no further reductions on goods on sale
Lo sconto è del 30% su tutti gli articoli *loh skohntoh ay dayl trayntah payr chayntoh soo toottee llyee ahrteekohlee*	There is a 30% discount on all items
I'll take this. If there's a problem can I change it?	**Prendo questo. Se non va bene, posso cambiarlo?** *prayndoh kwaystoh say nohn vah baynay pohssoh kahmbeeahrloh*
Sì, ma conservi lo scontrino *see mah kohnsayrvee loh skohntreenoh*	Yes, as long as you keep the receipt
How much is that?	**Quanto devo pagare?** *kwahntoh dayvoh pahgahray*
Do you take credit cards/cheques?	**Accettate carte di credito/assegni?** *ahchchayttahtay kahrtay dee kraydeetoh/ahssaynyee*
Mi spiace, non accettiamo assegni *mee speeahchay nohn ahchchaytteeahmoh ahssaynyee*	I'm sorry, we don't accept cheques

Desidera altro? *dayzeedayrah ahltroh*	Anything else?

Can you gift-wrap it? **Vorrei un pacchetto regalo** *vohrrayee oon pahkkayttoh raygahloh*

Do you have any more of these? **Ne ha ancora di questi?** *nay ah ahnkohrah dee kwaystee*

Mi dispiace questo articolo è esaurito *mee deespeeahchay kwaystoh ahrteekohloh ay ayzahooreetoh*	I'm sorry, we're out of stock
Si accomodi alla cassa, prego *see ahkkohmohdee ahllah kahssah praygoh*	Please, pay at the till
Ecco lo scontrino *aykkoh loh skohntreenoh*	Here's your receipt
Conservi lo scontrino, serve da garanzia *kohnsayrvee loh skohntreenoh sayrvay dah gahrahntzeeah*	Keep the receipt, it's also the guarantee

Shop signs		
Chiuso/Aperto	*keeoozoh/ ahpayrtoh*	Closed/Open
Chiuso per ferie	*keeoozoh payr fayreeay*	Closed for holidays
Esaurito	*ayzahooreetoh*	Sold out
La merce venduta non si cambia senza lo scontrino	*lah mayrchay vayndootah nohn see kahmbeeah sayntzah loh skohntreenoh*	Goods are not exchanged without a receipt
Liquidazione per cessata attività	*leekweedahtzeeohnay payr chayssahtah ahtteeveetah*	Closing down sale
Offerta speciale	*ohffayrtah spaychahlay*	Special offer
Occasioni	*ohkkahzeeohnee*	Bargains
Saldi/Liquidazione	*sahldee/leekwee-dahtzeeohnay*	Sales
Sconti	*skohntee*	Discounts

Main shops

Some shops connected with daily life can be found in section 4.
Shops are usually open from 8.30 or 9 am to 12.30 or 1 pm and from 3.30 or 4 pm to 7.30 or 8 pm, and often later in tourist resorts in peak season.

Shopping hours may vary slightly according to the region you are in, and shops may close on different days of the week - often on Monday.

TARGET LANGUAGE

antique shop	**negozio d'antiquariato**	*naygohtzeeoh dahnteekwahreeahtoh*
beautician's	**estetista**	*aystayteestah*
chemist's shop	**farmacia**	*fahrmahcheeah*
clothes shop	**negozio di abbigliamento**	*naygohtzeeoh dee ahbbeellyahmayntoh*
department store	**grande magazzino**	*grahnday mahgahdzdzeenoh*
domestic appliances shop	**negozio di elettrodomestici**	*naygohtzeeoh dee aylayttrohdohmaysteechee*
draper's	**negozio di tessuti**	*naygohtzeeoh dee tayssootee*
electrical goods shop	**negozio di forniture elettriche**	*naygohtzeeoh dee fohrneetooray aylayttreekay*
electronic goods shop	**negozio di elettronica**	*naygohtzeeoh dee aylayttrohneekah*
florist	**fiorista**	*feeohreestah*
furrier's shop	**pellicceria**	*paylleechchayreeah*
gift shop	**negozio di articoli da regalo**	*naygohtzeeoh dee ahrteekohlee dah raygahloh*
haberdashery	**merceria**	*mayrchayreeah*
hardware store	**ferramenta**	*fayrrahmayntah*
herbalist	**erboristeria**	*ayrbohreestayreeah*
household goods shop	**negozio di casalinghi**	*naygohtzeeoh dee kahzahleenghee*
jeweller's	**gioielleria**	*joheeayllayreeah*
leather goods shop	**negozio di pelletteria**	*naygohtzeeoh dee payllayttayreeah*
mobile phone shop	**negozio di videotelefonia**	*naygohtzeeoh dee veedayohtaylayfohneeah*
optician's	**ottico**	*ohtteekoh*
perfumer's	**profumeria**	*prohfoomayreeah*
photographer's	**fotografo**	*fohtohgrahfoh*
retail outlet	**punto vendita al dettaglio**	*poontoh vayndeetah ahl dayttahllyoh*
shoe shop	**negozio di scarpe**	*naygohtzeeoh dee skahrpay*
shopping centre	**centro commerciale**	*chayntroh kohmmayrchahlay*
sports shop	**negozio di articoli sportivi**	*naygohtzeeoh dee ahrteekohlee spohrteevee*
stationery shop	**cartoleria**	*kahrtohlayreeah*

tobacconist's	**tabaccheria**	*tahbahkkayreeah*
toyshop	**negozio di giocattoli**	*naygohtzeeoh dee johkahttohlee*
watchmaker	**orologiaio**	*ohrohlohjaheeoh*
wine shop	**enoteca**	*aynohtaykah*

Chemist's shop

See *At the Chemist's* in section *9. Health and Medical Assistance.*

Clothes shop

Each country has its own set of standard measures according to which clothes are sold, as you can see in the chart below.

SIZES

women			men		men's shirts	
GB	USA	Italy	GB/USA	Italy	GB/USA	Italy
6	2	38	36	46	14	36
8	4	40	38	48	14 1/2	37
10	6	42	40	50	15	38
12	8	44	42	52	15 1/2	39
14	10	46	44	54	16	40

TARGET LANGUAGE

belt	**cintura**	*cheentoorah*
bib	**bavaglino**	*bahvahllyeenoh*
blouse	**camicetta**	*kahmeechayttah*
with short/long sleeves	**con maniche corte/lunghe**	*kohn mahneekay kohrtay/loonghay*
braces	**bretelle**	*braytayllay*
cloth	**stoffa**	*stohffah*
cotton	**cotone**	*kohtohnay*
linen	**lino**	*leenoh*
silk	**seta**	*saytah*
velvet	**velluto**	*vayllootoh*
corduroy	**velluto a coste**	*vayllootoh ah kohstay*
wool	**lana**	*lahnah*
coat	**cappotto**	*kahppohttoh*
fur coat	**pelliccia**	*paylleechchah*
overcoat	**soprabito**	*sohprahbeetoh*
sheepskin	**montone**	*mohntohnay*
dress	**abito/vestito da donna**	*ahbeetoh/vaysteetoh dah dohnah*
evening dress	**abito da sera**	*ahbeetoh dah sayrah*

neckline	**scollatura**	*skohllahtoorah*
suit	**abito/vestito da uomo**	*ahbeetoh/vaysteetoh dah ooohmoh*
designer suit	**vestito firmato**	*vaysteetoh feermahtoh*
dressing gown	**vestaglia**	*vaystahllyah*
embroidery	**ricamo**	*reekahmoh*
fashion parade	**sfilata di moda**	*sfeelahtah dee mohdah*
fleece	**giubbotto**	*joobbohttoh*
gloves	**guanti**	*gwahntee*
leather gloves	**guanti di pelle**	*gwahntee dee payllay*
handbag	**borsetta**	*bohrsayttah*
handkerchief	**fazzoletto**	*fahtztzohlayttoh*
hat	**cappello**	*kahppaylloh*
beret	**basco**	*bahskoh*
cap	**berretto**	*bayrrayttoh*
headscarf	**(da donna) foulard**	*foolahr*
cravat	**(da uomo) foulard**	*foolahr*
hem	**orlo**	*ohrloh*
jacket	**giacca**	*jahkkah*
anorak	**giacca a vento**	*jahkkah ah vayntoh*
jumper	**pullover di lana**	*poollohvayr dee lahnah*
cardigan	**golf, aperto davanti, con bottoni**	*gohlf ahpayrtoh dahvahntee kohn bohttohnee*
sweater	**maglione**	*mahllyohnay*
roll-neck pullover	**pullover a collo alto**	*poollohvayr ah kohlloh ahltoh*
lining	**fodera**	*fohdayrah*
night dress	**camicia da notte**	*kahmeechah dah nohttay*
pocket	**tasca**	*tahskah*
pyjamas	**pigiama**	*peejahmah*
raincoat	**impermeabile**	*eempayrmayahbeelay*
rompers	**tutina per neonati**	*tooteenah payr nayohnahtee*
scarf	**sciarpa**	*shahrpah*
shirt	**camicia**	*kahmeechah*
collar	**colletto**	*kohllayttoh*
size	**taglia**	*tahllyah*
skirt	**gonna**	*gohnnah*
miniskirt	**minigonna**	*meeneegohnnah*
pleated skirt	**gonna a pieghe**	*gohnnah ah peeayghay*
sleeve	**manica**	*mahneekah*
socks	**calzini**	*kahltzeenee*
suspenders	**reggicalze**	*raydgeekahltzay*
sweatshirt	**felpa**	*faylpah*
swimsuit	**(da donna) costume da bagno intero**	*kohstoomay dah bahnyoh eentayroh*

swimming trunks	**(da uomo) costume da bagno**	*kohstoomay dah bahnyoh*
bikini	**bikini**	*beekeenee*
bathing cap	**cuffia da bagno**	*koofeeah dah bahnyoh*
bathrobe	**accappatoio**	*ahkkahppahtoheeoh*
T-shirt	**maglietta di cotone**	*mahllyayttah dee kohtohnay*
tie	**cravatta**	*krahvahttah*
striped tie	**cravatta a strisce**	*krahvahttah ah streeshay*
pattern tie	**cravatta fantasia**	*krahvahttah fahntahzeeah*
plain tie	**cravatta in tinta unita**	*krahvahttah een teentah ooneetah*
bow tie	**cravatta a farfalla**	*krahvahttah ah fahrfahllah*
tights	**collants**	*kohllahnt*
nylon stockings	**calze di nylon**	*kahltzay dee naheelon*
stay-up stockings	**calze autoreggenti**	*kahltzay ahootohraydgayntee*
tracksuit	**tuta sportiva**	*tootah spohrteevah*
trousers	**pantaloni**	*pahntahlohnee*
blue jeans	**blue jeans**	*bloo jeens*
shorts	**pantaloncini**	*pahntahlohncheenee*
underwear	**biancheria intima**	*beeahnkayreeah eenteemah*
bra	**reggiseno**	*raydgeesaynoh*
boxer shorts	**boxer**	*bohksayr*
camisole	**corpetto/copribusto**	*kohrpayttoh/ kohpreeboostoh*
girdle	**busto**	*boostoh*
knickers	**(da donna) mutande**	*mootahnday*
panties	**(da donna) slip**	*sleep*
petticoat	**sottoveste**	*sohttohvaystay*
briefs	**(da uomo) slip**	*sleep*
thong	**tanga**	*tahngah*
undervest	**canottiera**	*kahnohtteeayrah*
waistcoat	**panciotto**	*pahnchohttoh*
zipper	**cerniera lampo**	*chayrneeayrah lahmpoh*

Items of clothing labels

Fibre sintetiche	*feebray seentayteekay*	Synthetic fibres
Lavabile in lavatrice	*lahvahbeelay een lahvahtreechay*	Machine washable
Lavare a mano	*lahvahray ah mahnoh*	Hand wash
Lavare a secco	*lahvahray ah saykkoh*	Dry clean only
Misto lino	*meestoh leenoh*	Linen blend
Puro cotone	*pooroh kohtohnay*	100% cotton

Pura lana	*poorah lahnah*	100% wool
Pura lana vergine	*poorah lahnah vayrjeenay*	Pure new wool
Pura seta	*poorah saytah*	100% silk
Stirare con ferro tiepido	*steerahray kohn fayrroh teeay peedoh*	Warm iron
Vera pelle/Vero cuoio	*vayrah payllay/vayroh kooohееoh*	Real leather

SITUATIONAL DIALOGUES

Posso aiutarla?
pohssoh aheeootahrlah
Can I help you?

I'd like a skirt
Vorrei una gonna
vohrrayee oonah gohnnah

I like the one in the window
Mi piace quella in vetrina
mee peeahchay kwayllah een vaytreenah

Che taglia porta?
kay tahllyah pohrtah
What size are you?

An American 10
La 10 americana
lah deeaychee ahmayreekahnah

I don't know the Italian sizes
Non conosco le misure italiane
nohn kohnohskoh lay meezooray eetahleeahnay

Vuole provare questa?
vooohlay prohvahray kwaystah
Would you like to try this one?

Where is the changing room?
Dov'è la cabina di prova?
dohvay lah kahbeenah dee prohvah

It's a little too long/big/tight
È un po' troppo lunga/larga/stretta
ay oon poh trohppoh loongah/lahrgah/straytttah

It fits very well
Va molto bene
vah mohltoh baynay

It doesn't fit
Non va bene
nohn vah baynay

Have you got any tops in the same colour?
Avete delle magliette dello stesso colore?
ahvaytay dayllay mahllyayttay daylloh stayssoh kohlohray

Do you have any better quality?
Ha una qualità migliore?
ah oonah kwahleetah meellyohray

Is it hand washable?
Si può lavare a mano?
see poooh lahvahray ah mahnoh

Will it shrink?
Si restringerà?
see raystreenjayrah

I like it. I'll take it	**Mi piace. La prendo** *mee peeāhchay lah prāyndoh*
It seems a wonderful bargain	**Pare un ottimo affare** *pāhray oon ōhtteemoh ahffāhray*

Florist

TARGET LANGUAGE

azalea	**azalea**	*ahdzahlāyah*
cactus	**pianta grassa**	*peeāhntah grāhssah*
carnation	**garofano**	*gahrōhfahnoh*
chrysanthemum	**crisantemo**	*kreezahntāymoh*
cyclamen	**ciclamino**	*cheeklahmēenoh*
daffodil	**narciso**	*nahrchēezoh*
dahlia	**dalia**	*dāhleeah*
daisy	**margherita**	*mahrghayrēetah*
flowers	**fiori**	*feeōhree*
bunch	**mazzo**	*māhtztzoh*
dried flowers	**fiori secchi**	*feeōhree sāykkee*
gardenia	**gardenia**	*gahrdāyneeah*
geranium	**geranio**	*jayrāhneeoh*
gladiolus	**gladiolo**	*glahdēeohloh*
hyacinth	**giacinto**	*jahchēentoh*
iris	**iris**	*ēerees*
lilac	**lillà**	*leellāh*
lily	**giglio**	*jēellyoh*
mimosa	**mimosa**	*meemōhzah*
narcissus	**narciso**	*nahrchēezoh*
orchid	**orchidea**	*ohrkeedāyah*
plant	**pianta**	*peeāhntah*
green plant	**pianta verde**	*peeāhntah vāyrday*
houseplant	**pianta da appartamento**	*peeāhntah dah ahppahrtahmāyntoh*
succulent plant	**pianta grassa**	*peeāhntah grāhssah*
primrose	**primula**	*prēemoolah*
rose	**rosa**	*rōhzah*
sunflower	**girasole**	*jeerahsōhlay*
tulip	**tulipano**	*tooleepāhnoh*
violet	**violetta**	*veeohlāyttah*
wistaria	**glicine**	*glēecheenay*

SITUATIONAL DIALOGUES

I want a bunch of daffodils	**Desidero un mazzo di narcisi** *dayzēedayroh oon māhtztzoh dee nahrchēezee*

I'd like a pot of cyclamens	**Desidero un vaso di ciclamini** *dayzeedayroh oon vahzoh dee cheeklahmeenee*
Five lilies and a bit of greenery, please	**Cinque gigli e un po' di verde per favore** *cheenkway jeellyee ay oon poh dee vayrday payr fahvohray*
Please, have the plant sent to this address	**Per favore, recapiti la pianta a questo indirizzo** *payr fahvohray raykahpeetee lah peeahntah ah kwaystoh eendeereetztzoh*
I'd like to send twelve red roses to Rome through Interflora	**Vorrei mandare dodici rose rosse a Roma tramite Interflora** *vohrrayee mahndahray dohdeechee rohzay rohssay ah rohmah trahmeetay eentayrflohrah*

Gift shop and toys

TARGET LANGUAGE

ball	**palla**	*pahllah*
china	**porcellane**	*pohrchayllahnay*
construction kit	**costruzioni**	*kohstrootzeeohnee*
cuddly toy	**peluche**	*payloosh*
doll	**bambola**	*bahmbohlah*
embroidery	**ricami**	*reekahmee*
ethnic jewellery	**gioielli etnici**	*joheeayllee aytneechee*
costume jewellery	**bigiotteria**	*beejohttayreeah*
laces	**pizzi**	*peetztzee*
pottery	**ceramica**	*chayrahmeekah*
handpainted	**dipinta a mano**	*deepeentah ah mahnoh*
prints	**stampe/incisioni**	*stahmpay/ eencheezeeohnee*
silverware	**argenteria**	*ahrjayntayreeah*
toy car	**macchinina**	*mahkkeeneenah*
toy soldiers	**soldatini**	*sohldahteenee*
toy train	**trenino elettrico**	*trayneenoh aylayttreekoh*
traditional handicrafts	**artigianato locale**	*ahrteejahnahtoh lohkahlay*

SITUATIONAL DIALOGUES

I'd like something traditional for a present	**Vorrei qualcosa di tipico da regalare** *vohrrayee kwahlkohzah dee teepeekoh dah raygahlahray*
What do you recommend?	**Che cosa mi consiglia?** *kay kohzah mee kohnseellyah*

Can you show me some handpainted pottery?	**Può mostrarmi della ceramica dipinta a mano?** *pooōh mohstrāhrmee dāyllah chayrāhmeekah deepēentah ah māhnoh*
How much is that print?	**Quanto costa quella stampa?** *kwāhntoh kōhstah kwāyllah stāhmpah*
I'll take this hand-embroidered tablecloth	**Prendo questa tovaglia ricamata a mano** *prāyndoh kwāystah tohvāhllyah reekahmāhtah ah māhnoh*
Can you ship these ceramic plates to England?	**Potete spedire questi piatti di ceramica in Inghilterra?** *pohtāytay spaydēeray kwāystee peeāhttee dee chayrāhmeekah een eengheeltāyrrah*

Sì, ma l'imballaggio non è incluso nel prezzo *sēe mah leembahllāhdgoh nohn āy eenklōozoh nayl prāytztzoh*	Yes, but packing is not included in the price

I'm looking for a present for a five-year-old girl	**Cerco un regalo per una bambina di cinque anni** *chāyrkoh oon raygāhloh payr ōonah bahmbēenah dee chēenkway āhnnee*

Che cosa ne dice di un peluche? *kay kōhzah nay dēechay dee oon paylōosh*	What do you think of a cuddly toy?

Jeweller's and watchmaker

TARGET LANGUAGE

amber	**ambra**	*āhmbrah*
bracelet	**braccialetto**	*brahchchahlāyttoh*
brooch	**spilla**	*spēellah*
cameo	**cammeo**	*kahmmāyoh*
carat	**carato**	*kahrāhtoh*
chain	**catena/catenina**	*kahtāynah/kahtaynēenah*
coral	**corallo**	*kohrāhlloh*
cuff links	**gemelli da polsini**	*jaymāyllee dah pohlsēenee*
cultured pearl	**perla coltivata**	*pāyrlah kohlteevāhtah*
diamond	**brillante/diamante**	*breellāhntay/ deeahmāhntay*
ear-rings	**orecchini**	*ohraykkēenee*
eardrops	**pendenti**	*payndāyntee*
emerald	**smeraldo**	*smayrāhldoh*
gold	**oro**	*ōhroh*
gold-plated	**placcato oro**	*plahkkāhtoh ōhroh*
hardstone	**pietra dura**	*peeāytrah dōorah*
incision	**incisione**	*eencheezeeōhnay*

Jeweller's and watchmaker

medallion	**medaglione**	*maydahllyohnay*
necklace	**collana**	*kohllahnah*
pearl	**perla**	*payrlah*
pendant	**ciondolo**	*chohndohloh*
platinum	**platino**	*plahteenoh*
precious stone	**pietra preziosa**	*peeaytrah praytzeeohzah*
pewter	**peltro**	*payltroh*
ring	**anello**	*ahnaylloh*
ruby	**rubino**	*roobeenoh*
sapphire	**zaffiro**	*tzahffeeroh*
to set	**montare**	*mohntahray*
setting	**montatura**	*mohntahtoorah*
silver	**argento**	*ahrjayntoh*
silver-plated	**argentato**	*ahrjayntahtoh*
topaz	**topazio**	*tohpahtzeeoh*
watch	**orologio**	*ohrohlohjoh*
automatic	**automatico**	*ahootohmahteekoh*
battery	**a pila**	*ah peelah*
digital	**digitale**	*deejeetahlay*
dive watch	**orologio subacqueo**	*ohrohlohjoh soobahkkwayoh*
quartz watch	**orologio al quarzo**	*ohrohlohjoh ahl kwahrtzoh*
stopwatch	**cronometro**	*krohnohmaytroh*
watchstrap	**cinturino**	*cheentooreenoh*
wedding ring	**fede**	*fayday*

SITUATIONAL DIALOGUES

I want to see some gold chains	**Desidero vedere delle catenine d'oro** *dayzeedayroh vaydayray dayllay kahtayneenay dohroh*
I'd like some clips-on silver earrings/silver earrings for pierced ears	**Vorrei degli orecchini d'argento a clips/per lobi forati** *vohrrayee dayllyee ohraykkeenee dahrjayntoh ah kleeps/payr lohbee fohrahtee*
Have you got any pendants with hardstones?	**Avete dei ciondoli in pietra dura?** *ahvaytay dayee chohndolee een peeaytrah doorah*
Can you rethread this necklace?	**Potete infilare questa collana?** *pohtaytay eenfeelahray kwaystah kohllahnah*
When will it be ready?	**Quando sarà pronta?** *kwahndoh sahrah prohntah*
Are they real or cultured pearls?	**Sono perle vere o coltivate?** *sohnoh payrlay vayray oh kohlteevahtay*

I'd like a ladies' automatic watch	**Vorrei un orologio automatico da donna** *vohrrayee oon ohrohlohjoh ahootohmahteekoh dah dohnnah*	

Con cinturino di pelle o d'acciaio? *kohn cheentooreenoh dee payllay oh dahchchaheeoh*	With a leather or a steel strap?

My watch is fast/slow	**Il mio orologio va avanti/sta indietro** *eel meeoh ohrohlohjoh vah ahvahntee/stah eendeeaytroh*
Can you repair this watch?	**Può riparare questo orologio?** *poooh reepahrahray kwaystoh ohrohlohjoh*

Le farò un preventivo, ripassi domani *lay fahroh oon prayvaynteevoh reepahssee dohmahnee*	I'll give you an estimate, call again tomorrow

Can you change the glass of my watch?	**Può cambiare il vetro dell'orologio?** *poooh kahmbeeahray eel vaytroh dayllohrohlohjoh*

Leather goods shop

TARGET LANGUAGE

bag	**borsa/sacca**	*bohrsah/sahkkah*
belt	**cintura**	*cheentoorah*
bumbag	**marsupio**	*mahrsoopeeoh*
gloves	**guanti**	*gwahntee*
handbag	**borsetta**	*bohrsayttah*
key-ring	**portachiavi**	*pohrtahkeeahvee*
leather	**cuoio/pelle**	*koooheeoh/payllay*
imitation leather	**finta pelle**	*feentah payllay*
purse	**borsellino**	*bohrsaylleenoh*
rucksack	**zaino**	*dzaheenoh*
suitcase	**valigia**	*vahleejah*
trolley case	**trolley**	*trohllayee*
umbrella	**ombrello**	*ohmbraylloh*
collapsible umbrella	**ombrello pieghevole**	*ohmbraylloh peeayghayvohlay*
wallet	**portafoglio**	*pohrtahfohllyoh*

SITUATIONAL DIALOGUES

I'd like a waterproof bag/a leather handbag	**Vorrei una sacca impermeabile/una borsetta di pelle** *vohrrayee oonah sahkkah eempayrmayahbeelay/oonah bohrsayttah dee payllay*

Leather goods shop

Can you put another hole in this belt?	**Può fare un altro foro in questa cintura?** *poooh fahray oon ahltroh fohroh een kwaystah cheentoorah*
Do these gloves come in other colours?	**Questi guanti ci sono anche in altri colori?** *kwaystee gwahntee chee sohnoh ahnkay een ahltree kohlohree*

Mobile phone shop and electronic goods shop

TARGET LANGUAGE

battery charger	**caricabatterie**	*kahreekahbahttayreeay*
cassette recorder	**registratore**	*rayjeestrahtohray*
CD player	**lettore di CD**	*layttohray dee chee dee*
computer	**computer**	*kohmpeeootayr*
laptop	**computer portatile**	*kohmpeeootayr pohrtahteelay*
keyboard	**tastiera**	*tahsteeayrah*
printer	**stampante**	*stahmpahntay*
control panel	**consolle**	*kohnsohl*
DVD	**DVD**	*dee voo dee*
DVD player	**lettore di DVD**	*layttohray dee dee voo dee*
electric razor	**rasoio elettrico**	*rahzoheeoh aylayttreekoh*
headphones	**cuffie**	*kooffeeay*
iPod/Mp3 player	**iPod**	*ahee pohd*
LCD display	**schermo a cristalli liquidi**	*skayrmoh ah kreestahllee leekweedee*
mobile phone	**cellulare**	*chaylloolahray*
palmtop	**palmare**	*pahlmahray*
playstation	**playstation**	*playeestayshohn*
radio	**radio**	*rahdeeoh*
portable transistor radio	**radiolina portatile**	*rahdeeohleenah pohrtahteelay*
radio cassette recorder	**radioregistratore**	*rahdeeohrayjeestrahtohray*
stereo set	**impianto stereo**	*eempeeahntoh stayrayoh*
television set	**televisore**	*taylayveezohray*
portable	**portatile**	*pohrtahteelay*
video game	**videogioco**	*veedayohjohkoh*
video recorder	**videoregistratore**	*veedayohrayjeestrahtohray*
video tape/cassette	**videocassetta**	*veedayohkahssayttah*
blank	**vergine**	*vayrjeenay*

SITUATIONAL DIALOGUES

What video games have you got?	**Che videogiochi avete?** *kay veedayohjohkee ahvaytay*

Can you repair this mobile?
Può riparare questo cellulare?
poooh reepahrahray kwaystoh chaylloolahray

I'd like a mobile phone recharge
Vorrei una ricarica telefonica
vohrrayee oonah reekahreekah taylayfohneekah

I'd like a blank/ recordable DVD
Vorrei un DVD vergine/registrabile
vohrrayee oon dee voo dee vayrjeenay/ rayjeestrahbeelay

How long does the guarantee last?
Quanto dura la garanzia?
kwahntoh doorah lah gahrahntzeeah

I'd like to exchange this: it's defective
Vorrei cambiare questo: è difettoso
vohrrayee kahmbeeahray kwaystoh ay deefayttohzoh

Can I have a refund?
Posso avere indietro i miei soldi?
pohssoh ahvayray eendeeaytroh ee meeayee sohldee

Optician

TARGET LANGUAGE

binoculars	**binocolo**	*beenohkohloh*
contact lenses	**lenti a contatto**	*layntee ah kohntahttoh*
soft/rigid	**morbide/rigide**	*mohrbeeday/reejeeday*
disposable contact lenses	**usa e getta**	*oozah ay jayttah*
cleaning fluid	**soluzione detergente per lenti a contatto**	*sohlootzeeohnay daytayrjayntay payr layntee ah kohntahttoh*
dioptres	**diottrie**	*deeohttreeay*
frame	**montatura**	*mohntahtoorah*
glasses	**occhiali da vista**	*ohkkeeahlee dah veestah*
bifocals	**bifocali**	*beefohkahlee*
reading glasses	**occhiali da lettura**	*ohkkeeahlee dah layttoorah*
sun glasses	**occhiali da sole**	*ohkkeeahlee dah sohlay*
glasses case	**astuccio per occhiali**	*ahstoochchoh payr ohkkeeahlee*
lenses	**lenti**	*layntee*
anti-reflection	**antiriflesso**	*ahnteereeflayssoh*
magnifying glass	**lente d'ingrandimento**	*layntay deengrahndeemayntoh*
optician	**ottico**	*ohtteekoh*
side-pieces	**stanghette**	*stahnghayttay*
sight	**vista**	*veestah*
astigmatic	**astigmatico**	*ahsteegmahteekoh*
short sighted/ long sighted	**miope/presbite**	*meeohpay/ praysbeetay*

visual defects	**difetti della vista**	*deefayttee dayllah veestah*

SITUATIONAL DIALOGUES

I'd like some cheap/ designer sunglasses	**Desidero degli occhiali da sole poco costosi/firmati** *dayzeedayroh dayllyee ohkkeeahlee dah sohlay pohkoh kohstohsee/feermahtee*
I'd like to have my eyesight checked	**Vorrei farmi controllare la vista** *vohrrayee fahrmee kohntrohllahray lah veestah*
I've broken my glasses	**Ho rotto gli occhiali** *oh rohttoh llyee ohkkeeahlee*
When will they be ready?	**Quando saranno pronti?** *kwahndoh sahrahnnoh prohntee*
Can you tighten the screw?	**Può stringere la vite?** *poooh streenjayray lah veetay*
I'd like some disposable contact lenses	**Vorrei delle lenti a contatto usa e getta** *vohrrayee dayllay layntee ah kohntahttoh oozah ay jayttah*
I want a glasses holder	**Desidero un cordino per tenere appesi gli occhiali** *dayzeedayroh oon kohrdeenoh payr taynayray ahppayzee llyee ohkkeeahlee*

Perfumery and beautician's

TARGET LANGUAGE

after-shave lotion	**lozione dopobarba**	*lohtzeeohnay dohpohbahrbah*
after sun lotion	**lozione doposole**	*lohtzeeohnay dohpohsohlay*
blusher	**fard**	*fahrd*
cleansing lotion	**latte detergente**	*lahttay daytayrjayntay*
comb	**pettine**	*paytteenay*
cream	**crema**	*kraymah*
day/night cream	**crema da giorno/ da notte**	*kraymah dah johrnoh/dah nohttay*
hair remover	**crema depilatoria**	*kraymah daypeelahtohreeah*
hand/body cream	**crema per le mani/ per il corpo**	*kraymah payr lay mahnee/payr eel kohrpoh*
moisturizer	**crema idratante**	*kraymah eedrahtahntay*

nourishing cream	**crema nutriente**	*kraymah nootreeayntay*
tanning cream	**crema abbronzante**	*kraymah ahbbrohndzahntay*
deodorant	**deodorante**	*dayohdohrahntay*
deep cleansing facial	**pulizia del viso**	*pooleetzeeah dayl veezoh*
eye pencil	**matita per occhi**	*mahteetah payr ohkkee*
facepack	**maschera di bellezza**	*mahskayrah dee bayllaytztzah*
foundation	**fondotinta**	*fohndohteentah*
hairspray	**lacca**	*lahkkah*
lipsalve	**burro di cacao**	*boorroh dee kahkahoh*
lipstick	**rossetto**	*rohssayttoh*
make-up	**trucco**	*trookkoh*
massage	**massaggio**	*mahssahdgoh*
nail file	**limetta per le unghie**	*leemayttah payr lay oongheeay*
nail polish	**smalto**	*smahltoh*
nail polish remover	**solvente**	*sohlvayntay*
perfume	**profumo**	*prohfoomoh*
powder	**cipria**	*cheepreeah*
razor blades	**lamette**	*lahmayttay*
scissors	**forbicine**	*fohrbeecheenay*
shaving cream	**crema da barba**	*kraymah dah bahrbah*
shower gel	**bagno schiuma**	*bahnyoh skeeoomah*
soap	**saponetta**	*sahpohnayttah*
sunlamp	**lampada abbronzante**	*lahmpahdah ahbbrohndzahntay*
talcum powder	**talco**	*tahlkoh*
tattoo	**tatuaggio**	*tahtooahdgoh*
tweezers	**pinzette**	*peentzayttay*
wax	**ceretta**	*chayrayttah*

SITUATIONAL DIALOGUES

I'd like a day cream
Vorrei una crema da giorno
vohrrayee oonah kraymah dah johrnoh

Per pelli secche/normali o grasse?
payr payllee saykkay/nohrmahlee oh grahssay
For dry/normal or greasy skin?

Do you have natural cosmetics?
Avete cosmetici naturali?
ahvaytay kohsmayteechee nahtoorahlee

Can I have a smell of this perfume?
Posso sentire la fragranza di questo profumo?
pohssoh saynteeray lah frahgrahntzah dee kwaystoh prohfoomoh

I'd like a manicure/a facial
Vorrei fare la manicure/la pulizia del viso
vohrrayee fahray lah mahneekoor/lah pooleetzeeah dayl veezoh

Could you also do my make-up?	**Mi potrebbe anche truccare?**	*mee pohtraybbay ahnkay trookkahray*
How much is to have my legs waxed?	**Quanto costa fare la ceretta alle gambe?**	*kwahntoh kohstah fahray lah chayrayttah ahllay gahmbay*

Photography

TARGET LANGUAGE

battery charger	**caricabatterie**	*kahreekahbahttayreeay*
camcorder	**videocamera**	*veedayohkahmayrah*
camera	**macchina fotografica**	*mahkkeenah fohtohgrahfeekah*
automatic	**automatica**	*ahootohmahteekah*
reflex	**reflex**	*rayflayks*
disposable	**usa e getta**	*oozah ay jayttah*
case	**custodia**	*koostohdeeah*
copy	**copia**	*kohpeeah*
dark room	**camera oscura**	*kahmayrah ohskoorah*
to develop	**sviluppare**	*sveelooppahray*
development	**sviluppo**	*sveelooppoh*
diaphragm	**diaframma**	*deeahfrahmmah*
digital camera	**fotocamera digitale**	*fohtohkahmayrah deejeetahlay*
to enlarge	**ingrandire**	*eengrahndeeray*
enlargement	**ingrandimento**	*eengrahndeemayntoh*
exposure meter	**esposimetro**	*ayspohzeemaytroh*
exposure	**esposizione**	*ayspohzeetzeeohnay*
film	**pellicola/rullino**	*paylleekohlah/roolleenoh*
colour film	**rullino a colori**	*roolleenoh ah kohlohree*
black and white film	**rullino in bianco e nero**	*roolleenoh een beeahnkoh ay nayroh*
for colour slides	**per diapositive**	*payr deeahpohzeeteevay*
filter	**filtro**	*feeltroh*
focus	**messa a fuoco**	*mayssah ah fooohkoh*
lens	**obiettivo**	*ohbeeaytteevoh*
light	**luce**	*loochay*
to load the camera	**caricare la macchina**	*kahreekahray lah mahkkeenah*
negative	**negativo**	*naygahteevoh*
out of focus	**sfocato**	*sfohkahtoh*
paper	**carta**	*kahrtah*
glossy paper	**carta lucida**	*kahrtah loocheedah*
opaque paper	**carta opaca**	*kahrtah ohpahkah*

to photograph	**fotografare**	*fohtohgrahfahray*
photograph	**fotografia**	*fohtohgrahfeeah*
plate	**lastra**	*lahstrah*
polaroid	**polaroid**	*pohlahroheed*
positive	**positiva**	*pohzeeteevah*
print	**stampa**	*stahmpah*
projector	**proiettore**	*proheeayttohray*
release	**scatto**	*skahttoh*
reproduction	**riproduzione**	*reeprohdootzeeohnay*
self-timer	**autoscatto**	*ahootohskahttoh*
shutter	**otturatore**	*ohttoorahtohray*
size	**formato**	*fohrmahtoh*
passport size	**formato tessera**	*fohrmahtoh tayssayrah*
slide	**diapositiva**	*deeahpohzeeteevah*
snap-shot	**istantanea**	*eestahntahnayah*
to take a blank	**scattare a vuoto**	*skahttahray ah vooohtoh*
telephoto lens	**teleobiettivo**	*taylayohbeeaytteevoh*
view finder	**visore**	*veezohray*
wide-angle	**grandangolo**	*grahndahngohloh*

SITUATIONAL DIALOGUES

I'd like to have this film developed
Vorrei far sviluppare questa pellicola
vohrrayee fahr sveelooppahray kwaystah paylleekohlah

How much do you charge for developing?
Quanto fate pagare lo sviluppo?
kwahntoh fahtay pahgahray loh sveelooppoh

Print only the good copies, please
Stampi solo le copie riuscite, per favore
stahmpee sohloh lay kohpeeay reeoosheetay payr fahvohray

When will the photos be ready?
Quando saranno pronte le foto?
kwahndoh sahrahnnoh prohntay lay fohtoh

I'd like to have some passport photos taken
Vorrei che mi facesse delle foto formato tessera
vohrrayee kay mee fahchayssay dayllay fohtoh fohrmahtoh tayssayrah

I want a roll of 36-exposure colour film, 100 ISO
Vorrei una pellicola 100 ISO a colori da 36 foto
vohrrayee oonah paylleekohlah chayntoh ee ayssay oh ah kohlohree dah trayntahsayee fohtoh

Could you load it, please?
Me la carica, per favore?
may loh kahreekah payr fahvohray

My camcorder is not working. Can you repair it?
La mia videocamera non funziona. Può ripararla?
lah meeah veedayohkahmayrah nohn foontzeeohnah pooohreepahrahrlah

Non le conviene farla riparare, le costerebbe troppo *nohn lay kohnveeaynay fahrlah reepahrahray lay kohstayraybbay trohppoh*	It's not worth repairing. It would cost you too much

Shoe shop

As for clothes, each country has its own set of standard measures according to which shoes are sold as you can see in the chart below.

Shoe sizes

GB	3	4	4½	5	5½	6	6½	7	7½
USA	5	5½	6	6½	7	7½	8	8½	8
ITALY	35	36	37	38	39	40	41	42	43

TARGET LANGUAGE

boots	**stivali**	*steevahlee*
rubber boots	**stivali di gomma**	*steevahlee dee gohmmah*
clogs	**zoccoli**	*dzohkkohlee*
flip-flop	**infradito**	*eenfrahdeetoh*
foot	**piede**	*peeayday*
heel	**tacco**	*tahkkoh*
high heel	**tacco alto**	*tahkkoh ahltoh*
low heel	**tacco basso**	*tahkkoh bahssoh*
stiletto	**tacco a spillo**	*tahkkoh ah speelloh*
moccasins	**mocassini**	*mohkahsseenee*
pair	**paio**	*paheeoh*
patent leather	**vernice**	*vayrneechay*
plimsolls	**scarpe da tennis**	*skahrpay dah taynnees*
to polish	**lucidare**	*loocheedahray*
to put on the last	**mettere in forma**	*mayttayray een fohrmah*
quick repairs	**riparazione rapida**	*reepahrahtzeeohnay rahpeedah*
to re-sole	**risuolare**	*reesooohlahray*
sandals	**sandali**	*sahndahlee*
shoe-brush	**spazzola da scarpe**	*spahtztzohlah dah skahrpay*
shoehorn	**corno per calzature**	*kohrnoh payr kahltzahtooray*
shoelaces	**stringhe**	*streenghay*
shoe polish	**lucido da scarpe**	*loocheedoh dah skahrpay*
shoes	**scarpe**	*skahrpay*
canvas shoes	**scarpe di tela**	*skahrpay dee taylah*

leather shoes	**scarpe di pelle/di cuoio**	*skahrpay dee payllay/dee kooohheeoh*
low-cut shoes	**scarpe scollate**	*skahrpay skohllahtay*
orthopedic shoes	**scarpe ortopediche**	*skahrpay ohrtohpaydeekay*
suede shoes	**scarpe scamosciate**	*skahrpay skahmohshahtay*
trainers	**scarpe da ginnastica**	*skahrpay dah jeennahsteekah*
size	**misura/numero**	*meezoorah/noomayroh*
slippers	**pantofole**	*pahntohfohlay*
to stick	**incollare**	*eenkohllahray*
sole	**suola**	*sooohlah*
leather/rubber/ Parà rubber	**di cuoio/gomma/para**	*dee kooohheeoh/ gohmmah/pahrah*
toe (of shoe)	**punta**	*poontah*
to try	**provare/misurare**	*prohvahray/meezoorahray*

SITUATIONAL DIALOGUES

Can I see those boots in the window? — **Posso vedere quegli stivali in vetrina?**
pohssoh vaydayray kwayllyee steevahlee een vaytreenah

Che numero porta? — What size do you take?
kay noomayroh pohrtah

I take a British 5 — **Porto il 5 britannico**
pohrtoh eel cheenkway breetahnneekoh

These are a bit small/ tight in the toe — **Sono un po' stretti/mi toccano in punta**
sohnoh oon poh strayttee/mee tohkkahnoh een poontah

Do you have half sizes? — **Avete anche il mezzo numero?**
ahvaytay ahnkay eel maydzdzoh noomayroh

Vuole provarli mezzo numero in più? — Do you want to try them in half a size bigger?
vooohlay prohvahrlee maydzdzoh noomayroh een peeoo

These fit me, I'll take them — **Questi mi vanno bene, li prendo**
kwaystee mee vahnnoh baynay lee prayndoh

Stationery

TARGET LANGUAGE

adhesive labels	**etichette adesive**	*ayteekayttay ahdayzeevay*
address book	**rubrica**	*roobreekah*
card	**cartoncino/biglietto**	*kahrtohncheenoh/ beellyayttoh*

greetings card **biglietto di auguri** *beellyayttoh dee ahoogooree*
calendar **calendario** *kahlayndahreeoh*
diary **agenda** *ahjayndah*
drawing pins **puntine** *poonteenay*
envelope **busta** *boostah*
exercise book **quaderno** *kwahdayrnoh*
with squared paper **a quadretti** *ah kwahdrayttee*
with lined paper **a righe** *ah reeghay*
felt-tip pen **pennarello** *paynnahraylloh*
glue **colla** *kohllah*
highlighter **evidenziatore** *ayveedayntzeeahtohray*
notebook **taccuino** *tahkkooeenoh*
paint **colori** *kohlohree*
oil paint **colori a olio** *kohlohree ah ohleeoh*
tempera **colori a tempera** *kohlohree ah taympayrah*
watercolours **acquarelli** *ahkkwahrayllee*
paintbox **scatola di colori** *skahtohlah dee kohlohree*
paper **carta** *kahrtah*
drawing paper **carta da disegno** *kahrtah dah deezaynyoh*
notepaper **carta da lettere** *kahrtah dah layttayray*
tissue paper **carta velina** *kahrtah vayleenah*
wrapping paper **carta da regalo** *kahrtah dah raygahloh*
paper clips **graffette** *grahffayttay*
pen **penna** *paynnah*
ballpoint pen **biro** *beeroh*
fountain pen **penna stilografica** *paynnah steelohgrahfeekah*
pencil **matita** *mahteetah*
coloured **colorata** *kohlohrahtah*
pencil case **astuccio** *ahstoochchoh*
pencil lead **mina** *meenah*
propelling pencil **portamine** *pohrtahmeenay*
pencil sharpener **temperamatite** *tempayrahmahteetay*
playing cards **carte da gioco** *kahrtay dah johkoh*
pocket calculator **calcolatore tascabile** *kahlkohlahtohray tahskahbeelay*
refill **ricambio** *reekahmbeeoh*
ribbon **nastro** *nahstroh*
sellotape **adesivo** *ahdayzeevoh*
rubber **gomma per cancellare** *gohmmah payr kahnchayllahray*
ruler **riga/righello** *reegah/reeghaylloh*
setsquare **squadra** *skwahdrah*
sheet **foglio** *fohllyoh*
A4 **formato A4** *fohrmahtoh ah kwahttroh*

sketchpad	**album (da disegno)**	*ahlboom (dah deezaynyoh)*
stapler	**pinzatrice**	*peentzahtreechay*
string	**spago**	*spahgoh*
writing pad	**blocco per appunti**	*blohkkoh payr ahppoontee*

SITUATIONAL DIALOGUES

I need some padded envelopes	**Mi servono delle buste imbottite** *mee sayrvohnoh dayllay boostay eembohtteetay*

Di questo formato? Più grandi/più piccole? *dee kwaystoh fohrmahtoh/peeoo grahndee/peeoo peekkohlay*	This size? Bigger/smaller?

I want some picture postcards/some greetings cards	**Desidero delle cartoline illustrate/dei biglietti di auguri** *dayzeedayroh dayllay kahrtohleenay eelloostrahtay/dayee beellyayttee dee ahoogooree*
I'd like a refill for this pen	**Vorrei un ricambio per questa penna** *vorrayee oon reekahmbeeoh payr kwaystah paynnah*
Have you any sheets of wrapping paper and a ball of string?	**Avete dei fogli di carta da regalo e un gomitolo di spago?** *ahvaytay dayee fohllyee dee kahrtah dah raygahloh ay oon gohmeetohloh dee spahgoh*

Tobacconist's

You can recognize a tobacconist's by a large white 'T' on a black background. A tabaccaio generally has the same opening hours as shops. For cigarettes, stamps, chewing gum and postcards, go to a tobacconist's.

TARGET LANGUAGE

cigar	**sigaro**	*seegahroh*
cigarette	**sigaretta**	*seegahrayttah*
strong/mild	**forte/leggera**	*fohrtay/laydgayrah*
tipped/untipped	**con filtro/senza filtro**	*kohn feeltroh/sayntzah feeltroh*
cigarette holder	**bocchino**	*bohkkeenoh*
cigarette lighter	**accendisigari**	*ahchchayndeeseegahree*
cigarette-papers	**cartine per sigarette**	*kahrteenay payr seegahrayttay*
lighter	**accendino**	*ahchchayndeenoh*
disposable lighter	**accendino usa e getta**	*ahchchayndeenoh oozah ay jayttah*
lighter fuel	**gas per accendino**	*gahs payr ahchchayndeenoh*

matches	**fiammiferi/cerini**	*feeahmmeefayree/ chayreenee*
safety matches	**fiammiferi svedesi**	*feeahmmeefayree svaydayzee*
pipe	**pipa**	*peepah*
pipe cleaner	**nettapipe**	*nayttahpeepay*
reserve flints	**pietrine di riserva**	*peeaytreenay dee reezayrvah*
salt	**sale**	*sahlay*
stamps	**francobolli**	*frahnkohbohllee*
sweets	**caramelle**	*kahrahmayllay*
tobacco	**tabacco**	*tahbahkkoh*
packet of cigarettes	**pacchetto di sigarette**	*pahkkayttoh dee seegahrayttay*
carton	**stecca**	*staykkah*

SITUATIONAL DIALOGUES

Can I have a packet of cigarettes?
Posso avere un pacchetto di sigarette?
pohssoh ahvayray oon pahkkayttoh dee seegahrayttay

Di che marca?
dee kay mahrkah
What brand?

Can you fill my lighter?
Mi carica l'accendino?
mee kahreekah lahchchayndeenoh

I'd like some strong/ tipped cigarettes
Vorrei delle sigarette forti/con filtro
vohrrayee dayllay seegahrayttay fohrtee/kohn feeltroh

A stamp for this letter, please
Un francobollo per questa lettera, per favore
oon frahnkohbohlloh payr kwaystah layttayrah payr fahvohray

8 • OFFICES AND SERVICES

Official documents

Don't forget to take your identification papers with you because in Italy you may be asked to show a personal document anytime.

Personal details		
Nome	*nohmay*	Christian name
Cognome	*kohnyohmay*	Surname
da nubile	*dah noobeelay*	maiden name
Data di nascita	*dahtah dee nahsheetah*	Date of birth
Luogo di nascita	*looohgoh dee nahsheetah*	Birthplace
Cittadinanza	*cheettahdeenahntzah*	Citizenship
Nazionalità	*nahtzeeohnahleetah*	Nationality
Residenza	*rayseedayntzah*	Place of residence
Domicilio	*dohmeecheeleeoh*	Permanent address
Sesso	*sayssoh*	Gender
maschile	*mahskeelay*	male
femminile	*faymmeeneelay*	female
Stato civile	*stahtoh cheeveelay*	Marital status
coniugato/a	*kohnyeeoogahtoh/ah*	married
divorziato/a	*deevohrtzeeahtoh/ah*	divorced
celibe/nubile	*chayleebay/noobeelay*	single
vedovo/a	*vaydohvoh/ah*	widower/widow
Numero di passaporto	*noomayroh dee pahssahpohrtoh*	Passport number
Professione	*prohfaysseeohnay*	Occupation
Titolo di studio	*teetohloh dee stoodeeoh*	Qualification
Posto di lavoro	*pohstoh dee lahvohroh*	Place of work
Dati personali	*dahtee payrsohnahlee*	Details
Signor	*seenyohr*	Mr
Signora	*seenyohrah*	Mrs
Signora (senza specificare se coniugata o no)	*seenyohrah*	Ms
Signorina	*seenyohreenah*	Miss
Motivo del viaggio	*mohteevoh dayl veeahdgoh*	Reason for visit

Indirizzo in GB/USA	*eendeereetztzoh een jee bee/oozah*	GB/US address
Stato	*stahtoh*	State
Nazione	*nahtzeeohnay*	Country
Cittadino/a dell'UE	*cheettahdeenoh dayllooay*	EU citizen
Numero di telefono	*noomayroh dee taylayfohnoh*	Phone number

Personal documents

TARGET LANGUAGE

certificate	**certificato**	*chayrteefeekahtoh*
marriage certificate	**certificato di matrimonio**	*chayrteefeekahtoh dee mahtreemohneeoh*
documents/papers	**documenti**	*dohkoomayntee*
driving licence	**patente**	*pahtayntay*
identity card	**carta d'identità**	*kahrtah deedaynteetah*
passport	**passaporto**	*pahssahpohrtoh*
permit	**permesso**	*payrmayssoh*
visitor's permit	**permesso di soggiorno**	*payrmayssoh dee sohdgohrnoh*
work permit	**permesso di lavoro**	*payrmayssoh dee lahvohroh*
vaccination	**vaccinazione**	*vahchcheenahtzeeohnay*
visa	**visto**	*veestoh*
expired	**scaduto**	*skahdootoh*
expiry date	**scadenza**	*skahdayntzah*
issued	**rilasciato**	*reelahshahtoh*
to renew	**rinnovare**	*reennohvahray*
valid	**valido**	*vahleedoh*

Forms and paperwork

TARGET LANGUAGE

application/request	**domanda/richiesta**	*dohmahndah/ reekeeaystah*
to authenticate	**autenticare**	*ahootaynteekahray*
copy	**copia**	*kohpeeah*
in duplicate	**in duplice copia**	*een doopleechay kohpeeah*
counter/desk	**sportello**	*spohrtaylloh*
to deliver	**consegnare**	*kohnsaynyahray*
file/form	**pratica**	*prahteekah*
to fill in	**compilare**	*kohmpeelahray*

form	**modulo/ questionario**	*mohdooloh/ kwaysteeohnahreeoh*
payment	**versamento**	*vayrsahmayntoh*
to sign	**firmare**	*feermahray*
signature	**firma**	*feermah*
the undersigned	**il sottoscritto**	*eel sohttohskreettoh*

SITUATIONAL DIALOGUES

I'd like to renew my residence/work permit — **Vorrei rinnovare il mio permesso di soggiorno/ di lavoro**
vohrrayee reennohvahray eel meeoh payrmayssoh dee sohdgohrnoh/dee lahvohroh

Which office do I have to go to? — **A che ufficio devo rivolgermi?**
ah kay ooffeechoh dayvoh reevohljayrmee

How long will it take? — **Quanto tempo ci vorrà?**
kwahntoh taympoh chee vohrrah

What documents do I have to present? — **Che documenti devo presentare?**
kay dohkoomayntee dayvoh praysayntahray

Is it free?/How much do I have to pay? — **È gratuito?/Quanto devo pagare?**
ay grahtooeetoh/kwahntoh dayvoh pahgahray

Riempia questo modulo, per favore — Could you please fill in this form?
reeaympeeah kwaystoh mohdooloh payr fahvohray

Can you help me, please? — **Può aiutarmi, per favore?**
poooh aheeootahrmee payr fahvohray

Scriva in stampatello — Use capitals
skreevah een stahmpahtaylloh

Servono due fototessera — You need two passport photos
sayrvohnoh dooay fohtohtayssayrah

Firmi qui, per favore — Sign here, please
feermee kwee payr fahvohray

At the customs

TARGET LANGUAGE

border/frontier	**frontiera/confine**	*frohnteeayrah/kohnfeenay*
brief-case	**cartella**	*kahrtayllah*
car insurance	**assicurazione auto**	*ahsseekoorahtzeeohnay ahootoh*
collective passport	**passaporto collettivo**	*pahssahpohrtoh kohllaytteevoh*

contraband	**contrabbando**	*kohntrahbbahndoh*
customs	**dogana**	*dohgahnah*
duty-free	**esente da dogana**	*ayzayntay dah dohgahnah*
dutiable	**soggetto a dogana**	*sohdgayttoh ah dohgahnah*
customs control	**controllo doganale**	*kohntrohlloh dohgahnahlay*
customs house	**ufficio di dogana**	*ooffeechoh dee dohgahnah*
customs inspection	**ispezione doganale**	*eespaytzeeohnay dohgahnahlay*
customs officer	**doganiere**	*dohgahneeayray*
to declare	**dichiarare**	*deekeeahrahray*
declaration	**dichiarazione**	*deekeeahrahtzeeohnay*
duty	**tariffa doganale**	*tahreeffah dohgahnahlay*
foreign currency	**valuta estera**	*vahlootah aystayrah*
green card	**carta verde**	*kahrtah vayrday*
luggage	**bagaglio**	*bahgahllyoh*
mountain pass	**valico**	*vahleekoh*
passport	**passaporto**	*pahssahpohrtoh*
personal effects	**effetti personali**	*ayffayttee payrsohnahlee*
permit	**permesso**	*payrmayssoh*
export permit	**permesso d'esportazione**	*payrmayssoh dayspohrtahtzeeohnay*
import permit	**permesso d'importazione**	*payrmayssoh deempohrtahtzeeohnay*
receipt	**ricevuta**	*reechayvootah*
suitcase	**valigia**	*vahleejah*

SITUATIONAL DIALOGUES

Passaporti, prego
pahssahpohrtee praygoh
Passports, please

Posso vedere il suo libretto di circolazione/la sua carta verde?
pohssoh vaydayray eel soooh leebrayttoh dee cheerkohlahtzeeohnay/lah sooah kahrtah vayrday
Can I see your log book/your green card?

Ha qualcosa da dichiarare?
ah kwahlkohzah dah deekeeahrahray
Do you have anything to declare?

I have nothing to declare
Non ho niente da dichiarare
nohn oh neeayntay dah deekeeahrahray

Only personal effects
Solo effetti personali
sohloh ayffaytee payrsohnahlee

I've a bottle of whisky	**Ho una bottiglia di whisky** *oh oonah bohtteellyah dee ooeeskee*
Must I pay on this?	**Devo pagare per questo?** *dayvoh pahgahray payr kwaystoh*

Questi articoli sono esenti da dogana *kwaystee ahrteekohlee sohnoh ayzayntee dah dohgahnah*	There is no duty on these articles
Per favore, apra questa valigia *payr fahvohray ahprah kwaystah vahleejah*	Please open this suitcase
Va bene, può andare *vah baynay poooh ahndahray*	All right, you may go
Quanto si tratterrà? *kwahntoh see trahttayrrah*	How long will you be staying?

Police

In Italy there are various types of police, each dealing with a different area of the law. The Carabinieri report to the Ministry of Defence and tend to deal with more serious crimes. The Polizia is a civil force that deals with crime and administrative matters. In towns and cities, the road traffic is controlled by the Polizia Municipale who can also deal with less serious criminal offences. Outside the towns, roads are patrolled by the Polizia Stradale.
In case of emergency, dial either 113 for polizia or 112 for carabinieri.

At the police station

TARGET LANGUAGE

abduction	**rapimento**	*rahpeemayntoh*
to act as a witness	**testimoniare**	*taysteemohneeahray*
armed robbery	**rapina a mano armata**	*rahpeenah ah mahnoh ahrmahtah*
to arrest	**arrestare**	*ahrraystahray*
bail	**cauzione**	*kahootzeeohnay*
bag-snatching	**scippo**	*sheeppoh*
to be drunk and disorderly	**essere in stato di ubriachezza molesta**	*ayssayray een stahtoh dee oobreeahkaytztzah mohlaystah*
to call the police	**chiamare la polizia**	*keeahmahray lah pohleetzeeah*
car number	**targa**	*tahrgah*
chief inspector	**commissario di polizia**	*kohmmeessahreeoh dee pohleetzeeah*

code	**codice**	*kohdeechay*
civil code	**codice civile**	*kohdeechay cheeveelay*
criminal code	**codice penale**	*kohdeechay paynahlay*
consulate	**consolato**	*kohnsohlahtoh*
court	**tribunale**	*treeboonahlay*
documents	**documenti**	*dohkoomayntee*
enquiry	**indagine**	*eendahjeenay*
expulsion order	**foglio di via**	*fohllyoh dee veeah*
fine	**contravvenzione**	*kohntrahvvayntzeeohnay*
fireman	**vigile del fuoco**	*veejeelay dayl fooohkoh*
fraudolent	**doloso**	*dohlohzoh*
green card	**carta verde**	*kahrtah vayrday*
identification papers	**documenti di identificazione**	*dohkoomayntee dee eedaynteefeekahtzeeohnay*
infraction	**infrazione**	*eenfrahtzeeohnay*
insurance certificate	**certificato di assicurazione**	*chayrteefeekahtoh dee ahsseekoorahtzeeohnay*
interpreter	**interprete**	*eentayrpraytay*
lawyer	**avvocato**	*ahvvohkahtoh*
to molest	**molestare**	*mohlaystahray*
murder	**omicidio**	*ohmeecheedeeoh*
police	**polizia/carabinieri**	*pohleetzeeah/ kahrahbeeneeayree*
policeman	**poliziotto**	*pohleetzeeohttoh*
police headquarters	**questura**	*kwaystoorah*
police raid	**retata**	*raytahtah*
police station	**commissariato**	*kohmmeessahreeahtoh*
prison	**prigione**	*preejohnay*
provisional arrest	**fermo di polizia**	*fayrmoh dee pohleetzeeah*
to report something to the police	**fare una denuncia**	*fahray oonah daynoonchah*
resistance to the police	**resistenza alla forza pubblica**	*rayseestayntzah ahllah fohrtzah poobbleekah*
to rob	**derubare**	*dayroobahray*
robbery	**rapina**	*rahpeenah*
rowdiness at night	**schiamazzi notturni**	*skeeahmahtztzee nohttoornee*
rape	**stupro**	*stooproh*
smuggling	**contrabbando**	*kohntrahbbahndoh*
statement	**verbale**	*vayrbahlay*
theft	**furto**	*foortoh*
break-in	**furto con scasso**	*foortoh kohn skahssoh*
thief	**ladro**	*lahdroh*
unknown	**ignoto**	*eenyohtoh*
wanted	**ricercato**	*reechayrkahtoh*
witness	**testimone**	*taysteemohnay*

SITUATIONAL DIALOGUES

Where is the police station?	**Dov'è il commissariato?** *dohvay eel kohmmeessahreeahtoh*
I'd like to report something to the police	**Vorrei fare una denuncia** *vohrrayee fahray oonah daynoonchah*
Your name and address, please	**Il suo nome e indirizzo, prego** *eel soooh nohmay ay eendeereetztzoh praygoh*
My passport/wallet has been stolen	**Mi hanno rubato il passaporto/il portafoglio** *mee ahnnoh roobahtoh eel pahssahpohrtoh/ eel pohrtahfohllyoh*
My car has been broken into	**Mi hanno aperto con la forza la macchina** *mee ahnnoh ahpayrtoh kohn lah fohrtzah lah mahkkeenah*
Where was the car parked?	**Dov'era parcheggiata l'auto?** *dohvayrah pahrkaydgahtah lahootoh*
I want to report a stolen credit card	**Vorrei denunciare il furto di una carta di credito** *vohrrayee daynoonchahray eel foortoh dee oonah kahrtah dee kraydeetoh*
We've had a break-in	**Ci sono entrati i ladri in casa** *chee sohnoh ayntrahtee ee lahdree een kahzah*
I've been assaulted/ raped	**Sono stata aggredita/violentata** *sohnoh stahtah ahggraydeetah/veeohlayntahtah*
Where and when did it happen?	**Dove e quando è successo?** *dohvay ay kwahndoh ay soochchayssoh*
Could you identify the assailant?	**Saprebbe identificare l'aggressore?** *sahpraybbay eedaynteefeekahray lahggrayssohray*
What am I accused of?	**Di che cosa sono accusato?** *dee kay kohzah sohnoh ahkkoozahtoh*
Can I phone my lawyer?	**Posso fare una telefonata al mio avvocato?** *pohssoh fahray oonah taylayfohnahtah ahl meeoh ahvvohkahtoh*
Please get an interpreter	**Chiami un interprete per favore** *keeahmee oon eentayrpraytay payr fahvohray*

Postal service and telephone

Italian post offices (uffici postali) can be recognised by the yellow sign PT (Poste e Telegrafo) or by the new sign "Agenzia postale". They are open

from 8.30 am to 2 pm, Monday to Friday, and until midday on Saturdays. Stamps are also sold at tobacconists. In the city, the central post office and those situated near the railway stations generally remain open during the afternoon. Letter boxes are red or yellow.
In Italy you can phone from public phones (phone boxes situated along the road or smaller transparent phone booths) or from bars that have a sign outside showing either a telephone on a yellow background or a red telephone receiver. You will need coins (monete), credit cards or – more and more frequently – a telephone card (scheda telefonica), which you can buy either at a tobacconist's or at a newsstand. In the cities there are shops that will let you make international and intercontinental calls at special rates. These shops are often open until late in the evening.

At the post office

TARGET LANGUAGE

to address	**indirizzare**	*eendeereetztzahray*
address	**indirizzo/recapito**	*eendeereetztzoh/ raykahpeetoh*
addressee	**destinatario**	*daysteenahtahreeoh*
to be overweight	**superare il peso**	*soopayrahray eel payzoh*
carriage paid	**porto pagato**	*pohrtoh pahgahtoh*
charge	**tariffa**	*tahreeffah*
correspondence	**corrispondenza**	*kohrreespohndayntzah*
counter	**sportello**	*spohrtaylloh*
declaration of value	**dichiarazione del valore**	*deekeeahrahtzeeohnay dayl vahlohray*
to deliver	**recapitare**	*raykahpeetahray*
delivery	**recapito**	*raykahpeetoh*
destination	**destinazione**	*daysteenahtzeeohnay*
envelope	**busta**	*boostah*
form	**modulo**	*mohdooloh*
fragile	**fragile**	*frahjeelay*
head post office	**posta centrale**	*pohstah chayntrahlay*
letter	**lettera**	*layttayrah*
registered letter	**raccomandata**	*rahkkohmahndahtah*
return receipt requested	**con ricevuta di ritorno**	*kohn reechayvootah dee reetohrnoh*
international registered letter	**raccomandata per l'estero raccomandata**	*rahkkohmahndahtah payr laystayroh*
special delivery letter	**con consegna entro le 12.00 del giorno dopo**	*rahkkohmahndahtah kohn kohnsaynyah ayntroh lay dohdeechee dayl johrnoh dohpoh*
parcel post	**pacco postale**	*pahkkoh pohstahlay*

post/(*am*) mail	**posta**	*pohstah*
air mail	**posta aerea**	*pohstah ahayrayah*
to post	**imbucare**	*eembookahray*
postage	**affrancatura**	*ahffrahnkahtoorah*
post box/(*am*) mailbox/	**buca per le lettere**	*bookah payr lay layttayray*
postcard	**cartolina**	*kahrtohleenah*
picture postcard	**cartolina illustrata**	*kahrtohleenah eelloostrahtah*
post-free	**franchigia**	*frahnkeejah*
postman	**postino**	*pohsteenoh*
postal order	**vaglia postale**	*vahllyah pohstahlay*
post office account	**conto corrente postale**	*kohntoh kohrrayntay pohstahlay*
postcode	**codice postale**	*kohdeechay pohstahlay*
post office	**ufficio postale**	*ooffeechoh pohstahlay*
Post Office box	**casella postale**	*kahzayllah pohstahlay*
poste restante	**fermo posta**	*fayrmoh pohstah*
printed matter	**stampe**	*stahmpay*
receipt	**ricevuta**	*reechayvootah*
revenue stamp	**marca da bollo**	*mahrkah dah bohlloh*
sample without value	**campione senza valore**	*kahmpeeohnay sayntzah vahlohray*
to send	**spedire**	*spaydeeray*
sender	**mittente**	*meettayntay*
signature	**firma**	*feermah*
to stamp	**affrancare**	*ahffrahnkahray*
stamp	**francobollo**	*frahnkohbohlloh*
tax	**tassa**	*tahssah*
telegram	**telegramma**	*taylaygrahmmah*
time collection	**ora di levata**	*ohrah dee layvahtah*
urgent	**urgente**	*oorjayntay*
value	**valore**	*vahlohray*
to weigh	**pesare**	*payzahray*

SITUATIONAL DIALOGUES

A stamp for a letter abroad, please
Un francobollo per una lettera all'estero, per favore
oon frahnkohbohlloh payr oonah layttayrah ahllaystayroh payr fahvohray

What's the postage for this letter?
Qual è l'affrancatura per questa lettera?
kwahlay lahffrahnkahtoorah payr kwaystah layttayrah

I want to register this letter
Desidero spedire questa lettera per raccomandata
dayzeedayroh spaydeeray kwaystah layttayrah payr rahkkohmahndahtah

Up to what weight can I send by sample post?

Fino a che peso posso spedire campioni senza valore?
feenoh ah kay payzoh pohssoh spaydeeray kahmpeeohnee sayntzah vahlohray

At which counter can I cash/send an international money order?

A quale sportello posso incassare/spedire un vaglia internazionale?
ah kwahlay spohrtaylloh pohssoh eenkahssahray/ spaydeeray oon vahllyah eentayrnahtzeeohnahlay

Scriva l'importo in lettere, per favore
skreevah leempohrtoh een layttayray payr fahvohray
Write the amount in words, please

Please, send an international money order to the following address

Per favore, mandi un vaglia postale internazionale al seguente indirizzo
payr fahvohray mahndee oon vahllyah pohstahlay eentayrnahtzeeohnahlay ahl saygwayntay eendeereetztzoh

Scriva nome e indirizzo del mittente
skreevah nohmay ay eendeereetztzoh dayl meettayntay
Write name and address of the sender

I want to send this parcel by registered mail

Desidero spedire questo pacco per raccomandata
dayzeedayroh spaydeeray kwaystoh pahkkoh payr rahkkohmahndahtah

Where's the poste restante?

Dov'è il fermo posta?
dohvay eel fayrmoh pohstah

Telegrams

Telegrams can be sent directly from the post office or can be dictated on the phone, dialling 186.

Where's the telegram counter?

Dov'è lo sportello dei telegrammi?
dohvay loh spohrtaylloh dayee taylaygrahmmee

I want to send a telegram

Desidero mandare un telegramma
dayzeedayroh mahndahray oon taylaygrahmmah

Can I have a form?

Posso avere un modulo?
pohssoh ahvayray oon mohdooloh

How much is it per word?

Quanto costa ogni parola?
kwahntoh kohstah ohnyee pahrohlah

Can you tell me the postcode for Rome?

Può dirmi il codice postale di Roma?
poooh deermee eel kohdeechay pohstahlay dee rohmah

Services

Telephone and fax

TARGET LANGUAGE

to answer	**rispondere**	*reespohndayray*
answering machine	**segreteria telefonica**	*saygraytayreeah taylayfohneekah*
voice mail	**segreteria telefonica computerizzata**	*saygraytayreeah taylayfohneekah kohmpeeootayreedzdzahtah*
call waiting	**avviso di chiamata**	*ahvveezoh dee keeahmahtah*
charge/rate	**tariffa**	*tahreeffah*
code	**prefisso**	*prayfeessoh*
crossed line	**interferenza**	*eentayrfayrayntzah*
dialling code	**prefisso interurbano**	*prayfeessoh eentayroorbahnoh*
direct dialling system	**teleselezione**	*taylaysaylaytzeeohnay*
directory	**elenco telefonico**	*aylaynkoh taylayfohneekoh*
directory enquiries	**informazioni elenco abbonati**	*eenfohrmatzeeohnee aylaynkoh ahbbohnahtee*
extension	**interno**	*eentayrnoh*
fax machine	**apparecchio per fax**	*ahppahraykkeeoh payr fahks*
to fax	**fare un fax**	*fahray oon fahks*
to hang up	**riagganciare**	*reeahggahnchahray*
international code	**prefisso internazionale**	*prayfeessoh eentayrnahtzeeohnahlay*
international phone card	**scheda telefonica internazionale**	*skaydah taylayfohneekah eentayrnahtzeeohnahlay*
to make a call	**telefonare/fare una telefonata**	*taylayfohnahray/ fahray oonah taylayfohnahtah*
mobile phone	**cellulare/telefonino**	*chaylloolahray/ taylayfohneenoh*
operator	**operatore/ centralinista**	*ohpayrahtohray/ chayntrahleeneestah*
to phone	**telefonare**	*taylayfohnahray*
phone call	**telefonata**	*taylayfohnahtah*
local call	**telefonata urbana**	*taylayfohnahtah oorbahnah*
long distance-call	**telefonata interurbana**	*taylayfohnahtah eentayroorbahnah*
international call	**telefonata internazionale**	*taylayfohnahtah eentayrnahtzeeohnahlay*

intercontinental call	**telefonata intercontinentale**	*taylayfohnahtah eentayrkohnteenayntahlay*
reverse charge call	**telefonata con tassa a carico del destinatario**	*taylayfohnahtah kohn tahssah ah kahreekoh dayl daysteenahtahreeoh*
pre-paid calling card	**carta di credito telefonica**	*kahrtah dee kraydeetoh taylayfohneekah*
to press	**digitare/premere**	*deejeetahray/praymayray*
receiver	**ricevitore**	*reechayveetohray*
reservation	**prenotazione**	*praynohtahtzeeohnay*
switchboard	**centralino**	*chayntrahleenoh*
to telegraph	**telegrafare**	*taylaygrahfahray*
to telephone	**telefonare**	*taylayfohnahray*
telephone (set)	**apparecchio telefonico**	*ahppahraykkeeoh taylayfohneekoh*
telephone box	**cabina telefonica**	*kahbeenah taylayfohneekah*
telephone exchange	**centralino**	*chayntrahleenoh*
telephone line	**linea telefonica**	*leenayah taylayfohneekah*
telephone number	**numero telefonico**	*noomayroh taylayfohneekoh*
to dial a number	**comporre un numero**	*kohmpohrray oon noomayroh*
text message	**sms**	*ayssay aymmay ayssay*
to text	**inviare un sms**	*eenveeahray oon ayssay aymmay ayssay*
unit	**scatto**	*skahttoh*
yellow pages	**pagine gialle**	*pahjeenay jahllay*

SITUATIONAL DIALOGUES

Where is the nearest telephone box?
Dov'è la cabina telefonica più vicina?
dohvay lah kahbeenah taylayfohneekah peeoo veecheenah

How do you use this phone?
Come si usa questo telefono?
kohmay see oozah kwaystoh taylayfohnoh

Con la scheda/con le monete
kohn lah skaydah/kohn lay mohnaytay
With a phonecard/with coins

Where can I buy a phonecard?
Dove posso comprare una scheda?
dohvay pohssoh kohmprahray oonah skaydah

Can I have a telephone directory of Milan?
Posso avere l'elenco telefonico di Milano?
pohssoh ahvayray laylaynkoh taylayfohneekoh dee meelahnoh

What's the dialling code for Italy?	**Qual è il prefisso per l'Italia?** *kwahlay eel prayfeessoh payr leetahleeah*
Operator, we were cut off	**Centralinista, la comunicazione si è interrotta** *chayntrahleeneestah lah kohmooneekahtzeeohnay see ay eentayrrohttah*

Attenda in linea, per favore *ahttayndah een leenayah payr fahvohray*	Hold the line, please
Le passo la comunicazione *lay pahssoh lah kohmooneekahtzeeohnay*	I'll put you through

I want to call... and reverse the charges	**Desidero chiamare il numero... a carico del destinatario** *dayzeedayroh keeahmahray eel noomayroh... ah kahreekoh dayl daysteenahtahreeoh*
Call me this number, please	**Mi chiami questo numero, per favore** *mee keeahmee kwaystoh noomayroh payr fahvohray*

La linea è sovraccarica/ È occupato *lah leenayah ay sohvrahkkahreekah/ ay ohkkoopahtoh*	The line is busy/It's engaged

Can I have an outside line?	**Posso avere la linea esterna?** *pohssoh ahvayray lah leenayah aystayrnah*
I want to fix an appointment for a telephone conversation	**Desidero fissare un appuntamento telefonico** *dayzeedayroh feessahray oon ahppoontahmayntoh taylayfohneekoh*
I'd like to make a long-distance call to...	**Vorrei fare una telefonata interurbana a...** *vohrrayee fahray oonah taylayfohnahtah eentayroorbahnah ah...*
Hello?	**(quando si chiama) Pronto?** *prohntoh*

Con chi parlo? *kohn kee pahrloh*	Who's speaking?

This is... I want to speak to...	**Sono... desidero parlare con...** *sohnoh... dayzeedayroh pahrlahray kohn...*

Un momento *oon mohmayntoh*	Just a moment
Mi spiace, non c'è, richiami più tardi *mee speeahchay nohn chay reekeeahmee peeoo tahrdee*	I'm sorry, he's not here, call back later
Che numero chiama? *kay noomayroh keeahmah*	What number are you calling?

Ha sbagliato numero
ah sbahllyahtoh noomayroh
You've got the wrong number

Parli un po' più forte/un po' più piano, per favore
pahrlee oon poh peeoo fohrtay/oon poh peeoo peeahnoh payr fahvohray
Speak a bit louder/a bit slower, please

Would you please take a message?
Per favore, può trasmettere un messaggio?
payr fahvohray poooh trahsmayttayray oon mayssahdgoh

Non capisco il nome, mi può fare lo spelling per favore?
nohn kahpeeskoh eel nohmay mee poooh fahray loh spaylleeng payr fahvohray
I don't understand the name, can you spell it please?

The phone is out of order
Il telefono non funziona
eel taylayfohnoh nohn foontzeeohnah

Questa è la segreteria telefonica di... Lasci un messaggio dopo il segnale acustico
kwaystah ay lah saygraytayreeah taylayfohneekah dee... lahshee oon mayssahdgoh dohpoh eel saynyahlay ahkoosteekoh
This is...'s answering machine. Please leave a message after the beep

How to spell letters in Italian

English	Italian	
A - B - C - D	**A - B - C - D**	*ah - bee - chee - dee*
E - F - G - H	**E - F - G - H**	*ay - ayffay - jee - ahkkah*
I - J - K - L	**I - J - K - L**	*ee - jayee - kahppah - ayllay*
M - N - O - P	**M - N - O - P**	*aymmay - aynnay - oh - pee*
Q - R - S - T	**Q - R - S - T**	*koo - ayrray - ayssay - tee*
U - V - W	**U - V - W**	*oo - vee - dohppeeoh voo*
X - Y - Z	**X - Y - Z**	*eeks - eepseelon - dzaytah*

Mobile phones

I can't hear you
Non la sento
nohn lah sayntoh

There's no coverage
Non c'è campo
nohn chay kahmpoh

Il cliente al momento non è raggiungibile
eel kleeayntay ahl mohmayntoh nohn ay rahdgoonjeebeelay
The user is unavailable to answer your call

Stiamo trasferendo la sua chiamata a... *steeahmoh trahsfayrayndoh lah sooah keeahmahtah ah...*	Your call is being diverted to...

Fax

I'd like to send a fax to...	**Desidero inviare un fax a...** *dayzeedayroh eenveeahray oon fahks ah...*
Where can I send a fax from?	**Da dove posso spedire un fax?** *dah dohvay pohssoh spaydeeray oon fahks*
What's your fax number?	**Qual è il suo numero di fax?** *kwahlay eel soooh noomayroh dee fahks*
Please, resend your fax	**Mi rimandi il fax, per favore** *mee reemahndee eel fahks payr fahvohray*

On the Internet

TARGET LANGUAGE

to answer	**rispondere**	*reespohndayray*
at (@)	**chiocciola**	*keeohchchohlah*
attachment	**allegato**	*ahllaygahtoh*
cable	**cavo**	*kahvoh*
CD player	**lettore CD**	*layttohray chee dee*
CD-ROM	**CD-ROM**	*chee dee rohm*
CD-Writer	**masterizzatore**	*mahstayreedzdzahtohray*
to click on	**cliccare su**	*kleekkahray soo*
computer	**computer**	*kohmpeeootayr*
PC	**personal computer**	*payrsohnahl kohmpeeootayr*
laptop	**computer portatile**	*kohmpeeootayr pohrtahteelay*
to connect	**connettere/collegare**	*kohnnayttayray/ kohllaygahray*
connection	**collegamento/ connessione**	*kohllaygahmayntoh/ kohnnaysseeohnay*
cursor	**cursore**	*koorsohray*
data bank	**banca dati**	*bahnkah dahtee*
to delete	**cancellare**	*kahnchayllahray*
to disconnect	**disconnettere/ scollegare**	*deeskohnnayttayray/ skohllaygahray*
to download	**scaricare**	*skahreekahray*
e-mail	**posta elettronica**	*pohstah aylayttrohneekah*
to enter	**digitare**	*deejeetahray*
enter	**invio**	*eenveeoh*

to file	**archiviare**	*ahrkeeveeahray*
floppy disc	**dischetto**	*deeskayttoh*
folder	**cartella**	*kahrtayllah*
to format	**formattare**	*fohrmahttahray*
to forward	**inoltrare**	*eenohltrahray*
hard disk	**disco fisso**	*deeskoh feessoh*
icon	**icona**	*eekohnah*
Internet user	**utente di Internet**	*ootayntay dee eentayrnayt*
keyboard	**tastiera**	*tahsteeayrah*
to load	**caricare**	*kahreekahray*
memory	**memoria**	*maymohreeah*
storage	**capacità di memoria**	*kahpahcheetah dee maymohreeah*
net	**rete**	*raytay*
to paste	**incollare**	*eenkohllahray*
to print	**stampare**	*stahmpahray*
printer	**stampante**	*stahmpahntay*
ink jet printer	**stampante a getto d'inchiostro**	*stahmpahntay ah jayttoh deenkeeohstroh*
laser printer	**stampante laser**	*stahmpahntay lahzayr*
to plug in	**attaccare la spina**	*ahttahkkahray lah speenah*
to restart	**riavviare**	*reeahvveeahray*
to save	**salvare**	*sahlvahray*
scan	**scansione**	*skahnseeohnay*
search engine	**motore di ricerca**	*mohtohray dee reechayrkah*
to search on the web	**cercare sul web**	*chayrkahray sool ooayb*
site	**sito**	*seetoh*
to visit a site	**visitare un sito**	*veezeetahray oon seetoh*
to surf	**navigare**	*nahveegahray*
toolbar	**barra degli strumenti**	*bahrrah dayllyee stroomayntee*
trash	**cestino**	*chaysteenoh*
to turn on	**accendere**	*ahchchayndayray*
to zip	**zippare**	*dzeeppahray*
web page	**pagina web**	*pahjeenah ooayb*

SITUATIONAL DIALOGUES

Is there an Internet connection?	**C'è la connessione a Internet?** *chay lah kohnnaysseeohnay ah eentayrnayt*
Can I send an e-mail from here?	**Posso inviare una e-mail da qui?** *pohssoh eenveeahray oonah eemayeel dah kwee*
I can't connect to the site	**Non riesco a collegarmi al sito** *nohn reeayskoh ah kohllaygahrmee ahl seetoh*

Where can I find an Internet access point?	**Dove trovo un Internet Point?** *dohvay trohvoh oon eentayrnayt poheent*	
What's the charge?	**Qual è la tariffa?** *kwahlay lah tahreeffah*	
I'd like to log into my e-mail inbox	**Vorrei accedere alla mia casella di posta elettronica** *vohrrayee ahchchaydayray ahllah meeah kahzayllah dee pohstah aylayttrohneekah*	
Would it be possible to connect my computer to the network?	**È possibile collegare in rete il mio computer?** *ay pohsseebeelay kohllaygahray een raytay eel meeoh kohmpeeootayr*	

Bank

Banks are open from 8.30 am to 1.30 pm and from 2.45 pm to 3.45 pm. from Monday to Friday. Generally speaking, it is better to change money in a bank than in an exchange office, because the latter charges a commission. Exchange offices can be found in airports, stations and in the city centre. In larger cities, you will find automatic exchange offices with cash machines outside some banks.

You will find cash machines for bank and credit cards outside the main banks.

TARGET LANGUAGE

account	**conto**	*kohntoh*
current account	**conto corrente**	*kohntoh kohrrayntay*
bank	**banca**	*bahnkah*
bank charges	**spese bancarie**	*spayzay bahnkahreeay*
banknote	**banconota**	*bahnkohnohtah*
bill of exchange	**cambiale**	*kahmbeeahlay*
bill payable at maturity	**cambiale pagabile a scadenza**	*kahmbeeahlay pahgahbeelay ah skahdayntzah*
bill payable at sight	**cambiale pagabile a vista**	*kahmbeeahlay pahgahbeelay ah veestah*
bond	**obbligazione**	*ohbbleegahtzeeohnay*
bounced	**scoperto**	*skohpayrtoh*
branch	**agenzia**	*ahjayntzeeah*
capital	**capitale**	*kahpeetahlay*
to cash	**incassare**	*eenkahssahray*
in cash	**in contanti**	*een kohntahntee*
cashier	**cassiere**	*kahsseeayray*
cash machine	**bancomat/cassa automatica**	*bahnkohmaht/kahssah ahootohmahteekah*

Bank

debit card	**tessera del bancomat**	*tayssayrah dayl bahnkohmaht*
to change	**cambiare**	*kahmbeeahray*
cheque	**assegno bancario**	*ahssaynyoh bahnkahreeoh*
bearer cheque	**assegno al portatore**	*ahssaynyoh ahl pohrtahtohray*
cashier's cheque	**assegno circolare**	*ahssaynyoh cheerkohlahray*
crossed cheque	**assegno sbarrato**	*ahssaynyoh sbahrrahtoh*
not transferable	**non trasferibile**	*nohn trahsfayreebeelay*
cheque book	**libretto d'assegni**	*leebrayttoh dahssaynyee*
to endorse a cheque	**girare un assegno**	*jeerahray oon ahssaynyoh*
counter	**sportello**	*spohrtaylloh*
credit	**credito**	*kraydeetoh*
credit card	**carta di credito**	*kahrtah dee kraydeetoh*
creditor	**creditore**	*kraydeetohray*
currency	**valuta**	*vahlootah*
to debit	**addebitare**	*ahddaybeetahray*
debt	**debito**	*daybeetoh*
debtor	**debitore**	*daybeetohray*
deposit	**deposito/versamento**	*daypohzeetoh/ vayrsahmayntoh*
devaluation	**svalutazione**	*svahlootahtzeeohnay*
dollar	**dollaro**	*dohllahroh*
euro	**euro**	*ayooroh*
exchange rate	**cambio**	*kahmbeeoh*
exchange broker	**cambiavalute**	*kahmbeeahvahlootay*
exchange rate	**corso del cambio**	*kohrsoh dayl kahmbeeoh*
free of taxation	**esente tasse**	*ayzayntay tahssay*
inflation	**inflazione**	*eenflahtzeeohnay*
to insure	**assicurare**	*ahsseekoorahray*
insurance	**assicurazione**	*ahsseekoorahtzeeohnay*
interest	**interesse**	*eentayrayssay*
interest rate	**tasso d'interesse**	*tahssoh deentayrayssay*
maturity	**scadenza**	*skahdayntzah*
mortgage	**ipoteca**	*eepohtaykah*
night safe	**cassa continua**	*kahssah kohnteenooah*
out of circulation	**fuori corso**	*fooohree kohrsoh*
payment	**pagamento**	*pahgahmayntoh*
percentage	**percentuale**	*payrchayntooahlay*
PIN number	**codice segreto/PIN**	*kohdeechay saygraytoh/ peen*
pound	**sterlina**	*stayrleenah*
ready money	**contante**	*kohntahntay*
receipt	**ricevuta**	*reechayvootah*
to refund	**rimborsare**	*reembohrsahray*
refund	**rimborso**	*reembohrsoh*

rise	**rialzo**	*reeahltzoh*
safe deposit-box	**cassetta di sicurezza**	*kahssayttah dee seekooraytztzah*
share	**azione**	*ahtzeeohnay*
Stock Exchange	**Borsa Valori**	*bohrsah vahlohree*
till	**cassa/sportello**	*kahssah/spohrtaylloh*
to withdraw	**prelevare**	*praylayvahray*
withdrawal	**prelievo**	*prayleeayvoh*

SITUATIONAL DIALOGUES

Where's the nearest bank?
Dov'è la banca più vicina?
dohvay lah bahnkah peeoo veecheenah

Is there an exchange office?
C'è un ufficio di cambio?
chay oon ooffeechoh dee kahmbeeoh

What's today's exchange rate for the euro?
Qual è il corso del cambio dell'euro oggi?
kwahlay eel kohrsoh dayl kahmbeeoh dayllayooroh ohdgee

I'd like to change 100 pounds into euros
Vorrei cambiare 100 sterline in euro
vohrrayee kahmbeeahray chayntoh stayrleenay een ayooroh

I wish to cash a traveller's cheque
Vorrei incassare un traveller's cheque
vohrrayee eenkahssahray oon trahvaylayrs chayk

Please, give me two dollars in small change, the rest in banknotes
Per favore, mi dia due dollari in moneta spicciola, il resto in banconote
payr fahvohray mee deeah dooay dohllahree een mohnaytah speechchohlah eel raystoh een bahnkohnohtay

Ha un documento personale?
ah oon dohkoomayntoh payrsohnahlay
Have you any personal document?

Here is my passport
Ecco il mio passaporto
aykkoh eel meeoh pahssahpohrtoh

Per favore, firmi questa ricevuta
payr fahvohray feermee kwaystah reechayvootah
Sign this receipt, please

Where do I have to sign?
Dove devo firmare?
dohvay dayvoh feermahray

Can you fax my bank in London?
Può mandare un fax alla mia banca a Londra?
poooh mahndahray oon fahks ahllah meeah bahnkah ah lohndrah

I want to deposit... in account number... account holder
Desidero fare un versamento di... sul conto numero... intestato a...
dayzeedayroh fahray oon vayrsahmayntoh dee... sool kohntoh noomayroh... eentaystahtoh ah...

I want to open an account	**Desidero aprire un conto** *dayzeedayroh ahpreeray oon kohntoh*
I want to withdraw... euro	**Desidero prelevare... euro** *dayzeedayroh praylayvahray... ayooroh*

Using a cash machine

Inserire la carta	*eensayreeray lah kahrtah*	Insert card
Digitare il codice segreto	*deejeetahray eel kohdeechay saygraytoh*	Enter PIN
Cancella dato	*kahnchayllah dahtoh*	Cancel
Conferma dato	*kohnfayrmah dahtoh*	Confirm
Esegui	*ayzaygwee*	Enter
Prelievo	*prayleeayvoh*	Withdrawal
Versamento	*vayrsahmayntoh*	Payment
Saldo	*sahldoh*	Balance
Operazione in corso	*ohpayrahtzeeohnay een kohrsoh*	Wait
Annulla operazione	*ahnnoollah ohpayrahtzeeohnay*	Cancel operation
Vuoi lo scontrino?	*voooohee loh skohntreenoh*	Receipt?
Ritira la carta/i soldi/ lo scontrino entro... secondi	*reeteerah lah kahrtah/ ee sohldee/ loh skohntreenoh ayntroh... saykohndee*	Remove/take the card/ money/receipt within... seconds

Business

TARGET LANGUAGE

account	**conto**	*kohntoh*
to pay a deposit	**lasciare un acconto**	*lahshahray oon ahkkohntoh*
accountant	**contabile**	*kohntahbeelay*
addressee	**destinatario**	*daysteenahtahreeoh*
advertisement	**pubblicità**	*poobbleecheetah*
agency	**agenzia**	*ahjayntzeeah*
agent	**agente**	*ahjayntay*
agreement	**accordo**	*ahkkohrdoh*
application	**domanda**	*dohmahndah*
supply and demand	**domanda e offerta**	*dohmahndah ay ohffayrtah*
assets	**(bilancio) attivo**	*(beelahnchoh) ahtteevoh*
assortment	**assortimento**	*ahssohrteemayntoh*

auction	**asta**	*ahstah*
balance sheet	**bilancio**	*beelahnchoh*
bankruptcy	**fallimento**	*fahlleemayntoh*
to go bankrupt	**fallire**	*fahlleeray*
bargain	**occasione**	*ohkkahzeeohnay*
bill of lading	**polizza di carico**	*pohleetztzah dee kahreekoh*
board of directors	**consiglio**	*kohnseellyoh*
Board of Trade	**Ministero del Commercio**	*meeneestayroh dayl kohmmayrchoh*
bookkeeping	**contabilità**	*kohntahbeeleetah*
branch	**filiale**	*feeleeahlay*
broker	**mediatore**	*maydeeahtohray*
budget	**bilancio preventivo**	*beelahnchoh prayvaynteevoh*
business consultant	**commercialista**	*kohmmayrchahleestah*
to buy	**comprare**	*kohmprahray*
cash	**cassa/contanti**	*kahssah/kohntahntee*
cashier	**cassiere**	*kahsseeayray*
catalogue	**catalogo**	*kahtahlohgoh*
certificate of origin	**certificato d'origine**	*chayrteefeekahtoh dohreejeenay*
Chamber of Commerce	**Camera di commercio**	*kahmayrah dee kohmmayrchoh*
charter-party	**contratto di noleggio**	*kohntrahttoh dee nohlaydgoh*
to clear	**sdoganare**	*sdohgahnahray*
clearance sale	**vendita di liquidazione**	*vayndeetah dee leekweedahtzeeohnay*
client	**cliente**	*kleeayntay*
company	**società**	*sohchaytah*
limited	**a responsabilità limitata**	*ah rayspohnsahbeeleetah leemeetahtah*
public limited	**per azioni**	*payr ahtzeeohnee*
compensation	**risarcimento**	*reezahrcheemayntoh*
competition	**concorrenza**	*kohnkohrrayntzah*
complaint	**reclamo**	*rayklahmoh*
contract	**contratto**	*kohntrahttoh*
to cost	**costare**	*kohstahray*
cost	**costo**	*kohstoh*
customer	**cliente**	*kleeayntay*
dealer	**commerciante**	*kohmmayrchahntay*
delivery	**consegna**	*kohnsaynyah*
delivery-note	**lettera di carico**	*layttayrah dee kahreekoh*
demand	**domanda**	*dohmahndah*
deposit	**caparra**	*kahpahrrah*
discount	**sconto**	*skohntoh*

double entry	**partita doppia**	*pahrteetah dohppeeah*
draft	**tratta**	*trahttah*
economy	**economia**	*aykohnohmeeah*
to earn	**guadagnare**	*gwahdahnyahray*
earnings	**guadagno**	*gwadahnyoh*
endorsement	**girata**	*jeerahtah*
to employ	**impiegare**	*eempeeaygahray*
employee	**impiegato**	*eempeeaygahtoh*
employment	**impiego**	*eempeeaygoh*
to estimate	**stimare**	*steemahray*
exhibition	**esposizione**	*ayspohzeetzeeohnay*
expense	**spesa**	*spayzah*
expensive	**costoso**	*kohstohzoh*
expiry date/deadline	**scadenza**	*skahdayntzah*
export	**esportazione**	*ayspohrtahtzeeohnay*
export licence	**licenza di esportazione**	*leechayntzah dee ayspohrtahtzeeohnay*
export duty	**dazio di esportazione**	*dahtzeeoh dee ayspohrtahtzeeohnay*
factory	**fabbrica**	*fahbbreekah*
firm/company	**ditta**	*deettah*
forwarding	**spedizione**	*spaydeetzeeohnay*
forwarding agent	**spedizioniere**	*spaydeetzeeohneeayray*
forwarding charges	**spese di spedizione**	*spayzay dee spaydeetzeeohnay*
free of charge	**gratis**	*grahtees*
goods	**merce**	*mayrchay*
guarantee	**garanzia**	*gahrahntzeeah*
hand-made	**fatto a mano**	*fahttoh ah mahnoh*
to import	**importare**	*eempohrtahray*
importation	**importazione**	*eempohrtahtzeeohnay*
in account	**in acconto**	*een ahkkohntoh*
in advance	**in anticipo**	*een ahnteecheepoh*
income	**entrata**	*ayntrahtah*
increase	**aumento**	*ahoomayntoh*
indemnity	**risarcimento**	*reezahrcheemayntoh*
industry	**industria**	*eendoostreeah*
insurance	**assicurazione**	*ahsseekoorahtzeeohnay*
damage to third persons	**assicurazione per danni contro terzi**	*ahsseekoorahtzeeohnay payr dahnnee kohntroh tayrtzee*
insurance against fire	**assicurazione contro incendi**	*ahsseekoorahtzeeohnay kohntroh eenchayndee*
insurance against theft	**assicurazione contro il furto**	*ahsseekoorahtzeeohnay kohntroh eel foortoh*
insurance company	**compagnia di assicurazioni**	*kohmpahnyeeah dee ahsseekoorahtzeeohnee*

life insurance — **assicurazione sulla vita** — *ahsseekoorahtzeeohnay soollah veetah*
investment — **investimento** — *eenvaysteemayntoh*
invoice — **fattura** — *fahttoorah*
item — **articolo** — *ahrteekohloh*
labour — **manodopera** — *mahnohdohpayrah*
lease — **contratto d'affitto** — *kohntrahttoh dahffeettoh*
to lend — **prestare** — *praystahray*
letter of credit — **lettera di credito** — *layttayrah dee kraydeetoh*
liabilities — **(bilancio) passivo** — *(beelahnchoh) pahsseevoh*
load — **carico** — *kahreekoh*
loan — **prestito** — *praysteetoh*
loss — **perdita** — *payrdeetah*
machine-made — **fatto a macchina** — *fahttoh ah mahkkeenah*
management — **direzione** — *deeraytzeeohnay*
managing director — **amministratore delegato** — *ahmmeeneestrahtohray daylaygahtoh*
to manufacture — **fabbricare** — *fahbbreekahray*
money — **denaro** — *daynahroh*
occasion — **occasione** — *ohkkahzeeohnay*
offer — **offerta** — *ohffayrtah*
order — **ordinazione/ordine** — *ohrdeenahtzeeohnay/ohrdeenay*
order of payment — **ordine di pagamento** — *ohrdeenay dee pahgahmayntoh*
owner — **proprietario** — *prohpreeaytahreeoh*
ownership — **proprietà** — *prohpreeaytah*
packaging — **imballaggio** — *eembahllahdgoh*
parcel — **pacco** — *pahkkoh*
parcel post — **pacco postale** — *pahkkoh pohstahlay*
partner — **socio** — *sohchoh*
patent — **brevetto** — *brayvayttoh*
to pay — **pagare** — *pahgahray*
in advance — **anticipatamente** — *ahnteecheepahtah-mayntay*
in cash — **in contanti** — *een kohntahntee*
in instalments — **a rate** — *ah rahtay*
to pay for damages — **risarcire** — *reezahrcheeray*
to pay on delivery — **pagare alla consegna** — *pahgahray ahllah kohnsaynyah*
payment — **pagamento** — *pahgahmayntoh*
percentage — **percentuale** — *payrchayntooahlay*
photocopy — **fotocopia** — *fohtohkohpeeah*
price — **prezzo** — *praytztzoh*
cheap — **conveniente** — *kohnvayneeayntay*
cut/reduced — **scontato** — *skohntahtoh*
fixed — **fisso** — *feessoh*

high	**alto**	*ahltoh*
low	**basso**	*bahssoh*
price-list	**listino prezzi**	*leesteenoh praytztzee*
proceeds	**ricavo**	*reekahvoh*
to produce	**produrre**	*prohdoorray*
producer	**produttore**	*prohdoottohray*
product	**prodotto**	*prohdohttoh*
production	**produzione**	*prohdootzeeohnay*
profit	**profitto**	*prohfeettoh*
profitable	**vantaggioso**	*vahntahdgohzoh*
promissory note	**pagherò**	*pahghayroh*
protest	**protesto**	*prohtaystoh*
to purchase	**acquistare**	*ahkkweestahray*
remittance	**rimessa di denaro**	*reemayssah dee daynahroh*
request	**richiesta**	*reekeeaystah*
retailer	**dettagliante**	*dayttahllyahntay*
salary	**stipendio**	*steepayndeeoh*
sale	**vendita**	*vayndeetah*
sale price	**prezzo di vendita**	*praytztzoh dee vayndeetah*
sample	**campione**	*kahmpeeohnay*
sample-book	**campionario**	*kahmpeeohnahreeoh*
sample fair	**fiera campionaria**	*feeayrah kahmpeeohnahreeah*
to sell	**vendere**	*vayndayray*
seller	**venditore**	*vayndeetohray*
selling off	**smercio**	*smayrchoh*
signature	**firma**	*feermah*
sold out	**esaurito**	*ayzahooreetoh*
specimen	**esemplare**	*ayzaymplahray*
to spend	**spendere**	*spayndayray*
staff	**personale**	*payrsohnahlay*
stock	**scorta**	*skohrtah*
store-house	**magazzino**	*mahgahdzdzeenoh*
to supply	**fornire**	*fohrneeray*
supplier	**fornitore**	*fohrneetohray*
supply	**rifornimento**	*reefohrneemayntoh*
to tax	**tassare**	*tahssahray*
tax	**tassa**	*tahssah*
trade	**commercio**	*kohmmayrchoh*
foreign trade	**commercio estero**	*kohmmayrchoh aystayroh*
retail trade	**commercio al minuto**	*kohmmayrchoh ahl meenootoh*
wholesale trade	**commercio all'ingrosso**	*kohmmayrchoh ahlleengrohssoh*
trademark	**marchio**	*mahrkeeoh*
tradesman	**negoziante**	*naygohtzeeahntay*

to transfer	**cedere**	*chaydayray*
to transact	**trattare**	*trahttahray*
transaction	**trattativa**	*trahttahteevah*
to transport	**trasportare**	*trahspohrtahray*
traveller	**viaggiatore**	*veeahdgahtohray*
to undersale	**svendere**	*svayndayray*
undersale	**svendita**	*svayndeetah*
unemployed	**disoccupato**	*deezohkkoopahtoh*
unemployment	**disoccupazione**	*deezohkkoopahtzeeohnay*
to unload	**scaricare**	*skahreekahray*
V.A.T.	**I.V.A.**	*eevah*
visa	**visto**	*veestoh*
to value	**valutare**	*vahlootahray*
weight	**peso**	*payzoh*
gross	**lordo**	*lohrdoh*
net	**netto**	*nayttoh*
winding up	**liquidazione d'affari**	*leekweedahtzeeohnay dahffahree*
workman	**operaio**	*ohpayraheeoh*
workshop	**officina**	*ohffeecheenah*
to yield	**fruttare**	*froottahray*

SITUATIONAL DIALOGUES

Here's my card — **Ecco il mio biglietto da visita**
aykkoh eel meeoh beellyayttoh dah veezeetah

Please, tell the manager that I am here — **Voglia annunciarmi al direttore**
vohllyah ahnnoonchahrmee ahl deerayttohray

I have an appointment with... — **Ho un appuntamento con...**
oh oon ahppoontahmayntoh kohn...

I'll call again later on — **Ripasserò più tardi**
reepahssayroh peeoo tahrdee

I'll phone to fix an appointment — **Telefonerò per fissare un appuntamento**
taylayfohnayroh payr feessahray oon ahppoontahmayntoh

When will he see me? — **Quando potrà ricevermi?**
kwahndoh pohtrah reechayvayrmee

Thank you, I'll wait — **Grazie, attenderò**
grahtzeeay ahttayndayroh

Lieto di fare la sua conoscenza — I'm glad to meet you
leeaytoh dee fahray lah sooah kohnohshayntzah

Can you give me an estimate of the cost? — **Può farmi un preventivo?**
poooh fahrmee oon prayvaynteevoh

I'd like to buy...	**Vorrei comprare...** *vohrrayee kohmprahray...*
Your prices are too high	**I suoi prezzi sono troppo alti** *ee sooohee praytztzee sohnoh trohppoh ahltee*
Could you make a discount?	**Potrebbe farmi uno sconto?** *pohtraybbay fahrmee oonoh skohntoh*
Spiacente, ma non sono autorizzato a fare sconti su prezzi di listino *speeahchayntay mah nohn sohnoh ahootohreedzdzahtoh ah fahray skohntee soo praytztzee dee leesteenoh*	Sorry, but I'm not entitled to make discounts on the price list
What are your conditions?	**Quali sono le sue condizioni?** *kwahlee sohnoh lay sooay kohndeetzeeohnee*
Sono pronto a farvi un prezzo di favore *sohnoh prohntoh ah fahrvee oon praytztzoh dee fahvohray*	I'm ready to make a special price for you
How do you wish payment to be made?	**Come desidera ricevere il pagamento?** *kohmay dayzeedayrah reechayvayray eel pahgahmayntoh*
Alla consegna *ahllah kohnsaynyah*	On delivery
A 60 giorni dall'emissione della fattura *ah sayssahntah johrnee dahllaymeesseeohnay dayllah fahttoorah*	60 days from date of invoice
I'm ready to pay a deposit in advance	**Sono disposto a versare una caparra in anticipo** *sohnoh deespohstoh ah vayrsahray oonah kahpahrrah een ahnteecheepoh*
Will you give me a receipt, please?	**Mi prepari una ricevuta, per favore** *mee praypahree oonah reechayvootah payr fahvohray*
Can you provide me with an interpreter?	**Può procurarmi un interprete?** *poooh prohkoorahrmee oon eentayrpraytay*

Business correspondence

INTRODUCTORY PHRASEOLOGY

Egregio Signore, abbiamo ricevuto la sua lettera del...	*aygrayjoh seenyeeohray ahbbeeahmoh reechayvootoh lah sooah layttayrah dayl...*	Dear Sir, we have received your letter of...
Ci dispiace doverle dire che...	*chee deespeeahchay dohvayrlay deeray kay...*	We are sorry to tell you that...

Desideriamo entrare in relazione d'affari con la sua ditta	*dayzeedayreeahmoh ayntrahray een raylahtzeeohnay dahffahree kohn lah sooah deettah*	We would be glad to enter into business connection with your firm
Con riferimento alla vostra offerta del..., vi preghiamo di farci sapere se...	*kohn reefayreemayntoh ahllah vohstrah ohffayrtah dayl... vee praygheeahmoh dee fahrchee sahpayray say...*	With reference to your offer of... please let us know if...

COMPLIMENTARY CLOSES

In attesa di una sua sollecita risposta	*een ahttayzah dee oonah sooah sohllaycheetah reespohstah*	Hoping to hear from you at your earliest convenience
Sperando di ricevere conferma della sua ordinazione	*spayrahndoh dee reechayvayray kohnfayrmah dayllah sooah ohrdeenahtzeeohnay*	Hoping to receive confirmation of your order
La ringrazio in anticipo	*lah reengrahtzeeoh een ahnteecheepoh*	I thank you in advance
In attesa di una vostra risposta porgiamo distinti saluti	*een ahttayzah dee oonah vohstrah reespohstah pohrjahmoh deesteentee sahlootee*	We look forward to hearing from you. Yours faithfully...

9 • HEALTH AND MEDICAL ASSISTANCE

Parts of the body

TARGET LANGUAGE		
abdomen	**addome**	*ahddohmay*
ankle	**caviglia**	*kahveellyah*
appendix	**appendice**	*ahppayndeechay*
arm	**braccio**	*brahchchoh*
artery	**arteria**	*ahrtayreeah*
back	**schiena**	*skeeaynah*
bladder	**vescica**	*vaysheekah*
blood	**sangue**	*sahngway*
body	**corpo**	*kohrpoh*
bone	**osso**	*ohssoh*
bottom	**sedere**	*saydayray*
breasts	**seni**	*saynee*
brain	**cervello**	*chayrvaylloh*
cheek	**guancia**	*gwahnchah*
chest	**torace**	*tohrahchay*
chin	**mento**	*mayntoh*
collarbone	**clavicola**	*klahveekohlah*
ear	**orecchio**	*ohraykkeeoh*
elbow	**gomito**	*gohmeetoh*
eye	**occhio**	*ohkkeeoh*
faeces	**feci**	*faychee*
face	**faccia/viso**	*fahchchah/veezoh*
fibula	**perone**	*payrohnay*
finger	**dito (della mano)**	*deetoh (dayllah mahnoh)*
thumb	**pollice**	*pohlleechay*
index finger	**indice**	*eendeechay*
middle finger	**medio**	*maydeeoh*
ring finger	**anulare**	*ahnoolahray*
little finger	**mignolo**	*meenyohloh*
foot	**piede**	*peeayday*
forehead	**fronte**	*frohntay*
gland	**ghiandola**	*gheeahndohlah*
gum	**gengiva**	*jaynjeevah*
hair	**capelli**	*kahpayllee*
hand	**mano**	*mahnoh*
head	**testa**	*taystah*
heart	**cuore**	*kwohray*
heel	**tallone**	*tahllohnay*

hip	**anca**	*ahnkah*
intestine	**intestino**	*eentaysteenoh*
jaw	**mascella**	*mahshayllah*
joint	**articolazione**	*ahrteekohlatzeeohnay*
kidney	**rene**	*raynay*
knee	**ginocchio**	*jeenohkkeeoh*
leg	**gamba**	*gahmbah*
lips	**labbra**	*lahbbrah*
liver	**fegato**	*faygahtoh*
lung	**polmone**	*pohlmohnay*
mouth	**bocca**	*bohkkah*
muscle	**muscolo**	*mooskohloh*
nail	**unghia**	*oongheeah*
neck	**collo**	*kohlloh*
nerve	**nervo**	*nayrvoh*
nervous system	**sistema nervoso**	*seestaymah nayhrvohzoh*
nose	**naso**	*nahzoh*
nostril	**narice**	*nahreechay*
ovaries	**ovaie**	*ohvaheeay*
palate	**palato**	*pahlahtoh*
pelvis	**bacino**	*bahcheenoh*
penis	**pene**	*paynay*
prostate	**prostata**	*prohstahtah*
rib	**costola**	*kohstohlah*
shinbone	**tibia**	*teebeeah*
shoulder	**spalla**	*spahllah*
skeleton	**scheletro**	*skaylaytroh*
skin	**pelle**	*payllay*
skull	**cranio**	*krahneeoh*
spleen	**milza**	*meeltzah*
spine	**spina dorsale**	*speenah dohrsahlay*
stomach	**stomaco/pancia**	*stohmahkoh/pahnchah*
tendon	**tendine**	*tayndeenay*
thigh	**coscia**	*kohshah*
thigh bone	**femore**	*faymohray*
throat	**gola**	*gohlah*
toe	**dito (del piede)**	*deetoh (dayl peeayday)*
big toe	**alluce**	*ahlloochay*
little toe	**mignolo**	*meenyohloh*
tongue	**lingua**	*leengwah*
tonsils	**tonsille**	*tohnseellay*
urine	**urina**	*ooreenah*
vagina	**vagina**	*vahjeenah*
vein	**vena**	*vaynah*
vertebra	**vertebra**	*vayrtaybrah*
womb	**utero**	*ootayroh*
wrist	**polso**	*pohlsoh*

The senses

TARGET LANGUAGE

hearing/to hear	**udito/udire**	*oodeetoh/oodeeray*
sight/to see	**vistà/vedere**	*veestah/vaydayray*
smell/to smell	**odorato/ odorare**	*ohdohrahtoh/ ohdohrahray*
taste/to taste	**gusto/ gustare**	*goostoh/ goostahray*
touch/to touch	**tatto/tastare**	*tahttoh/tahstahray*

Illnesses and symptoms

TARGET LANGUAGE

abrasion	**abrasione**	*ahbrahzeeohnay*
Aids	**Aids**	*aheedz*
allergy	**allergia**	*ahllayrjeeah*
appendicitis	**appendicite**	*ahppayndeecheetay*
arthritis	**artrite**	*ahrtreetay*
asthma	**asma**	*ahzmah*
breathlessness	**affanno**	*ahffahnnoh*
bronchitis	**bronchite**	*brohnkeetay*
cancer	**cancro**	*kahnkroh*
chicken pox	**varicella**	*vahreechayllah*
cold	**raffreddore**	*rahffrayddohray*
colic	**colica**	*kohleekah*
colitis	**colite**	*kohleetay*
collapse	**collasso**	*kohllahssoh*
heart failure	**collasso cardiaco**	*kohllahssoh kahrdeeahkoh*
concussion	**commozione cerebrale**	*kohmmohtzeeohnay chayraybrahlay*
congestion	**congestione**	*kohnjaysteeohnay*
conjunctivitis	**congiuntivite**	*kohnjoonteeveetay*
constipation	**stitichezza**	*steeteekaytztzah*
cough	**tosse**	*tohssay*
whooping cough	**tosse convulsa**	*tohssay kohnvoolsah*
cramps	**crampi**	*krahmpee*
cystitis	**cistite**	*cheesteetay*
deafness	**sordità**	*sohrdeetah*
diabetis	**diabete**	*deeahbaytay*
diarrhoea	**diarrea**	*deeahrrayah*
dislocation	**lussazione**	*loossahtzeeohnay*
dizziness	**giramento di testa**	*jeerahmayntoh dee taystah*

drug addiction	**tossicodipendenza**	*tohsseekohdeepayn-dayntzah*
epilepsy	**epilessia**	*aypeelaysseeah*
fainting	**svenimento**	*svayneemayntoh*
fever	**febbre**	*faybbray*
hay fever	**febbre da fieno**	*faybbray dah feeaynoh*
flu	**influenza**	*eenflooayntzah*
food poisoning	**intossicazione alimentare**	*eentohsseekahtzeeohnay ahleemayntahray*
fracture	**frattura**	*frahttoorah*
gangrene	**cancrena**	*kahnkraynah*
haemorrhage	**emorragia**	*aymohrrahjeeah*
brain haemorrhage	**emorragia cerebrale**	*aymohrrahjeeah chayraybrahlay*
heartburn	**bruciore di stomaco**	*broochohray dee stohmahkoh*
heart attack	**infarto**	*eenfahrtoh*
hernia	**ernia**	*ayrneeah*
hypertension	**ipertensione**	*eepayrtaynseeohnay*
indigestion	**indigestione**	*eendeejaysteeohnay*
inflammation	**infiammazione**	*eenfeeahmmahtzeeohnay*
infection	**infezione**	*eenfaytzeeohnay*
insect bite	**puntura d'insetto**	*poontoorah deensayttoh*
insomnia	**insonnia**	*eensohnneeah*
itch	**prurito**	*prooreetoh*
jaundice	**itterizia**	*eettayreetzeeah*
labour pains	**doglie**	*dohllyay*
lumbago	**lombaggine**	*lohmbahdgeenay*
measles	**morbillo**	*mohrbeelloh*
migraine	**emicrania**	*aymeekrahneeah*
miscarriage	**aborto (spontaneo)**	*ahbohrtoh (spohntahnayoh)*
abortion	**aborto (provocato)**	*ahbohrtoh (prohvohkahtoh)*
nausea	**nausea**	*nahoozayah*
nervous breakdown	**esaurimento nervoso**	*ayzahooreemayntoh nayrvohzoh*
neuralgia	**nevralgia**	*nayvrahljeeah*
otitis	**otite**	*ohteetay*
pain	**dolore**	*dohlohray*
period pains	**dolori mestruali**	*dohlohree maystrooahlee*
paralysis	**paralisi**	*pahrahleezee*
peritonitis	**peritonite**	*payreetohneetay*
piles	**emorroidi**	*aymohrroheedee*
pneumonia	**polmonite**	*pohlmohneetay*
rheumatism	**reumatismo**	*rayoomahteesmoh*
scarlet fever	**scarlattina**	*skahrlahtteenah*
shivers	**brividi**	*breeveedee*

smallpox	**vaiolo**	*vaheeohloh*
sore throat	**mal di gola**	*mahl dee gohlah*
sprain	**distorsione**	*deestohrseeohnay*
stone	**calcolo**	*kahlkohloh*
gallstone	**calcolo biliare**	*kahlkohloh beeleeahray*
kidney stone	**calcolo renale**	*kahlkohloh raynahlay*
sunstroke	**colpo di sole**	*kohlpoh dee sohlay*
swelling	**gonfiore**	*gohnfeeohray*
tetanus	**tetano**	*taytahnoh*
thrombosis	**trombosi**	*trohmbohzee*
tumour	**tumore**	*toomohray*
benign	**benigno**	*bayneenyoh*
malignant	**maligno**	*mahleenyoh*
ulcer	**ulcera**	*oolchayrah*
stomach ulcer	**ulcera gastrica**	*oolchayrah gahstreekah*
varicose veins	**vene varicose**	*vaynay vahreekohzay*
vertigo	**vertigini**	*vayrteejeenee*
vomit	**vomito**	*vohmeetoh*
weakness	**spossatezza**	*spohssahtaytztzah*

Medical assistance

Specialist physicians and clinical tests

TARGET LANGUAGE

blood test	**esame del sangue**	*ayzahmay dayl sahngway*
to make a blood sample	**fare un prelievo di sangue**	*fahray oon prayleeayvoh dee sahngway*
CAT scan	**TAC**	*tahk*
cardiologist	**cardiologo**	*kahrdeeohlohgoh*
dermatologist	**dermatologo**	*dayrmahtohlohgoh*
doctor	**medico**	*maydeekoh*
ear, nose and throat specialist	**otorinolaringoiatra**	*ohtohreenohlahreen-goheeahtrah*
electrocardiogram	**elettrocardiogramma**	*aylayttrohkahrdeeoh-grahmmah*
eye specialist	**oculista**	*ohkooleestah*
ginaecologist	**ginecologo**	*jeenaykohlohgoh*
internist	**internista**	*eentayrneestah*
obstetrician	**ostetrico**	*ohstaytreekoh*
paediatrician	**pediatra**	*paydeeahtrah*
scan	**ecografia**	*aykohgrahfeeah*
specialist	**specialista**	*spaychahleestah*
surgeon	**chirurgo**	*keeroorgoh*
urine test	**esame delle urine**	*ayzahmay dayllay ooreenay*

urologist — **urologo** — *oorohlohgoh*
X-ray — **radiografia** — *rahdeeohgrahfeeah*

At the doctor's

SITUATIONAL DIALOGUES

Where's the surgery?
Dov'è l'ambulatorio?
dohvay lahmboolahtohreeoh

What are the surgery hours?
Qual è l'orario di ambulatorio?
kwahlay lohrahreeoh dee ahmboolahtohreeoh

My ankle is swollen
La mia caviglia è gonfia
lah meeah kahveellyah ay gohnfeeah

I'm not feeling well
Non mi sento bene
nohn mee sayntoh baynay

I've got a fever
Ho la febbre
oh lah faybbray

My blood pressure is too low
La mia pressione è troppo bassa
lah meeah praysseeohnay ay trohppoh bahssah

I feel faint/dizzy
Mi sento svenire/Mi gira la testa
mee sayntoh svayneeray/mee jeerah lah taystah

I want to go to the hospital for a general check up
Voglio andare all'ospedale per un controllo generale
vohllyoh ahndahray ahllohspaydahlay payr oon kohntrohlloh jaynayrahlay

I can't move my arm
Non posso muovere il braccio
nohn pohssoh mooohvayray eel brahchchoh

It hurts
Mi fa male
mee fah mahlay

> **Dove sente dolore?**
> *dohvay sayntay dohlohray*
> Where does it hurt?

My stomach is hurting me
Mi fa male lo stomaco
mee fah mahlay loh stohmahkoh

> **Che genere di dolore sente?**
> *kay jaynayray dee dohlohray sayntay*
> What kind of pain is it?

It's a sharp/dull pain
È un dolore acuto/sordo
ay oon dohlohray ahkootoh/sohrdoh

> **Da quanto tempo ha questo dolore?**
> *dah kwahntoh taympoh ah kwaystoh dohlohray*
> How long have you had this pain?

I've had it for two days
Da due giorni
dah dooay johrnee

Che cura fa?
kay koorah fah
What treatment are you having?

I'm receiving treatment for cancer
Mi sto sottoponendo a una cura contro il cancro
mee stoh sohttohpohnayndoh ah oonah koorah kohntroh eel kahnkroh

Si spogli, per favore
see spohllyee payr fahvohray
Could you take your clothes off, please?

Respiri profondamente
rayspeeree prohfohndahmayntay
Breathe deeply

Quali farmaci prende?
kwahlee fahrmahchee prayndav
What medicine are you taking?

È allergico a qualcosa?
ay ahllayrjeekoh ah kwahlkohzah
Are you allergic to anything?

I'm allergic to antibiotics
Sono allergico agli antibiotici
sohnoh ahllayrjeekoh ahllyee ahnteebeeohteechee

What can you prescribe for the pain in my back?
Cosa mi può prescrivere per il mal di schiena?
kohzah mee pooh prayskreevayray payr eel mahl dee skeeaynah

Can you give me a prescription for a tranquillizer?
Può farmi una ricetta per un tranquillante?
poooh fahrmee oonah reechayttah payr oon trahnkweellahntay

How many times a day should I take these pills?
Quante volte al giorno devo prendere queste pillole?
kwahntay vohltay ahl johrnoh dayvoh prayndayray kwaystay peellohlay

Deve prendere questa medicina tre volte al giorno
dayvay prayndayray kwaystah maydeecheenah tray vohltay ahl johrnoh
Take this medicine three times a day

Questa è la ricetta
kwaystah ay lah reechayttah
Here's the prescription

Deve fare gli esami del sangue e delle urine
dayvay fahray llyee ayzahmee dayl sahngway ay dayllay ooreenay
You need to have a blood and a urine test

Shall I take this medicine before or after each meal?
Devo prendere questa medicina prima o dopo i pasti?
dayvoh prayndayray kwaystah maydeecheenah preemah oh dohpoh ee pahstee

I've got a terrible pain here
Ho dei forti dolori qui
oh dayee fohrtee dohlohree kwee

Is it serious? **È grave?**
ay grahvay

Non è niente di grave No, it's nothing serious
nohn ay neeayntay dee grahvay

Deve essere ricoverato subito, chiamo l'ambulanza You must go to hospital immediately, I'll call an ambulance
dayvay ayssayray reekohvayrahtoh soobeetoh keeahmoh lahmboolahntzah

May I have a receipt for my health insurance? **Posso avere una ricevuta per la mia assicurazione malattia?**
pohssoh ahvayray oonah reechayvootah payr lah meeah ahsseekoorahtzeeohnay mahlahtteeah

Can I have a medical certificate? **Posso avere un certificato medico?**
pohssoh ahvayray oon chayrteefeekahtoh maydeekoh

How much do I owe you? **Quanto le devo?**
kwahntoh lay dayvoh

Women's problems

I am pregnant. Can I take a painkiller? **Sono incinta. Posso prendere un calmante?**
sohnoh eencheentah pohssoh prayndayray oon kahlmahntay

I am on the pill **Prendo la pillola**
prayndoh lah peellohlah

My period's two weeks late **Ho un ritardo di due settimane**
oh oon reetahrdoh dee dooay saytteemahnay

I'm losing blood **Ho delle perdite di sangue**
oh dayllay payrdeetay dee sahngway

Do you want a specimen of my blood? **Vuole un campione del mio sangue?**
vooohlay oon kahmpeeohnay dayl meeoh sahngway

Lei è incinta You're pregnant
layee ay eencheentah

Lei ha una minaccia di aborto You risk a miscarriage
layee ah oonah meenahchchah dee ahbohrtoh

I'd like a homeopathic medicine **Vorrei una medicina omeopatica**
vohrrayee oonah maydeecheenah ohmayohpahteekah

I'd like a prescription for a packet of my contraceptive **Vorrei la prescrizione per una confezione del mio contraccettivo**
vohrrayee lah prayskreetzeeohnay payr oonah kohnfaytzeeohnay dayl meeoh kohntrachchaytteevoh

Health care

In Italy, the National Health Service (Servizio Sanitario Nazionale) provides free health assistance also to UE citizens with the E111 form who are staying temporarily in Europe (this form can be obtained from the NHS of the country of origin) and to all foreigners in possession of a work permit. In case of emergency, anyone can go to the casualty department (pronto soccorso) of the nearest hospital.

TARGET LANGUAGE

abstinence crisis	**crisi di astinenza**	*kreezee dee ahsteenayntzah*
ambulance	**ambulanza**	*ahmboolahntzah*
anaesthesia	**anestesia**	*ahnaystayzeeah*
antitetanic injection	**iniezione antitetanica**	*eenyaytzeeohnay ahnteetaytahneekah*
bandage	**benda/fascia**	*bayndah/fahshah*
bed	**letto**	*layttoh*
bedpan	**padella/pappagallo**	*pahdayllah/ pahppahgahlloh*
casualty ward	**(di ospedale) pronto soccorso**	*prohntoh sohkkohrsoh*
clinic	**clinica**	*kleeneekah*
consultation	**consulto**	*kohnsooltoh*
contagious	**contagioso**	*kohntahjohzoh*
convalescence	**convalescenza**	*kohnvahlayshayntzah*
crisis	**crisi**	*kreezee*
delivery	**parto**	*pahrtoh*
to give birth	**partorire**	*pahrtohreeray*
department	**reparto**	*raypahrtoh*
diagnosis	**diagnosi**	*deeahnyohzee*
to disinfect	**disinfettare**	*deezeenfayttahray*
epidemic	**epidemia**	*aypeedaymeeah*
fit	**attacco**	*ahttahkkoh*
general practitioner	**medico generico**	*maydeekoh jaynayreekoh*
head physician	**primario**	*preemahreeoh*
health care	**assistenza sanitaria**	*ahsseestayntzah sahneetahreeah*
hospital	**ospedale**	*ohspaydahlay*
hypodermoclysis	**ipodermoclisi**	*eepohdayrmohkleezee*
illness	**malattia**	*mahlahtteeah*
infection	**infezione**	*eenfaytzeeohnay*
injection	**iniezione**	*eenyaytzeeohnay*
intramuscolar injection	**iniezione intramuscolare**	*eenyaytzeeohnay eentrahmooskohlahray*
intravenous injection	**iniezione endovenosa**	*eenyaytzeeohnay ayndohvaynohzah*

laboratory	**laboratorio**	*lahbohrahtohreeoh*
medical examination	**visita medica**	*veezeetah maydeekah*
to examine	**visitare**	*veezeetahray*
medicine	**medicina**	*maydeecheenah*
miscarriage	**aborto**	*ahbohrtoh*
nurse	**infermiera**	*eenfayrmeeayrah*
male nurse	**infermiere**	*eenfayrmeeayray*
to operate	**operare**	*ohpayrahray*
operation	**operazione**	*ohpayrahtzeeohnay*
operating table	**tavolo operatorio**	*tahvohloh ohpayrahtohreeoh*
operating theatre	**sala operatoria**	*sahlah ohpayrahtohreeah*
painkiller	**calmante**	*kahlmahntay*
patient	**malato/paziente**	*mahlahtoh/pahtzeeayntay*
physician	**medico**	*maydeekoh*
pill	**pillola**	*peellohlah*
plaster cast	**ingessatura**	*eenjayssahtoorah*
prescription	**ricetta**	*reechayttah*
radiography	**radiografia**	*rahdeeohgrahfeeah*
to recover	**guarire**	*gwahreeray*
recovery	**guarigione**	*gwahreejohnay*
remedy	**rimedio**	*reemaydeeoh*
specialist physician	**medico specialista**	*maydeekoh spaychahleestah*
stitches	**punti**	*poontee*
stretcher	**lettiga**	*laytteegah*
surgeon	**chirurgo**	*keeroorgoh*
surgery	**ambulatorio**	*ahmboolahtohreeoh*
suture	**sutura**	*sootoorah*
syringe	**siringa**	*seereengah*
transfusion	**trasfusione**	*trahsfoozeeohnay*
treatment	**cura**	*koorah*
to treat	**medicare**	*maydeekahray*
vaccination	**vaccinazione**	*vahchcheenahtzeeohnay*
ward	**corsia**	*kohrseeah*
X-rays	**raggi X**	*rahdgee eeks*

SITUATIONAL DIALOGUES

Where's casualty/ the hospital?
Dov'è il pronto soccorso/l'ospedale?
dohvay eel prohntoh sohkkohrsoh/lohspaydahlay

I've gone into labour
Ho le doglie
oh lay dohllyay

Where's the department of gynaecology?
Dov'è il reparto di ginecologia?
dohvay eel raypahrtoh dee jeenaykohlohjeeah

What are the visiting times? **Qual è l'orario di visita?** *kwahlay lohrahreeoh dee veezeetah*

Can you notify my family? **Potete avvisare la mia famiglia?** *pohtaytay ahvveezahray lah meeah fahmeellyah*

When are they going to discharge me? **Quando mi dimettono?** *kwahndoh mee deemayttohnoh*

At the dentist's

TARGET LANGUAGE

abscess (on the tooth)	**ascesso**	*ahshayssoh*
anaesthetic	**anestetico**	*ahnaystayteekoh*
caries	**carie**	*kahreeay*
crown	**capsula**	*kahpsoolah*
decayed tooth	**dente cariato**	*dayntay kahreeahtoh*
dental drill	**trapano**	*trahpahnoh*
dental impression	**impronta**	*eemprohntah*
denture	**dentiera/protesi**	*daynteeayrah/prohtayzee*
disinfection	**disinfezione**	*deezeenfaytzeeohnay*
enamel	**smalto**	*zmahltoh*
to extract a tooth	**estrarre un dente**	*aystrahrray oon dayntay*
extraction	**estrazione**	*aystrahtzeeohnay*
false teeth	**denti finti**	*dayntee feentee*
to fill	**otturare**	*ohttoorahray*
filling	**otturazione**	*ohttoorahtzeeohnay*
to gargle	**fare gargarismi**	*fahray gahrgahreezmee*
gengivitis	**gengivite**	*jaynjeeveetay*
gum	**gengiva**	*jaynjeevah*
to medicate	**medicare**	*maydeekahray*
medication	**medicazione**	*maydeekahtzeeohnay*
mouth	**bocca**	*bohkkah*
nerve	**nervo**	*nayrvoh*
root	**radice**	*rahdeechay*
set of teeth	**dentatura**	*dayntahtoorah*
tartar	**tartaro**	*tahrtahroh*
tooth	**dente**	*dayntay*
canine tooth	**dente canino**	*dayntay kahneenoh*
incisor	**incisivo**	*eencheezeevoh*
milk tooth	**dente da latte**	*dayntay dah lahttay*
molar	**molare**	*mohlahray*
wisdom tooth	**dente del giudizio**	*dayntay dayl joodeetzeeoh*
toothache	**mal di denti**	*mahl dee dayntee*
toothbrush	**spazzolino**	*spahtztzohleenoh*
toothpaste	**dentifricio**	*daynteefreechoh*

SITUATIONAL DIALOGUES

Can I have an appointment as soon as possible?	**Può fissarmi un appuntamento il più presto possibile?** *poooh feessahrmee oon ahppoontahmayntoh eel peeoo praystoh pohsseebeelay*
I've got toothache	**Ho mal di denti** *oh mahl dee dayntee*
This molar hurts at the bottom	**Questo molare mi duole in basso** *kwaystoh mohlahray mee dooohlay een bahssoh*

Apra bene la bocca *ahprah baynay lah bohkkah*	Open your mouth wide
Mi dica quando fa molto male *mee deekah kwahndoh fah mohltoh mahlay*	Tell me when it hurts
Bisogna togliere questo dente *beezohnyah tohllyayray kwaystoh dayntay*	I'll have to take this tooth out

Could you give me an anaesthetic?	**Può farmi l'anestesia?** *poooh fahrmee lahnaystayzeeah*
I have a decayed tooth. Can you fix it temporarily?	**Ho un dente cariato. Può curarlo provvisoriamente?** *oh oon dayntay kahreeahtoh poooh koorahrloh prohvveezohreeahmayntay*
Give me a temporary filling	**Fatemi una otturazione provvisoria** *fahtaymee oonah ohttoorahtzeeohnay prohvveezohreeah*

Sciacqui *see shahkkwee*	Rinse your mouth
Stringa forte i denti *streengah fohrtay ee dayntee*	Clench your teeth tightly
Non mastichi da questo lato per un paio di ore *nohn mahsteekee dah kwaystoh lahtoh payr oon paheeoh dee ohray*	Don't chew on this side for a couple of hours

I've broken my denture	**Ho rotto la dentiera** *oh rohttoh lah daynteeayrah*
Can you repair it right now?	**La può riparare subito?** *lah poooh reepahrahray soobeetoh*

At the chemist's

Italian "farmacie" don't sell the great range of goods that can be found in Great Britain or in American drugstores, they don't sell either photo-

graphic equipment or books so if you want to buy films or get your photos developed, go to a photographic shop and not to a chemist.
As chemists are very expensive in Italy, if you should need items such as antiseptic cream, toothpaste, plasters, tampons etc., it's better to go to a supermarket. If you wish to buy perfume or sophisticated cosmetic products, you should go to a profumeria.
Various medicines are available in any farmacia, but a prescription may be required. Thanks to 24-hour service, there is always a chemist open in all cities and most towns. Those that are open at night (servizio notturno) are listed in local newspapers and on all chemists' doors.
Farmacie are easily recognizable by a green or red cross outside.

TARGET LANGUAGE

antibiotic	**antibiotico**	*ahnteebeeohteekoh*
antiseptic cream	**crema antisettica**	*kraymah ahnteesaytteekah*
aspirin	**aspirina**	*ahspeereenah*
bandage	**benda**	*bayndah*
elastic bandage	**benda elastica**	*bayndah aylahsteekah*
chemist	**farmacia**	*fahrmahcheeah*
condom	**preservativo**	*prayzayrvahteevoh*
cotton wool	**cotone idrofilo**	*kohtohnay eedrohfeeloh*
cough drops	**pasticche per la tosse**	*pahsteekkay payr lah tohssay*
disinfectant	**disinfettante**	*deezeenfayttahntay*
drops	**gocce**	*gohchchay*
dummy	**succhiotto**	*sookkeeohttoh*
ear drops	**gocce per le orecchie**	*gohchchay payr lay ohraykkeeay*
eye drops	**collirio**	*kohlleereeoh*
feeding bottle	**biberon**	*beebayrohn*
gauze	**garza**	*gahrdzah*
insect repellent	**crema contro gli insetti**	*kraymah kohntroh llyee eensayttee*
iodine	**tintura di iodio**	*teentoorah dee eeohdeeoh*
ice-bag	**borsa del ghiaccio**	*bohrsah dayl gheeahchchoh*
insulin	**insulina**	*eensooleenah*
laxative	**lassativo**	*lahssahteevoh*
nappies	**pannolini**	*pahnnohleenee*
ointment	**pomata**	*pohmahtah*
peroxide	**acqua ossigenata**	*ahkkwah ohsseejaynahtah*
pharmacist	**farmacista**	*fahrmahcheestah*
plaster	**cerotto**	*chayrohttoh*
pill	**pillola**	*peellohlah*
contraceptive	**anticoncezionale**	*ahnteekohnchaytzeeohnahlay*

sanitary towels	**assorbenti igienici**	*ahssohrbayntee eejayneechee*
tampons	**assorbenti interni**	*ahssohrbayntee eentayrnee*
sleeping pills	**sonniferi**	*sohnneefayree*
suppository	**supposta**	*sooppohstah*
syringe	**siringa**	*seereengah*
syrup	**sciroppo**	*sheerohppoh*
tablets	**compresse**	*kohmprayssay*
thermometer	**termometro**	*tayrmohmaytroh*
tube	**tubetto**	*toobayttoh*
tranquillizers	**calmanti**	*kahlmahntee*
vitamin	**vitamina**	*veetahmeenah*

SITUATIONAL DIALOGUES

Where's the nearest duty chemist?
Dov'è la farmacia di turno più vicina?
dohvay lah fahrmahcheeah dee toornoh peeoo veecheenah

What time does the chemist's open?
A che ora apre la farmacia?
ah kay ohrah ahpray lah fahrmahcheeah

I want some remedy for insect bites, sunburn and travel sickness
Vorrei qualche rimedio contro le punture d'insetti, gli eritemi solari e il mal d'auto
vohrrayee kwahlkay reemaydeeoh kohntroh lay poontooray deensayttee llyee ayreetaymee sohlahree ay eel mahl dahootoh

Can I get this medicine without a prescription?
Posso avere questa medicina senza ricetta?
pohssoh ahvayray kwaystah maydeecheenah sayntzah reechayttah

Per questa medicina ci vuole la ricetta medica *payr kwaystah maydeecheenah chee vooohlay lah reechayttah maydeekah*	A prescription is required for this medicine

Must I take these pills before eating or after meals?
Devo prendere queste pillole prima o dopo i pasti?
dayvoh prayndayray kwaystay peellohlay preemah oh dohpoh ee pahstee

Prima dei pasti/Dopo i pasti *preemah dayee pahstee/dohpoh ee pahstee*	Before meals/After meals
Una volta/due volte al giorno *oonah vohltah/dooay vohltay ahl johrnoh*	Once/twice a day

I'd like a roll of plaster
Vorrei un rotolo di cerotto
vohrrayee oon rohtohloh dee chayrohttoh

Information leaflets in medicine boxes

A digiuno/A stomaco pieno	*ah deejoonoh/ah stohmahkoh peeaynoh*	On an empty/ full stomach
Agitare prima dell'uso	*ahjeetahray preemah dayllоozoh*	Shake before use
Composizione	*kohmpohzee tzeeohnay*	Active ingredients
Conservare al riparo dalla luce/ dall'umidità	*kohnsayrvahray reepahroh dahllah loochay/ dahlloomeedeetah*	Keep away from light/damp
Controindicazioni	*kohntroheendee-kahtzeeohnee*	Contraindications
Effetti collaterali	*ayffayttee kohllahtayrahlee*	Side effects
Modalità d'uso	*mohdahleetah doozoh*	Directions for use
Non superare le dosi consigliate	*nohn soopayrahray lay dohzee kohnseellyahtay*	Do not exceed the stated dose
Posologia: una compressa tre volte al dì/ogni otto ore	*pohzohlohjeeah oonah kohmprayssah tray vohltay ahl dee/ ohnyee ohttoh ohray*	Dosage: one tablet three times a day/every eight hours
Può causare sonnolenza	*pooоh kahoozahray sohnnohlayntzah*	May cause drowsiness
Scadenza	*skahdayntzah*	Sell-by date
Solo per uso esterno	*sohloh payr oozoh aystayrnoh*	External use only
Uso interno	*oozoh eentayrnoh*	Internal use
Veleno!	*vaylaynoh*	Poison!
Venduto dietro presentazione di ricetta medica	*vayndootoh deeaytroh prayzayntahtzee ohnay dee reechayttah maydeekah*	Sold by prescription only

SHORT GRAMMAR

1. Sentence structure

A. The affirmative form

A sentence in the affirmative form expresses a statement.
Every sentence has two main parts, the subject and the predicate.

Il libro è sul tavolo — The book is on the table

The subject personal pronouns are often understood because the verb endings give this information.

Abitano a Firenze — They live in Florence

B. The negative form

The negative form of verbs is formed by putting the word ***non*** before the verb. "Do", "does" and "did" are not translated.

Mio padre **non** fuma — My father doesn't smoke

Non mi riconobbero — They didn't recognize me

C. The interrogative form

As the pronoun is usually omitted, questions are expressed by the tone of voice (in spoken Italian) or by a question mark (in written form). "Do", "does" and "did" are not translated.

Capisci**?** — Do you understand?

Abbiamo tempo**?** — Do we have time?

D. The interrogative - negative form

This form is expressed by the intonation of the sentence or by a question mark at the end of the sentence, and by the placement of the word ***non*** before the verb.

Non hai bisogno di questi libri**?** — Don't you need these books?

2. Nouns and gender

In Italian nouns have two genders: masculine and feminine.

- Nouns ending in ***-o*** are usually masculine.

ragazz**o** — boy

However, some nouns ending in *-o* are feminine.

auto/mano/foto — car/hand/photo

- Nouns ending in ***-a*** are usually feminine.

ragazz**a** — girl

However, some nouns ending in *-a* are masculine.

cinem**a**/clim**a**/poet**a** — cinema/climate/poet

- Nouns ending in ***-e*** can be either masculine or feminine.

masculine

can**e**/pan**e**/dottor**e** — dog/bread/doctor

feminine

pac**e**/class**e**/chiav**e** — peace/class/key

- There are also some nouns that have different forms.

masculine	*feminine*
uomo (man)	**donna** (woman)
padre (father)	**madre** (mother)
papà (daddy)	**mamma** (mummy)
fratello (brother)	**sorella** (sister)
marito (husband)	**moglie** (wife)
genero (son-in-law)	**nuora** (daughter-in-law)
frate (friar)	**suora** (nun)

3. Plural of nouns

- Masculine nouns ending in ***-o*** form the plural by changing ***-o*** to ***-i***.

libr**o** → libr**i** — book → books

- Feminine nouns ending in ***-a*** form the plural by changing ***-a*** to ***-e***.

port**a** → port**e** — door → doors

- Masculine or feminine nouns ending in ***-e*** form the plural by changing ***-e*** to ***-i***.

mar**e** → mar**i** (m.) — sea → seas

nott**e** → nott**i** (f.) — night → nights

- Nouns ending in ***-co***, ***-ca***, ***-go***, ***-ga*** take the following plural forms: ***-chi***, ***-che***, ***-ghi***, ***-ghe***.

amic**a** → ami**che** (f.) friend → friends

la**go** → la**ghi** (m.) lake → lakes

- Be careful with exceptions:

ami**co** → ami**ci** (m.) friend → friends

medi**co** → medi**ci** (m.) doctor → doctors

- Some nouns do **not** change in the plural:

- nouns ending in ***-i*** and ***-u***

anali**si** → anali**si** (f.) analysis → analyses

gr**u** → gr**u** (f.) crane → cranes

- nouns ending with a consonant, and foreign words in general

fil**m** → fil**m** (m.) film → films

- monosyllabic nouns

re → **re** (m.) king → kings

- shortened nouns

fot**o** → fot**o** (f.) photo → photos

- The following nouns have irregular plural forms.

uomo → uomini man → men

dio → dei god → gods

uovo → uova egg → eggs

paio → paia pair → pairs

- Some parts of the body are masculine in the singular form, but feminine in the plural form.

ginocchio → ginocchia knee → knees

braccio → braccia arm → arms

osso → ossa bone → bones

- Some very common nouns are only used in the singular form.

gente people

frutta fruit

sete thirst

- Some very common nouns are only used in the plural form.

pantaloni	trousers
occhiali	glasses

4. Articles

A. Definite article

In Italian the article agrees with its noun. It can therefore be masculine and feminine, singular and plural. The definite article must agree in gender and number with the noun it precedes. The forms of the definite article are: ***il***, ***lo***, ***la***; ***i***, ***gli***, ***le***.

• ***il*** masculine singular before a consonant.

il treno	the train

• ***lo*** masculine singular before *gn*, *pn*, *ps*, *s* + consonant, *x*, *z*.

lo gnomo	the gnome
lo zio	the uncle

• ***la*** feminine singular.

la casa	the house

• ***l'*** is used in the singular before masculine and feminine nouns which begin with a vowel (***a***, ***e***, ***i***, ***o***, ***u***).

l'uomo (m.)	the man
l'attrice (f.)	the actress

• ***i*** masculine plural before a consonant.

i treni	the trains

• ***gli*** masculine plural before a vowel, *gn*, *pn*, *ps*, *s* + consonant, *x*, *z*.

gli uomini	the men
gli gnomi/**gli** zii	the gnomes/the uncles

• ***le*** feminine plural.

le case/**le** attrici	the houses/the actresses

• The definite article is used:

- when a noun is defined

Questo è **il** colore che mi piace	This is the colour I like

- with abstract nouns

L'amicizia è molto importante	Friendship is very important

- with nouns that indicate a category or species

Mi piace **il** profumo del pane fresco	I like the smell of fresh bread

- with continents, countries, regions, seas, rivers

l'Asia/**la** Francia/**la** Toscana **il** Mediterraneo/**il** Po	Asia/France/Tuscany/ the Mediterranean/the river Po

- with possessive adjectives and pronouns

i miei amici	my friends
Questo non è **il** mio, è **il** tuo	This is not mine, it is yours

• The definite article is **not** used:

- with the names of towns or cities
- in common expressions with the verb **avere**

avere caldo/freddo/fame/sete	to be hot/cold/hungry/thirsty

B. Indefinite article

The indefinite article is used only with singular nouns to make general statements. It agrees in gender with the noun it precedes.
The forms of the indefinite article are: ***un***, ***uno***, ***una***.

• ***un*** masculine before a consonant (except for *gn*, *pn*, *ps*, *s* + consonant, *x*, *z*) and a vowel (without an apostrophe).

un topo/**un** uomo	a mouse/a man

• ***uno*** masculine before *gn*, *pn*, *ps*, *s* + consonant, *x*, *z*.

uno gnomo/**uno** zingaro	a gnome/a gipsy

• ***una*** feminine.

una strada	a street

• ***un'*** before a vowel.

un'amica (f.)	a friend

5. Adjectives

Adjectives agree in gender and number with the nouns they qualify, and usually follow the noun.

• When an adjective ends in ***-o*** in the masculine singular, this changes to ***-a*** in the feminine singular.

un uomo alt**o**/**una** donna alt**a**	a tall man/a tall woman

• Adjectives ending in ***-e*** remain the same both in the masculine and in the feminine.

un bambino/**una** bambina vivace	a lively baby/child

• To make adjectives plural, follow the rules for nouns (→ **3. Plural of nouns**).

bell**o** → bell**a**	bell**i** → bell**e**	beautiful
grand**e** (m./f.)	grand**i** (m./f.)	big

Degrees of comparison

• To form a **comparative** put ***più*** (more/-er) or ***meno*** (less/not as… as) before the adjective. The second term of comparison is introduced by ***di*** or ***che*** (than).

Leggere è **più** interessante **che** guardare la televisione	Reading is more interesting than watching TV
È **più** giovane **di** noi	She's younger than us
Sono **meno** affamato **di** te	I'm less hungry than you/I'm not as hungry as you

• To say that something is **equal** to something else use: (***tanto***) ***... quanto*** or (***così***)... ***come***.

È (**tanto**) alta **quanto** sua sorella	She is as tall as her sister
Questa macchina costa **come** quella	This car costs the same as that one

• To form a **relative superlative** put the definite article and the adverbs ***più*** (most) or ***meno*** (least) before the adjective. The second element is introduced by ***di*** or by ***tra/fra***.

Questo libro è **il più/meno** interessante **di** tutti	This book is the most/least interesting of all
È **la più** bella **tra** le sue compagne	She's the most beautiful of her group

• To express the **absolute degree** it is possible to add the suffix ***-issimo*** to the adjective to form the **absolute superlative**.

La lezione di ieri era interessant**issima**	Yesterday's lesson was very interesting

• Some adjectives are already **comparatives** or **relative superlatives** and are therefore not used with the adverbs *più, meno, tanto.*

- ***maggiore*** bigger, biggest; older, oldest; greater, greatest; higher, highest

I danni sono **maggiori** del previsto	The damage is greater than expected
Cristina è la sorella **maggiore**	Cristina is the oldest sister

- ***minore*** smaller, smallest; younger, youngest; lesser, least; lower, lowest

A un prezzo **minore** lo comprerei	I would buy it at a lower price
Clara è la sorella **minore**	Clara is the youngest sister

- ***migliore*** better, best

Non potevi scegliere un dentista **migliore** di lui	You couldn't have chosen a better dentist
La pizza è il piatto **migliore** del menu	Pizza is the best dish on the menu

- ***peggiore*** worse, worst

Ha avuto giorni **peggiori** di questo	She has had worse days than this
I broccoli sono la verdura **peggiore** del menu	Broccoli is the worst vegetable on the menu

- ***superiore*** higher, highest; upper, uppermost; top

I miei voti sono **superiori** ai tuoi	My marks are higher than yours
Sul ripiano **superiore** ci sono i libri	Books are on the top (upper) shelf

- ***inferiore*** lower, lowest; bottom

I tuoi voti sono **inferiori** ai miei	Your marks are lower than mine
Sul ripiano **inferiore** ci sono i dizionari	Dictionaries are on the bottom (lower) shelf

- ***anteriore*** before, earlier (than), prior to; front

Gli eventi **anteriori** alla seconda guerra mondiale	Events prior to the second world war
Gli adulti siedono sui sedili **anteriori**	The adults sit in the front seats

- ***posteriore*** after, later (than); rear; back

Ha proposto una data **posteriore**	He suggested a later date
I bambini siedono sui sedili **posteriori**	The children sit in the back seats

6. Personal pronouns

Subject and object pronouns

SUBJECT		OBJECT		
io	I	mi	me	me
tu	you	ti	te	you
egli/lui/esso	he/it	lo/gli/si	lui/sé	him
ella/lei/essa	she/it	la/le/si	lei/sé	her
noi	we	ci	noi	us
voi	you	vi	voi	you
essi/loro (m.)	they	li/si	loro/sé	them
esse/loro (f.)	they	le/si	loro/sé	them

• The 1st person singular ***io*** is not written with a capital letter in Italian as is in English.

• The personal pronoun ***Lei*** is used as a **form of courtesy** when speaking to an adult who is not a close acquaintance.

Lei, dottore, cosa ne pensa? — What do you think, doctor?

• The nominative pronoun is generally omitted in Italian, except when the verb alone is not sufficient to indicate the meaning, or when special emphasis is needed.

• The object pronouns generally precede the verb of which they are the object.

Io **lo/la** vedo — I see him/her

Gli/le scriverò — I shall write to him/her

• However, with the infinitive, the gerund or *ecco* (here is/are) they are placed behind, as part of the same word.

Vorrei veder**lo/a** — I would like to see him/her

Una lingua si impara parlando**la** — One learns a language by speaking it

Ecco**lo/la** — Here he/she is

- When the object pronoun is added to the infinitive, the verb in the infinitive loses its final *-e*.

Mi ha detto di parlar**gli** — He told me to talk to him

• The forms ***me***, ***te***, ***lui***, ***lei*** etc. go after the verb and are usually preceded by a preposition; the pronoun ***loro*** can also be used without the preposition ***a***.

Non dirlo a **lui**! — Don't tell him!

Verremo con **voi**	We'll come with you
L'abbiamo detto (a) **loro**	We told them

• The forms ***mi***, ***ti***, ***si***, ***ci***, ***vi*** are also used as **reflexives**, when a verb expresses an action that affects the person that carries out the action; in this case they are called **reflexive pronouns**.

Io **mi** lavo	I wash myself

7. Possessive adjectives and pronouns

Possessive adjectives and pronouns are identical.

	Singular	Plural
Masculine	il mio (my/mine)	i miei (my/mine)
	il tuo (your/yours)	i tuoi (your/yours)
	il suo (his/his)	i suoi (his/his)
	il nostro (our/ours)	i nostri (our/ours)
	il vostro (your/yours)	i vostri (your/yours)
	il loro (their/theirs)	i loro (their/theirs)
Feminine	la mia (my/mine)	le mie (my/mine)
	la tua (your/yours)	le tue (your/yours)
	la sua (her/hers)	le sue (her/hers)
	la nostra (our/ours)	le nostre (our/ours)
	la vostra (your/yours)	le vostre (your/yours)
	la loro (their/theirs)	le loro (their/theirs)

• Unlike English, in Italian the definite article is used with possessive adjectives and pronouns.

la mia automobile	my car
Quest'auto è **la mia**	This car is mine

• Possessive adjectives and pronouns in Italian agree in gender and number with the thing possessed, and not with the possessor as in English.

John e **la sua** barca a vela	John and his sailing boat
Mary e **il suo** cane	Mary and her dog

8. Demonstrative adjectives and pronouns

Singular	questo/questa/quest'	this
	quello/quel/quella/quell'	that
Plural	questi/queste	these
	quegli/quei/quelle	those

- ***Questo*/*questa*** are contracted to ***quest'*** before a vowel.

quest'armadio/**quest'**amica	this wardrobe/this friend

- ***Quel*** is used before masculine nouns which begin with a consonant.

quel libro	that book

- ***Quell'*** is used before masculine and feminine nouns which begin with a vowel.

quell'anno/**quell'**ora	that year/that hour

9. Indefinites

A. Indefinite adjectives and pronouns

Some indefinites can either be **adjectives** (placed before the noun) or **pronouns** (used instead of the noun).

alcun(o)/a/i/e	some
altro/a/i/e	other(s)
certo/a/i/e	certain
ciascuno/a	each
diverso/a/i/e	various/a number
molto/a/i/e	a lot/many
nessuno/a	none
parecchio/a/i/e	a lot/several
poco/a, pochi/e	little/few/not many
tanto/a/i/e	a lot/ lots
troppo/a/i/e	too much/too many
tutto/a/i/e	every
vario/a/i/e	various/a number

- ***Alcuni/e*** (some/a few) is variable.

Ha fatto **alcune** foto	She took some photos
Alcuni dicono sia stato un incidente	Some say it was an accident

- ***Ciascuno*** (each/every, any) is only used in the singular form and changes according to gender. When it is an adjective it means *ogni*; when it is a pronoun it means *ognuno, ogni persona/cosa* (everyone, everything, each person/thing).

Ciascun bambino riceverà un dono	Every child will receive a present
Se **ciascuno** sarà pronto, comincerò	If everyone is ready, I'll begin
Ho parlato con **ciascuno** di loro	I spoke to each of them

• ***Nessuno*** (no, nobody, anyone) is only used in the singular form and changes according to gender. When it follows the verb it needs the negative adverb ***non*** (not).

Nessuna donna era presente	No woman was there
Non c'è **nessuno**	Nobody is there

B. Indefinite adjectives

Some indefinites are **only adjectives** (placed before the noun).

• ***Ogni*** (every/each) is invariable and is always used with a singular noun; it is a synonym of *tutti/e* (all).

Telefona **ogni** giorno	She phones every day

• ***Qualche*** (some/a few) is invariable and is always used with a singular noun; it is a synonym of *alcuni* (some).

L'ho sentito **qualche** settimana fa	I heard from him a few weeks ago

• ***Qualsiasi/qualunque*** (any, whatever, whichever, a few) are synonyms. They mean *tutto/i, non importa chi/quale* (every/all, it doesn't matter who/which). They are invariable.

Mangia **qualsiasi** verdura	He eats any type of vegetable

C. Indefinite pronouns

Other indefinites are **only pronouns** (used instead of the noun).

• ***Chiunque*** (anyone) is invariable and is only used in the singular form. It means *qualunque persona.*

Chiunque potrebbe essere il vincitore	Anyone could be the winner

• ***Niente/nulla*** (nothing/anything) are synonyms. They mean *nessuna cosa.* They are invariable. When they follow the verb they need the negative adverb ***non*** (not).

Non ho visto **nulla**	I didn't see anything

• ***Ognuno*** (everyone) is only used in the singular form and changes according to gender. It means *ogni persona*. It is a synonym of *ciascuno.*

Ognuno è responsabile delle proprie azioni	Everyone is responsible for his actions

• ***Qualcosa*** (something) is invariable and is always used in the singular form. It means *qualche cosa.*

C'è **qualcosa** per te	There's something for you

• ***Qualcuno*** (someone/anyone/some) is only used in the singular form and changes according to gender. It can also mean *qualche persona*.

C'è **qualcuno** che ti aspetta	There's someone waiting for you

• ***Uno*** (someone) is only used in the singular form. It means *una persona*.

C'è **uno** che ti vuole parlare	There's someone who wants to talk to you

10. Relative pronouns

The relative pronouns ***che*** and ***cui*** are invariable.

• ***Che*** is not used with a preposition.

La ragazza **che** parla con te	The girl who is talking to you

• ***Cui*** is used with a preposition.

La ragazza con **cui** andai in vacanza	The girl I went on holiday with

• When ***cui*** is placed between the definite article and the noun it expresses possession (whose).

L'uomo la **cui** moglie ha appena avuto un bambino	The man whose wife has just had a baby

• Relative pronouns may also be expressed with ***il/la quale***; ***i/le quali***.

11. Interrogatives

A. Interrogative adjectives

The interrogative adjectives are ***quale*** and ***che***. ***Che*** is also used in exclamations.

Che ore sono?	What time is it?
Che/quale libro hai scelto?	Which book have you chosen?
Che bel bambino!	What a lovely baby!

B. Interrogative pronouns

The interrogative pronoun ***chi*** refers to people whereas ***che cosa*** refers to things.

A **chi** hai telefonato?	Who did you phone?
Con **chi** lavori?	Who do you work with?
Che cosa hai detto?	What did you say?

C. Other interrogative forms

Other words which are useful if you want to ask questions are ***perché***, ***quanto***, ***quando*** and ***come***.

Perché non rispondi?	Why don't you reply?
Quanto costa?	How much does it cost?
Quando verrai?	When are you coming?
Come hai fatto?	How did you do it?

12. Prepositions

a	to/at
con	with
da	by/from
dentro/in	in
di	of
dietro	behind
dopo	after
fino a	until
per	for
prima di	before
sotto	under
su/sopra	on
tra/fra	between/amongst
vicino a	near

13. Conjunctions

e	and
ma	but
se	if
ora	now
mentre	while
che	that
o… o	either... or
né... né	neither... nor
perché	because/why
così... come	as... as
tanto... quanto	as... as
come	as

14. Verbs

• In Italian a verb is **transitive** if it takes an object, **intransitive** when it does not need an object to express a complete thought.

• A verb may be in the **active voice** when the subject of the verb carries out the action expressed by the verb or in the **passive voice** when the subject is the recipient of the action expressed by the verb.

• Verbs can be **auxiliary verbs** or **ordinary verbs**. Ordinary verbs can be **regular** or **irregular**.

• There are two groups of tenses: **simple tenses** and **compound tenses**. The latter are formed by an auxiliary verb (*essere/avere*) and the past participle of the main verb.

La televisione **ha influenzato** la nostra vita	Television has influenced our lives

A. Auxiliaries

The Italian auxiliary verbs are ***essere*** (to be) and ***avere*** (to have).

• They are used to form compound tenses in the active form.

• The passive form is composed of the auxiliary ***essere*** and the past participle of the ordinary verb.

Egli **è stato** invitato	He has been invited

• All reflexive verbs and most intransitive ones are also conjugated with ***essere***.

• The past participle following ***essere*** must always agree in number and gender with the subject. When the auxiliary verb is ***avere***, the past participle remains unchanged.

ESSERE To be	*AVERE* To have
Indicativo presente/Simple present	
Io sono/I am	Io ho/I have
Tu sei	Tu hai
Egli è	Egli ha
Noi siamo	Noi abbiamo
Voi siete	Voi avete
Essi sono	Essi hanno

Indicativo imperfetto/Imperfect

Io ero/I was	Io avevo/I had
Tu eri	Tu avevi
Egli era	Egli aveva
Noi eravamo	Noi avevamo
Voi eravate	Voi avevate
Essi erano	Essi avevano

Indicativo passato remoto/Past simple

Io fui/I was	Io ebbi/I had
Tu fosti	Tu avesti
Egli fu	Egli ebbe
Noi fummo	Noi avemmo
Voi foste	Voi aveste
Essi furono	Essi ebbero

Indicativo passato prossimo/Present perfect

Io sono stato/I have been	Io ho avuto/I have had
Tu sei stato	Tu hai avuto
Egli è stato	Egli ha avuto
Essa è stata	Essa ha avuto
Noi siamo stati	Noi abbiamo avuto
Voi siete stati	Voi avete avuto
Essi sono stati	Essi hanno avuto
Esse sono state	Esse hanno avuto

Indicativo trapassato prossimo/Past perfect

Io ero stato/I had been	Io avevo avuto/I had had
Tu eri stato	Tu avevi avuto
Egli era stato	Egli aveva avuto
Essa era stata	Essa aveva avuto
Noi eravamo stati	Noi avevamo avuto
Voi eravate state	Voi avevate avuto
Essi erano stati	Essi avevano avuto
Esse erano state	Esse avevano avuto

Indicativo futuro semplice/Future simple

Io sarò/I will be	Io avrò/I will have
Tu sarai	Tu avrai
Egli sarà	Egli avrà
Noi saremo	Noi avremo
Voi sarete	Voi avrete
Essi saranno	Essi avranno

Indicativo futuro anteriore/Future perfect

Io sarò stato/I will have been	**Io avrò avuto/**I will have had

Imperativo/Imperative

Sii/Be	**Abbi/**Have
Sia	**Abbia**
Siamo	**Abbiamo**
Siate	**Abbiate**
Siano	**Abbiano**

Condizionale presente/Present conditional

Io sarei/I would be	**Io avrei/**I would have
Tu saresti	**Tu avresti**
Egli sarebbe	**Egli avrebbe**
Noi saremmo	**Noi avremmo**
Voi sareste	**Voi avreste**
Essi sarebbero	**Essi avrebbero**

Condizionale passato/Past Conditional

Io sarei stato/I would have been	**Io avrei avuto/**I would have had

Gerundio/Gerund

Essendo/Being	**Avendo/**Having

Participio passato/Past participle

Stato (m.)/Been	**Avuto** (m.)/Had
Stata (f.)	**Avuta** (f.)
Stati (m. pl.)	**Avuti** (m. pl.)
State (f. pl.)	**Avute** (f. pl.)

B. The three conjugations

There are three regular conjugations of Italian verbs: the first (*prima coniugazione*) which includes all the regular verbs whose infinitive ends in *-are*, the second (*seconda coniugazione*) which includes all the regular verbs whose infinitive ends in *-ere*, and the third (*terza coniugazione*) which includes the verbs whose infinitive ends in *-ire*.

mand**are**	to send
cred**ere**	to believe
part**ire**	to leave

Present indicative

The present indicative is formed by adding the following terminations to the stem:

- verbs in ***-are***: ***-o***, ***-i***, ***-a***, ***-iamo***, ***-ate***, ***-ano***

mand**o**, mand**i**, mand**a**, mand**iamo**, mand**ate**, mand**ano**

- verbs in ***-ere***: ***-o***, ***-i***, ***-e***, ***-iamo***, ***-ete***, ***-ono***

cred**o**, cred**i**, cred**e**, cred**iamo**, cred**ete**, cred**ono**

- verbs in ***-ire***: ***-o***, ***-i***, ***-e***, ***-iamo***, ***-ite***, ***-ono***

part**o**, part**i**, part**e**, part**iamo**, part**ite**, part**ono**

• It should be remembered that the nominative pronoun is generally omitted in Italian, the verb ending usually being sufficient to indicate the person.

The imperfect tense

The imperfect tense is formed by taking away the final ***-re*** from the infinitive, and adding the following terminations: ***-vo***, ***-vi***, ***-va***, ***-vamo***, ***-vate***, ***-vano***.

manda**vo**, manda**vi**, manda**va**, mandav**amo**, mandav**ate**, mandav**ano**

crede**vo**, crede**vi**, crede**va**, crede**vamo**, crede**vate**, crede**vano**

parti**vo**, parti**vi**, parti**va**, parti**vamo**, parti**vate**, parti**vano**

The simple past

The simple past is formed by adding the following terminations to the stem:

- verbs in ***-are***: ***-ai***, ***-asti***, ***-ò***, ***-ammo***, ***-aste***, ***-arono***

mand**ai**, mand**asti**, mand**ò**, mand**ammo**, mand**aste**, mand**arono**

- verbs in ***-ere***: ***-ei/-etti***, ***-esti***, ***-é/-ette***, ***-emmo***, ***-este***, ***-erono/-ettero***. The forms in ***-etti***, ***-ette***, ***-ettero*** are the most used.

cred**ei/etti**, cred**esti**, credé/**ette**, cred**emmo**, cred**este**, cred**erono/ettero**

- verbs in ***-ire***: ***-ii***, ***-isti***, ***-ì***, ***-immo***, ***-iste***, ***-irono***

part**ii**, part**isti**, part**ì**, part**immo**, part**iste**, part**irono**

The future tense

The future tense is formed by taking away the final *-e* from the infinitive, and adding the following terminations: ***-ò***, ***-ai***, ***-à***, ***-emo***, ***-ete***, ***-anno***. Verbs ending in ***-are*** change the *-a* into *-e* in the future tense.

mander**ò**, mander**ai**, mander**à**, mander**emo**, mander**ete**, mander**anno**

creder**ò**, creder**ai**, creder**à**, creder**emo**, creder**ete**, creder**anno**

partir**ò**, partir**ai**, partir**à**, partir**emo**, partir**ete**, partir**anno**

The conditional tense

The conditional tense is formed by taking off the final *-o* from the 1st person singular of the future tense, and adding: ***-ei***, ***-esti***, ***-ebbe***, ***-emmo***, ***-este***, ***-ebbero***.

mander**ei**, mander**esti**, mander**ebbe**, mander**emmo**, mander**este**, mander**ebbero**

creder**ei**, creder**esti**, creder**ebbe**, creder**emmo**, creder**este**, creder**ebbero**

partir**ei**, partir**esti**, partir**ebbe**, partir**emmo**, partir**este**, partir**ebbero**

The imperative

The imperative has only one tense, the present, and is used in affirmative sentences in the 2nd person singular or plural (*tu*, *voi*) to give direct orders.

mand**a**/mand**ate**	Send
cred**i**/cred**ete**	Believe
part**i**/part**ite**	Leave
fin**isci**/fin**ite**	Leave

• The **negative form** exists for the 2nd person plural, while the negative infinitive is used for the 2nd person singular:

Non smett**ete** di parlare!	Don't stop talking!
Non smett**ere** di parlare!	Don't stop talking!

The subjunctive

The present subjunctive is formed by adding the following terminations to the stem:

- verbs in ***-are***: ***-i***, ***-i***, ***-i***, ***-iamo***, ***-iate***, ***-ino***

mand**i**, mand**i**, mand**i**, mand**iamo**, mand**iate**, mand**ino**

- verbs in ***-ere***: ***-a***, ***-a***, ***-a***, ***-iamo***, ***-iate***, ***-ano***

cred**a**, cred**a**, cred**a**, cred**iamo**, cred**iate**, cred**ano**

- verbs ending in ***-ire***: ***-a/-isca***, ***-a/-isca***, ***-a/-isca***, ***-iamo***, ***-iate***, ***-ano/-iscano***

part**a**, part**a**, part**a**, part**iamo**, part**iate**, part**ano**

cap**isca**, cap**isca**, cap**isca**, cap**iamo**, cap**iate**, cap**iscano**

• The imperfect subjunctive of all verbs (irregular included) is formed by taking off *-sti* from the 2nd person singular of the simple past and adding: ***-ssi***, ***-ssi***, ***-sse***, ***-ssimo***, ***-ste***, ***-ssero***, as you can see below.

manda**ssi**, manda**ssi**, manda**sse**; manda**ssimo**, manda**ste**, manda**ssero**
fin**ssi**, fini**ssi**, fini**sse**; fini**ssimo**, fini**ste**, fini**ssero**

Present and past participles

They are formed by adding the following terminations to the stem:

- verbs ending in ***-are***: ***-ando***, ***-ato***

mand**ando**/mand**ato** sending/sent

- verbs ending in ***-ere***: ***-endo***, ***-uto***

cred**endo**/cred**uto** believing/believed

- verbs ending in ***-ire***: ***-endo***, ***-ito***

part**endo**/part**ito** leaving/left

• The present participle is not much used in Italian.

C. Peculiarities of verbs

First conjugation: verbs in -are

• Verbs ending in ***-care*** and ***-gare*** as: *cercare* (to look for), *giudicare* (to judge), *mancare* (to fail), *pagare* (to pay), *pregare* (to pray), when the *c* or *g* is followed by *e* or *i*, take an *h* in order to preserve the hard sound of the consonant.

cer**co**, cer**chi**, cer**ca**, cer**chiamo**, cer**cate**, cer**cano**

pa**go**, pa**ghi**, pa**ga**, pa**ghiamo**, pa**gate**, pa**gano**

che io pa**ghi**, che tu pa**ghi**, che egli pa**ghi**, che noi pa**ghiamo**, che voi pa**ghiate**, che essi pa**ghino**

che io cer**chi**, che tu cer**chi**, che egli cer**chi**, che noi cer**chiamo**, che voi cer**chiate**, che essi cer**chino**

• In the future form they become *pagherò*, *pregherò*, *cercherò*, *mancherò* etc.

Egli pa**gherà** il suo conto He will pay his bill

Noi pre**gheremo** per lei We will pray for her

• Verbs in ***-ciare*** and ***-giare*** or ***-sciare*** as: *cominciare* (to begin), *mangiare* (to eat), *lasciare* (to leave), drop the *i* before *e* or *i*.

Io man**gio**, tu man**gi**/io man**gerò** I eat, you eat/I'll eat

Io comin**cio**, tu comin**ci**/io comin**cerò** I begin, you begin/I'll begin

• Verbs in ***-iare*** having a stress on the *i* in the 1st person singular of the present indicative as *inviare* (to send) retain the *i* of the root before the terminations ***-i***, ***-ino***, and they drop it before the terminations ***-iamo***, ***-iate***.

Tu inv**ii**/che essi inv**iino** You send/that they send

Noi inv**iamo**/voi inv**iate** We send/you send

Second conjugation: verbs in -ere

• Some verbs of the 2nd conjugation have two distinct terminations for the 1st and 3rd person singular, and for the 3rd person plural of the past simple.

Io cred**ei**/cred**etti** I believed

Egli cred**è**/cred**ette** He believed

Essi cred**erono**/cred**ettero** They believed

Third conjugation: verbs in -ire

• The verb ***cucire*** (to sew) takes an *i* whenever the *c* precedes an *a* or an *o*.

cuc**io**, cuc**i**, cuc**e**, cuc**iamo**, cuc**ite**, cuc**iono**

sdruc**io**, sdruc**i**, sdruc**e**, sdruc**iamo**, sdruc**ite**, sdruc**iono**

• A large number of the verbs in ***-ire*** in the 1st, 2nd and 3rd person singular, and in the 3rd person plural of the indicative, take the terminations ***-isco***, ***-isci***, ***-isce***, ***-iscono***, instead of the regular forms. A similar change takes place in the present subjunctive and in the 2nd person singular of the imperative.

cap**isco**, cap**isci**, cap**isce**, cap**iamo**, cap**ite**, cap**iscono**

che io cap**isca**, che tu cap**isca**, che egli cap**isca**, che noi cap**iamo**, che voi cap**iate**, che essi cap**iscano**

• The following verbs are conjugated like *capire*.

abbellire/to beautify
appassire/to fade
arrossire/to blush
colpire/to strike
compatire/to pity
costituire/to constitute
costruire/to construct
definire/to define
demolire/to demolish
digerire/to digest
esibire/to exhibit
ferire/to wound
finire/to finish
fiorire/to flourish
impallidire/to become pale
patire/to suffer
preferire/to prefer
progredire/to progress
punire/to punish
restituire/to restore
suggerire/to suggest
ubbidire/to obey

D. Reflexive verbs

The reflexive verbs express the actions carried out by the subject, which affect the subject himself. They are accompanied by reflexive pronouns.

Mi lavo	I wash myself

• The reflexive pronouns come before the verb except in the infinitive, the present participle and the imperative (affirmative) when they follow and become part of the verb.

Io **mi** alzo	I get up
Noi **ci** alziamo	We get up
Essi **si** alzano	They get up

but,

alzar**si**	to get up
alzando**si**	getting up
alza**ti**	get up

E. The progressive form

This is used very little in Italian, the present indicative being used where in English we would adopt this form. When, however, it is important to indicate that the action in question was or is taking place at the moment referred to, the verb ***stare*** is used, and not ***essere***, in the progressive tenses.

Lo **sta** facendo adesso	He is doing it now
Non **stava** lavorando?	Wasn't he working?

DICTIONARY

ENGLISH-ITALIAN

A

A *ah*
able capace *kahpahchay*; **be able to** potere *pohtayray*
above sopra *sohprah*
abroad all'estero *ahllaystayroh*
accept accettare *ahchchayttahray*
accident disgrazia *deezgrahtzeeah*
accompany accompagnare *ahkkohmpahnyahray*
add aggiungere *ahdgoondgayray*; **add up** sommare *sohmmahray*
address[1] *s* recapito *raykahpeetoh*
address[2] *v* indirizzare *eendeereetztzahray*
adjust regolare *raygohlahray*
adult adulto *ahdooltoh*
advance anticipo *ahnteecheepoh*
advantage vantaggio *vahntahdgoh*
advise consigliare *kohnseellyahray*; **advise against** sconsigliare *skohnseellyahray*
African africano *ahfreekahnoh*
after dopo *dohpoh*
again ancora *ahnkohrah*
against contro *kohntroh*
age età *aytah*
ahead avanti *ahvahntee*
air aria *ahreeah*
aircraft aereo *ahayrayoh*
airport aeroporto *ahayrohpohrtoh*
alarm allarme *ahllahrmay*
alive vivo *veevoh*
all tutto *toottoh*; tutti *toottee*
alley vicolo *veekohloh*
almost quasi *kwahzee*
already già *jah*
also anche *ahnkay*
always sempre *saympray*
American americano *ahmayreekahnoh*
among fra *frah*; tra *trah*
amuse divertire *deevayrteeray*; **amuse oneself** divertirsi *deevayrteersee*
amusing divertente *deevayrtayntay*
ancient antico *ahnteekoh*
and e *ay*
angry arrabbiato *ahrrabbeeahtoh*
animal animale *ahneemahlay*
ankle caviglia *kahveellyah*
annoyance fastidio *fahsteedeeoh*
answer[1] *s* risposta *reespohstah*
answer[2] *v* rispondere *reespohndayray*
antifreeze antigelo *ahnteejayloh*
any alcuno *ahlkoonoh*; qualsiasi *kwahlseeahsee*
anywhere ovunque *ohvoonkway*
apologise scusarsi *skoosahrsee*
appetite appetito *ahppayteetoh*
application domanda *dohmahndah*; richiesta *reekeeaystah*
appointment appuntamento *ahppoontahmayntoh*
approach avvicinarsi *ahvveecheenahrsee*
arcade portico *pohrteekoh*
archeology archeologia *ahrkayohlohjeeah*
area area *ahrayah*; zona *dzohnah*
around intorno (a) *eentohrnoh (ah)*
arrival arrivo *ahrreevoh*
arrive arrivare *ahrreevahray*
as **1** come *kohmay* **2** siccome *seekkohmay*
ashtray portacenere *pohrtahchaynayray*
Asian asiatico *ahzeeahteekoh*
ask chiedere *keeaydayray*; **ask for** domandare *dohmahndahray*
assist soccorrere *sohkkohrrayray*
assistance assistenza *ahsseestayntzah*
at a *ah*; da *dah*; in *een*
atmospheric suggestivo *soodgaysteevoh*
attack assalire *ahssahleeray*
attend intervenire *eentayrvayneeray*
attention attenzione *ahttayntzeeohnay*
auction asta *ahstah*
Australian australiano *ahoostrahleeahnoh*
Austrian austriaco *ahoostreeahkoh*
authentic autentico *ahootaynteekoh*; genuino *jaynooeenoh*
automatic automatico *ahootohmahteekoh*
available disponibile *deespohneebeelay*
avalanche valanga *vahlahngah*
avoid evitare *ayveetahray*

B

B *bee*
back[1] *s* schiena *skeeaynah*
back[2] *avv* indietro *eendeeaytroh*
bad 1 cattivo *kahtteevoh* **2** brutto *broottoh*
bag sacco *sahkkoh*; sacchetto; *sahkkayttoh*; **paper bag** sacchetto di carta *sahkkayttoh dee kahrtah*
baggage bagaglio *bahgahllyoh*
band 1 fascia *fahshah* **2** benda *bayndah*
bandage bendare *bayndahray*
bank 1 banca *bahnkah* **2** riva *reevah*
bargain occasione *ohkkahzeeohnay*
basket cestino *chaysteenoh*
bathe[1] bagnare *bahnyahray*
bathe[2] bagnarsi *bahnyahrsee*
battery pila *peelah*; batteria *bahttayreeah*
be essere *ayssayray*; stare *stahray*
beautiful bello *baylloh*
because perché *payrkay*
become diventare *deevayntahray*
bee ape *ahpay*
before prima *preemah*
begin (in)cominciare *(een) kohmeenchahray*
behind[1] *avv* dietro *deeaytroh*; indietro *eendeeaytroh*
behind[2] *prep* dietro (a) *deeaytroh (ah)*
Belgian belga *baylgah*
believe credere *kraydayray*
bell campanello *kahmpahnaylloh*
berth cuccetta *koochchayttah*
besides[1] *avv* inoltre *eenohltray*
besides[2] *prep* oltre (a) *ohltray (ah)*
better[1] *agg* migliore *meellyohray*
better[2] *avv* meglio *mayllyoh*; **get better** guarire *gooahreeray*
between tra *trah*; fra *frah*
beyond oltre *ohltray*
bicycle bicicletta *beecheeklayttah*
bike bici *beechee*
big grosso *grohssoh*; grande *grahnday*
bird uccello *oochchaylloh*
bishop vescovo *vayskohvoh*
bite morso *mohrsoh*; puntura *poontoorah*
blood sangue *sahngway*
board imbarcarsi *eembahrkahrsee*
boat barca *bahrkah*; battello *bahttaylloh*
book[1] *s* libro *leebroh*
book[2] *v* prenotare *praynohtahray*
booking prenotazione *praynohtahtzeeohnay*
border confine *kohnfeenay*
boring noioso *noheeohzoh*.
born nato *nahtoh*; **be born** nascere *nahshayray*
boss capo *kahpoh*
both entrambi *ayntrahmbee*; **both... and** sia... sia *seeah... seeah*
bother[1] *s* disturbo *deestoorboh*; seccatura *saykkahtoorah*
bother[2] *v* disturbare *deestoorbahray*; infastidire *eenfahsteedeeray*
bottle opener apribottiglie *ahpreebohtteellyay*
boundary frontiera *frohnteeayrah*; limite *leemeetay*
box scatola *skahtohlah*
boy ragazzo *rahgahtztzoh*
brake frenare *fraynahray*
branch 1 ramo *rahmoh* **2** succursale *sookkoorsahlay*
break rompere *rohmpayray*; spaccare *spahkkahray*
breakdown guasto *gwahstoh*
breakdown van carro attrezzi *kahrroh ahttraytztzee*
breathalyser etilometro *ayteelohmaytroh*
breathe respirare *rayspeerahray*
broken rotto *rohttoh*
brother fratello *frahtaylloh*
brush spazzola *spahtztzohlah*
building edificio *aydeefeechoh*; palazzo *pahlahtztzoh*
burgler alarm antifurto *ahnteefoortoh*
burn bruciare *broochahray*
business affare *ahffahray*; faccenda *fahchchayndah*
busy occupato *ohkkoopahtoh*
but ma *mah*; però *payroh*
button bottone *bohttohnay*
buy comprare *kohmprahray*

C

C *chee*
cabin cabina *kahbeenah*
calendar calendario *kahlayndahreeoh*
call[1] *s* chiamata *keeahmahtah*
call[2] *v* chiamare *keeahmahray*; **be called** chiamarsi *keeahmahrsee*
calm calma *kahlmah*; quiete *kweeaytay*
can potere *pohtayray*; essere capace *ayssayray kahpahchay*
cancel annullare *ahnnoollahray*; disdire

deesdeeray
candle candela *kahndaylah*
canister barattolo *bahrahttohloh*; bomboletta *bohmbohlayttah*; **gas canister** bombola *bohmbohlah*
canvas tela *taylah*
capital capitale *kahpeetahlay*
car automobile *ahootohmohbeelay*
care attenzione *ahttayntzeeohnay*
carer accompagnatore *ahkkohmpahnyahtohray*
careful prudente *proodayntay*
caretaker custode *koostohday*; guardiano *gwahrdeeahnoh*
car park parcheggio *pahrkaydgoh*
carriage vagone *vahgohnay*
carry portare *pohrtahray*
cat gatto *gahttoh*
category categoria *kahtaygohreeah*
ceiling soffitto *sohffeettoh*
celebrate festeggiare *faystaydgahray*
central centrale *chayntrahlay*
century secolo *saykohloh*
certainly certamente *chayrtahmayntay*
chairman presidente *prayseedayntay*
change[1] *s* resto *raystoh*
change[2] *v* cambiare *kahmbeeahray*
changeable variabile *vahreeahbeelay*
changing table fasciatoio *fahshahtoheeoh*
charge[1] *s* **1** spesa *spayzah* **2** incarico *eenkahreekoh*; **in charge** responsabile *rayspohnsahbeelay*
charge[2] *v* addebitare *ahddaybeetahray*
cheap conveniente *kohnvayneeayntay*; economico *aykohnohmeekoh*
check[1] *s* controllo *kohntrohlloh*
check[2] *v* controllare *kohntrohllahray*; verificare *vayreefeekahray*
child bambino *bahmbeenoh*; bambina *bahmbeenah*
china porcellana *pohrchayllahnah*
choice[1] *agg* pregiato *prayjahtoh*
choice[2] *s* scelta *shayltah*
choose scegliere *shayllyayray*
class categoria *kahtaygohreeah*
clean[1] *agg* pulito *pooleetoh*
clean[2] *v* pulire *pooleeray*; smacchiare *smahkkeeahray*
clearing spiazzo *speeahtztzoh*
client cliente *kleeayntay*
close chiudere *keeoodayray*
closed chiuso *keeoozoh*
clutch frizione *freetzeeohnay*
coast costa *kohstah*
cold[1] *agg* freddo *frayddoh*
cold[2] *s* **1** freddo *frayddoh* **2** raffreddore *rahffrayddohray*
collect raccogliere *rahkkohllyayray*
collide investire *eenvaysteeray*
collision investimento *eenvaysteemayntoh*
colour colore *kohlohray*
come venire *vayneeray*; **come back** rientrare *reeayntrahray*; **come out** uscire *oosheeray*
comfortable comodo *kohmohdoh*
commitment impegno *eempaynyoh*
communication comunicazione *kohmooneekahtzeeohnay*
company compagnia *kohmpahnyeeah*
compensation risarcimento *reezahrcheemayntoh*
complain lamentarsi *lahmayntahrsee*
complaint reclamo *rayklahmoh*
compulsory obbligatorio *ohbbleegahtohreeoh*
conditions condizioni *kohndeetzeeohnee*
cone cono (gelato) *kohnoh (jaylahtoh)*
conference congresso *kohngrayssoh*
confirm confermare *kohnfayrmahray*
confirmation conferma *kohnfayrmah*
connect collegare *kohllaygahray*
container recipiente *raycheepeeayntay*
continue proseguire *prohsaygweeray*
control[1] *s* controllo *kohntrohlloh*
control[2] *v* controllare *kohntrohllahray*
convenient comodo *kohmohdoh*
cook[1] *s* cuoco *kooohkoh*; cuoca *kooohkah*
cook[2] *v* **1** cucinare *koocheenahray* **2** cuocere *kwohchayray*
cooked cotto *kohttoh*
cool fresco *frayskoh*
cord corda *kohrdah*
cork tappo *tahppoh*
corkscrew cavatappi *kahvahtahppee*
corner angolo *ahngohloh*
correct giusto *joostoh*
cost[1] *s* costo *kohstoh*; prezzo *praytztztoh*
cost[2] *v* costare *kohstahray*
cough[1] *s* tosse *tohssay*
cough[2] *v* tossire *tohsseeray*
count contare *kohntahray*
country paese *pahayzay*; stato *stahtoh*
couple coppia *kohppeeah*
coupon tagliando *tahllyahndoh*
course **1** corso *kohrsoh* **2** (parte di pasto) portata *pohrtahtah*; **of course** naturalmente *nahtoorahlmayntay*

ENGLISH-ITALIAN

court tribunale *treeboonahlay*
cover coprire *kohpreeray*; **cover oneself up** coprirsi *kohpreersee*
crew equipaggio *aykweepahdgoh*
crooked storto *stohrtoh*
cross attraversare *ahttrahvayrsahray*; **cross out** cancellare *kahnchayllahray*
crowd folla *fohllah*
cruise crociera *krohchayrah*
crush schiacciare *skeeahchchahray*
crushed-ice drink granita *grahneetah*
crutches stampelle *stahmpayllay*
cup **1** tazza *tahtztzah* **2** coppa *kohppah*
custom usanza *oozahntzah*
customer cliente *kleeayntay*
customs dogana *dohgahnah*
cut[1] *s* taglio *tahllyoh*
cut[2] *v* tagliare *tahllyahray*
cyclist ciclista *cheekleestah*

D

D *dee*
daily quotidiano *kwohteedeeahnoh*
dam diga *deegah*
damage[1] *s* danno *dahnnoh*
damage[2] *v* danneggiare *dahnnaydgahray*
danger pericolo *payreekohloh*
dangerous pericoloso *payreekohlohzoh*
Danish danese *dahnayzay*
dark[1] *agg* scuro *skooroh*
dark[2] *s* buio *booeeoh*
data dati *dahtee*
date data *dahtah*; **best before date** data di scadenza *dahtah dee skahdayntzah*
daughter figlia *feellyah*
day giorno *johrnoh*
deal dare *dahray*; **deal with** trattare *trahttahray*
dear caro *kahroh*
debit addebitare *ahddaybeetahray*
deceive ingannare *eengahnnahray*
declare dichiarare *deekeeahrahray*
deck ponte *pohntay*
deep profondo *prohfohndoh*
depth profondità *prohfohndeetah*
delay ritardo *reetahrdoh*
delicate delicato *dayleekahtoh*
delicious squisito *skweezeetoh*
delighted lieto *leeaytoh*
delightful incantevole *eenkahntayvohlay*
departure partenza *pahrtayntzah*
deposit[1] *s* **1** versamento *vayrsahmayntoh* **2** acconto *ahkkohntoh*
deposit[2] *v* versare *vayrsahray*; depositare *daypohzeetahray*
descent discesa *deeshayzah*
desire desiderio *dayzeedayreeoh*
destination meta *maytah*
details dati *dahtee*
diary agenda *ahjayndah*
diet dieta *deeaytah*
different diverso *deevayrsoh*
difficult difficile *deeffeecheelay*; faticoso *fahteekohsoh*
dinner suit smoking *smohkeen*
direction direzione *deeraytzeeohnay*
directions indicazioni *eendeekahtzeeohnee*
director direttore *deerayttohray*
directory elenco *aylaynkoh*
dirty[1] *agg* sporco *spohrkoh*
dirty[2] *v* sporcare *spohrkahray*
disadvantage svantaggio *svahntahdgoh*
disappear scomparire *skohmpahreeray*
discount sconto *skohntoh*
discover scoprire *skohpreeray*
disembark sbarcare *sbahrkahray*
dish **1** piatto *peeahttoh* **2** pietanza *peeaytahntzah*
dissolve sciogliere *shohllyayray*
distance distanza *deestahntzah*
distant lontano *lohntahnoh*
disturb disturbare *deestoorbahray*
disturbance disturbo *deestoorboh*
dive[1] *s* tuffo *tooffoh*
dive[2] *v* tuffarsi *tooffahrsee*
divide ripartire *reepahrteeray*; dividere *deeveedayray*
do fare *fahray*
documents documenti *dohkoomayntee*
dog cane *kahnay*
dollar dollaro *dohllahroh*
dosage posologia *pohzohlohjeeah*
dose dose *dohzay*
double doppio *dohppeeoh*
down giù *joo*; **down here** quaggiù *kwahdgoo*; **down there** laggiù *lahdgoo*
dozen dozzina *dohdzdzeenah*
drain tombino *tohmbeenoh*
drawer cassetto *kahssayttoh*
dream[1] *s* sogno *sohnyoh*
dream[2] *v* sognare *sohnyahray*
dress[1] *s* vestito *vaysteetoh*
dress[2] *v* vestire *vaysteeray*; **get dressed**

vestirsi *vaysteersee*
dressing condimento *kohndeemayntoh*
dressmaker's sartoria *sahrtohreeah*
drink[1] *s* bevanda *bayvahndah*
drink[2] *v* bere *bayray*
drinking potabile *pohtahbeelay*
drive[1] *s* viaggio in auto *veeahdgoh een ahootoh*
drive[2] *v* guidare *gweedahray*
driver autista *ahooteestah*; guidatore *gweedahtohray*
drop goccia *gohchchah*; sorso *sohrsoh*
drown annegare *ahnnaygahray*
drug droga *drohgah*
drunk ubriaco *oobreeahkoh*; **get drunk** ubriacarsi *oobreeahkahrsee*
drunkenness sbornia *sbohrneeah*
dry[1] *agg* arido *ahreedoh*; asciutto *ahshoottoh*; secco *saykkoh*
dry[2] *v* asciugare *ahshoogahray*
during durante *doorahntay*
dustbin pattumiera *pahttoomeeayrah*
Dutch olandese *ohlahndayzay*
dye[1] *s* tinta *teentah*
dye[2] *v* tingere *teenjayray*
dyke diga *deegah*

E

E *ay*
each[1] *agg* ogni *ohnyee*
each[2] *pron* ognuno *ohnyoonoh*
early presto *praystoh*
earth terra *tayrrah*
earthquake terremoto *tayrraymohtoh*
easy facile *fahcheelay*
eat mangiare *mahnjahray*
economical economico *aykohnohmeekoh*
economics economia *aykohnohmeeah*
economy economia *aykohnohmeeah*
education istruzione *eestrootzeeohnay*
effect effetto *ayffayttoh*; **personal effects** effetti personali *ayffayttee payrsohnahlee*
effort sforzo *sfohrtzoh*
either nemmeno *naymmaynoh*
elastic (band) elastico *aylahsteekoh*
electric elettrico *aylayttreekoh*
elegant elegante *aylaygahntay*
emergency emergenza *aymayrjayntzah*
employee impiegato *eempeeaygahtoh*
empty vuoto *vooohtoh*
end fine *feenay*; termine *tayrmeenay*
engaged occupato *ohkkoopahtoh*
engagement impegno *eempaynyoh*
engine motore *mohtohray*
English inglese *eenglayzay*
enjoy godere *gohdayray*; **enjoy oneself** divertirsi *deevayrteersee*
enormous enorme *aynohrmay*
enough abbastanza *ahbbahstahntzah*; **be enough** bastare *bahstahray*
enter entrare *ayntrahray*
entertaining divertente *deevayrtayntay*
entrance entrata *ayntrahtah*; ingresso *eengrayssoh*
envelope busta *boostah*
equal uguale *oogwahlay*
equipment equipaggiamento *aykweepahdgahmayntoh*
era epoca *aypohkah*
error errore *ayrrohray*
escalator scala mobile *skahlah mohbeelay*
especially soprattutto *sohprahttoottoh*
establish stabilire *stahbeeleeray*
European europeo *ayoorohpayoh*
event evento *ayvayntoh*
every ogni *ohnyee*
everyone ognuno *ohnyoonoh*; tutti *toottee*
everything ogni cosa *ohnyee kohzah*; tutto *toottoh*
evil[1] *agg* malvagio *mahlvahjoh*
evil[2] *s* male *mahlay*
exact esatto *ayzahttoh*
examination visita medica *veezeetah maydeekah*
excellent eccellente *aychchayllayntay*
except tranne *trahnnay*
exception eccezione *aychchaytzeeohnay*
exceptional eccezionale *aychchaytzeeohnahlay*
excluding escluso *ayskloozoh*
exclusive esclusivo *ayskloozeevoh*
exempt esente *ayzayntay*
exhaust scarico *skahreekoh*
exit uscita *oosheetah*
exotic esotico *ayzohteekoh*
expense spesa *spaysah*
expensive caro *kahroh*; **become more expensive** rincarare *reenkahrahray*
experience[1] *s* esperienza *ayspayreeayntzah*
experience[2] *v* provare *prohvahray*
expert esperto *ayspayrtoh*
expire scadere *skahdayray*
export esportare *ayspohrtahray*

ENGLISH-ITALIAN

exquisite squisito *skweezeetoh*
external esterno *aystayrnoh*
extinguisher estintore *aysteentohray*
extraordinary straordinario *strahohrdeenahreeoh*

F

F *ayffay*
fact **1** fatto *fahttoh* **2** realtà *rayahltah*; **in fact** infatti *eenfahttee*
factory fabbrica *fahbbreekah*
fair[1] *s* fiera *feeayrah*
fair[2] *agg* giusto *joostoh*; onesto *ohnaystoh*
fall cadere *kahdayray*; **fall asleep** addormentarsi *ahddohrmayntahrsee*
family famiglia *fahmeellyah*
famous famoso *fahmohsoh*; celebre *chaylaybray*
fan tifoso *teefohzoh*
far lontano *lohntahnoh*; **as far as** fino (a) *feenoh (ah)*; **far away** lontano *lohntahnoh*
fare tariffa *tahreeffah*
fashion moda *mohdah*
fast svelto *svayltoh*; rapido *rahpeedoh*
fasten allacciare *ahllachchahray*
fat grasso *grahssoh*
father padre *pahdray*
favour favore *fahvohray*
feather (di uccelli) penna *paynnah*
feel sentirsi *saynteersee*
feeling sensazione *saynsahtzeeohnay*
female femminile *faymmeeneelay*
ferry traghetto *trahghayttoh*
fever febbre *faybbray*
few pochi *pohkee*; **a few** alcuni *ahlkoonee*
fewer meno *maynoh*
file schedario *skaydahreeoh*
fill riempire *reeaympeeray*
find trovare *trohvahray*
finish finire *feeneeray*; terminare *tayrmeenahray*
Finnish finlandese *feenlahndayzay*
fire brigade pompieri *pohmpeeayree*
fire fuoco *fooohkoh*; incendio *eenchayndeeoh*
first primo *preemoh*
fish[1] *s* pesce *payshay*
fish[2] *v* pescare *payskahray*
fix fissare *feessahray*
fixed fisso *feessoh*
fizzy effervescente *ayffayrvayshayntay*; gassato *gahssahtoh*
flavour gusto *goostoh*
flex filo *feeloh*; cavo *kahvoh*
flight volo *vohloh*
floor **1** pavimento *pahveemayntoh* **2** piano *peeahnoh*
fly mosca *mohskah*
foam schiuma *skeeoomah*
follow seguire *saygweeray*
following seguente *saygwayntay*; successivo *soochchaysseevoh*
food cibo *cheeboh*
foot piede *peeayday*; **on foot** a piedi *ah peeaydee*
football pallone *pahllohnay*
for per *payr*
forbidden vietato *veeaytahtoh*; proibito *proheebeetoh*
foreign estero *aystayroh*
foreigner straniero *strahneeayroh*
forget dimenticare *deemaynteekahray*
form forma *fohrmah*
fragile fragile *frahjeelay*
free libero *leebayroh*; gratuito *grahtooeetoh*; **free of charge** gratis *grahtees*
French francese *frahnchaysay*
fresh fresco *frayskoh*
friend amico *ahmeekoh*
friendly simpatico *seempahteekoh*
frighten spaventare *spahvayntahray*
from da *dah*
front facciata *fahchchahtah*; **in front (of)** davanti (a) *dahvahntee (ah)*
froth schiuma *skeeoomah*
fruit juice spremuta *spraymootah*
fuel combustibile *kohmboosteebeelay*
full completo *kohmplaytoh*; pieno *peeaynoh*
function[1] *s* funzione *foontzeeohnay*
function[2] *v* funzionare *foontzeeohnahray*
future venturo *vayntooroh*

G

G *jee*
game gioco *johkoh*; partita *pahrteetah*
garage autorimessa *ahootohreemayssah*
gas gas *gahs*
gate cancello *kahnchaylloh*; porta *pohrtah*
gear[1] *s.* (di veicoli) marcia *mahrchah*
gear[2] *v.* ingranare *eengrahnahray*
generous generoso *jaynayrohzoh*
gentleman signore *seenyohray*

genuine genuino *jaynooeenoh*
German tedesco *taydayskoh*
get ottenere *ohttaynayray*; **get off** scendere (da veicoli) *shayndayray (dah vayeekohlee)*; **get on** salire *sahleeray*; **get over** superare *soopayrahray*; **get up** alzarsi *ahltzahrsee*
girl ragazza *rahgahtztzah*
give dare *dahray*; **give (as a present)** regalare *raygahlahray*; **give back** restituire *raysteetooeeray*; **give up** rinunciare *reenoonchahray*
glue colla *kohllah*
go andare *ahndahray*; recarsi *raykahrsee*; **go down** scendere *shayndayray*; **go in** entrare *ayntrahray*; **go out** uscire *oosheeray*; **go up** salire *sahleeray*
good buono *booohnoh*
goods merce *mayrchay*
gorge burrone *boorrohnay*
gourmet buongustaio *booohngoostaheeoh*
grandfather nonno *nohnnoh*
grandmother nonna *nohnnah*
grass erba *ayrbah*
great grande *grahnday*
greedy **1** goloso *gohlohsoh* **2** avaro *ahvahroh*
Greek greco *graykoh*
greet salutare *sahlootahray*
greeting saluto *sahlootoh*
group gruppo *grooppoh*
guard guardia *gwahrdeeah*
guardrail paracarro *pahrahkahrroh*
guest ospite *ohspeetay*; invitato; *eenveetahtoh*; **have a guest** ospitare *ohspeetahray*
guide guida *gweedah*; **guide dog** cane per non vedenti *kahnay payr nohn vaydayntee*

H

H *ahkkah*
habit abitudine *ahbeetoodeenay*
hail grandinare *grahndeenahray*
half[1] *s* metà *maytah*
half[2] *agg* mezzo *maydzdzoh*
hammer martello *mahrtaylloh*
handle maniglia *mahneellyah*
handlebar manubrio *mahnoobreeoh*
handrail corrimano *kohrreemahnoh*
hang out stendere *stayndayray*
happen accadere *ahkkahdayray*
happy felice *fayleechay*; allegro *ahllaygroh*
harbour porto *pohrtoh*
hard duro *dooroh*; difficile *deeffeecheelay*
harmful nocivo *nohcheevoh*
harmless innocuo *eennohkwoh*
have avere *ahvayray*; **have to** dovere *dohvayray*
head testa *taystah*; capo *kahpoh*
headlights fari *fahree*
health salute *sahlootay*
healthy sano *sahnoh*
hear sentire *saynteeray*
heat scaldare *skahldahray*
heating riscaldamento *reeskahldahmayntoh*
heavy pesante *paysahntay*
helicopter elicottero *ayleekohttayroh*
helmet casco *kahskoh*
help[1] *s* aiuto *aheeootoh*; soccorso *sohkkohrsoh*
help[2] *v* aiutare *aheeootahray*; soccorrere *sohkkohrrayray*
helping porzione (di cibo) *pohrtzeeohnay (dee cheeboh)*; dose *dohzay*
here qua *kwah*; qui *kwee*
here is ecco *aykkoh*
high alto *ahltoh*
highly-strung nervoso *nayrvohzoh*
highway autostrada *ahootohstrahdah*
hire noleggiare *nohlaydgahray*
historical storico *stohreekoh*
history storia *stohreeah*
hold tenere *taynayray*
hole buca *bookah*
holiday vacanza *vahkahntzah*; festa *faystah*
holidays ferie *fayreeay*
holy sacro *sahkroh*
honeymoon luna di miele *loonah dee meeaylay*
hooligan teppista *tayppeestah*
hope[1] *s* speranza *spayrahntzah*
hope[2] *v* sperare *spayrahray*
horizon orizzonte *ohreedzdzohntay*
horn clacson *klahksohn*
horse cavallo *kahvahlloh*
host (chi ospita) ospite *ohspeetay*
hot **1** caldo *kahldoh* **2** piccante *peekkahntay*
hour ora *ohrah*
house casa *kahzah*; **at the house of** presso *prayssoh*
how? come? *kohmay*; **how much?** quanto? *kwahntoh*

hungry affamato *ahffahmahtoh*; **be hungry** avere fame *ahvayray fahmay*
hunger fame *fahmay*
hunting caccia *kahchchah*
hurry[1] *s* fretta *frayttah*; **in a hurry** in fretta *een frayttah*
hurry[2] *v* sbrigarsi *sbreegahrsee*; affrettarsi *ahffrayttahrsee*
husband marito *mahreetoh*
hydrofoil aliscafo *ahleeskahfoh*

I

I *ee*
ice ghiaccio *gheeahchchoh*
ice-lolly ghiacciolo *gheeahchchohloh*
idea idea *eedayah*
identical uguale *oogwahlay*
if se *say*
ignition accensione *ahchchaynseeohnay*
ill *agg* ammalato *ahmmahlahtoh*; **get ill** ammalarsi *ahmmahlahrsee*
illuminate illuminare *eelloomeenahray*
image immagine *eemmahjeenay*
immediately immediatamente *eemmaydeeahtahmayntay*; subito *soobeetoh*
impolite maleducato *mahlaydookahtoh*
important importante *eempohrtahntay*
impossible impossibile *eempohsseebeelay*
in in *een*; a *ah*; tra *trah*; fra *frah*
including compreso *kohmpraysoh*
included incluso *eenkloosoh*; compreso *kohmpraysoh*
inconvenient imbarazzante *eembahrahtztzahntay*; scomodo *skohmohdoh*
independent indipendente *eendeepayndayntay*
indicate indicare *eendeekahray*
indication indicazione *eendeekahtzeeohnay*
indicators lampeggiatori *lahmpaydgahtohree*
indispensable indispensabile *eendeespaynsahbeelay*
industrial industriale *eendoostreeahlay*
inflammable infiammabile *eenfeeahmmahbeelay*
inflate gonfiare *gohnfeeahray*
inform avvisare *ahvveesahray*; informare *eenfohrmahray*
information informazioni *eenfohrmahtzeeohnee*; **a piece of information** un'informazione *oon eenfohrmahtzeeohnay*
ingredient ingrediente *eengraydeeayntay*
inhabitant abitante *ahbeetahntay*
insect insetto *eensayttoh*
inside dentro *dayntroh*
insipid insipido *eenseepeedoh*
insist insistere *eenseestayray*
instalment rata *rahtah*
instead (of) invece (di) *eenvaychay (dee)*
institute istituto *eesteetootoh*
institution istituzione *eesteetootzeeohnay*
instructive istruttivo *eestrootteevoh*
instructor istruttore *eestroottohray*
insurance assicurazione *ahsseekoorahtzeeohnay*
intelligent intelligente *eentaylleejayntay*
intercom interfono *eentayrfohnoh*
interest[1] *s* interesse *eentayrayssay*; **be of interest** interessare *eentayrayssahray*
interest[2] *v* interessare *eentayrayssahray*
interesting interessante *eentayrayssahntay*
internal interno *eentayrnoh*
international internazionale *eentayrnahtzeeohnahlay*
interruption interruzione *eentayrrootzeeohnay*
interval pausa *pahoosah*
introduce presentare *praysayntahray*
invitation invito *eenveetoh*
invite invitare *eenveetahray*
Irish irlandese *eerlahndayzay*
iron[1] *s* ferro *fayrroh*; ferro da stiro *fayrroh dah steeroh*
iron[2] *v* stirare *steerahray*
irritation fastidio *fahsteedeeoh*
Italian italiano *eetahleeahnoh*
itinerary itinerario *eeteenayrahreeoh*

J

J *ee loongah*
jack crick *kreek*
Japanese giapponese *jahppohnayzay*
jerry can tanica *tahneekah*
join unire *ooneeray*
journey viaggio *veeahdgoh*
juice succo *sookkoh*

K

K *kahppah*
keep conservare *kohnsayrvahray*; tenere *taynayray*; **keep to** seguire *saygweeray*; rispettare *reespayttahray*
kind gentile *jaynteelay*
king re *ray*
kingdom regno *raynyoh*
kiosk chiosco *keeohskoh*
kiss[1] *s* bacio *bahchoh*
kiss[2] *v* baciare *bahchahray*
knock bussare *boossahray*
knot nodo *nohdoh*
know sapere *sahpayray*

L

L *ayllay*
label etichetta *ayteekayttah*
lack mancare *mahnkahray*
lady signora *seenyohrah*
land[1] *s* terra *tayrrah*; terreno *tayrraynoh*
land[2] *v* atterrare *ahttayrrahray*
landing atterraggio *ahttayrrahdgoh*
landlord padrone *pahdrohnay*
landslide frana *frahnah*
lane vicolo *veekohloh*; corsia *kohrseeah*
large abbondante *ahbbohndahntay*
last[1] *agg* ultimo *oolteemoh*
last[2] *v* durare *doorahray*
late tardi *tahrdee*
laugh ridere *reedayray*
lavatory gabinetto *gahbeenayttoh*
lawn prato *prahtoh*
layer strato *strahtoh*
lead guinzaglio *gweentzahllyoh*
leaf foglia *fohllyah*
lean appoggiarsi *ahppodgahrsee*; **lean out** sporgersi *spohrjayrsee*
learn imparare *eempahrahray*
leather pelle *payllay*; cuoio *kooohеeoh*
leave **1** partire *pahrteeray* **2** lasciare *lahshahray*
left sinistra *seeneestrah*
lend prestare *praystahray*
less meno *maynoh*
let lasciare *lahshahray*
level grado *grahdoh*
level crossing passaggio a livello *pahssahdgoh ah leevaylloh*
lie[1] *v* mentire *maynteeray*
lie[2] *v* giacere *jahchayray*; **lie down** sdraiarsi *sdraheeahrsee*
life vita *veetah*
lifebelt salvagente *sahlvahjayntay*
lift[1] *s* ascensore *ahshaynsohray*
lift[2] *v* alzare *ahltzahray*; sollevare *sohllayvahray*
light[1] *agg* **1** leggero *laydgayroh* **2** luminoso *loomeenohzoh*
light[2] *s* luce *loochay*
light[3] *v* accendere *ahchchayndayray*; illuminare *eelloomeenahray*
lighter accendino *ahchchayndeenoh*
limit limite *leemeetay*
limp zoppicare *dzohppeekahray*
line fila *feelah*; linea *leenayah*
lining guarnizione *gwahrneetzeeohnay*
list lista *leestah*; elenco *aylaynkoh*
little **1** piccolo *peekkohloh* **2** poco *pohkoh*
live vivere *veevayray*; abitare *ahbeetahray*
lively vivace *veevahchay*
living room soggiorno *sohdgohrnoh*
log book libretto di circolazione *leebrayttoh dee cheerkohlahtzeeohnay*
long lungo *loongoh*
look[1] *s* sguardo *sgwahrdoh*
look[2] *v* guardare *gwahrdahray*; **look after** occuparsi (di) *ohkkoopahrsee (dee)*; **look at** guardare *gwahrdahray*; esaminare *aysahmeenahray*
lookout belvedere *baylvaydayray*
lose smarrire *smahrreeray*; perdere *payrdayray*
lot molto *mohltoh*; **a lot of** molto *mohltoh*; molti *mohltee*; **quite a lot of** parecchio *pahraykkeeoh*
loudspeaker altoparlante *ahltohpahrlahntay*
love[1] *s* amore *ahmohray*
love[2] *v* amare *ahmahray*
lovely stupendo *stoopayndoh*
low basso *bahssoh*
lower abbassare *ahbbahssahray*
low-fat magro *mahgroh*
luggage bagaglio *bahgahllyoh*
lukewarm tiepido *teeaypeedoh*
lunch pranzo *prahntzoh*; **have lunch** pranzare *prahntzahray*
luxury lusso *loossoh*

M

M *aymmay*
main principale *preencheepahlay*
make fare *fahray*; **make oneself at home** accomodarsi *ahkkohmohdahrsee*
male maschile *mahskeelay*
man uomo *ooohmoh*

manage riuscire *reeoosheeray*

management direzione *deeraytzeeohnay*

manager direttore *deerayttohray*

many molti *mohltee*

map carta (stradale) *kahrtah (strahdahlay)*

marble marmo *mahrmoh*

marine marino *mahreenoh*

marriage matrimonio *mahtreemohneeoh*

married sposato *spohsahtoh*

marvellous meraviglioso *mayrahveellyohsoh*

massive massiccio *mahsseechchoh*

material stoffa *stohffah*; tessuto *tayssootoh*

maximum massimo *mahsseemoh*

mayor sindaco *seendahkoh*

meadow prato *prahtoh*

meal pasto *pahstoh*; **enjoy your meal!** buon appetito! *booohn ahppayteetoh*

mean significare *seenyeefeekahray*

meaning significato *seenyeefeekahtoh*

means mezzo *maydzdzoh*

mechanic meccanico *maykkahneekoh*

medieval medievale *maydeeayvahlay*

medicine medicina *maydeecheenah*

Mediterranean mediterraneo *maydeetayrrahnayoh*

meet incontrare *eenkohntrahray*

meeting riunione *reeooneeohnay*

meeting place luogo di ritrovo *looohgoh dee reetrohvoh*

membership card tessera *tayssayrah*

mess pasticcio *pahsteechchoh*

message messaggio *mayssahdgoh*

mild mite *meetay*

mind mente *mayntay*

ministry ministero *meeneestayroh*

miss *v* perdere *payrdayray*; **be missing** mancare *mahnkahray*

Miss signorina *seenyohreenah*

mistake errore *ayrrohray*; **make a mistake** sbagliare *sbahllyahray*

mister signore *seenyohray*

mix mischiare *meeskeeahray*

mixed misto *meestoh*

mixture miscela *meeshaylah*

modern moderno *mohdayrnoh*

moment momento *mohmayntoh*

money denaro *daynahroh*

monthly[1] *agg/s* mensile *maynseelay*

monthly[2] *avv* mensilmente *maynseelmayntay*

moon luna *loonah*

moor ormeggiare *ohrmaydgahray*

mooring ormeggio *ohrmaydgoh*

more più *peeoo*; ancora *ahnkohrah*

moped motorino *mohtohreenoh*

moreover inoltre *eenohltray*

mosquito zanzara *dzahndzahrah*

mother madre *mahdray*

mountainous montuoso *mohntooohsoh*

mouse topo *tohpoh*

mouthful boccone *bohkkohnay*

move muovere *mooohvayray*; spostare *spohstahray*

Mr signore *seenyohray*

Mrs signora *seenyohrah*

Ms signora *seenyohrah*; (senza specificare) signorina *seenyohreenah*

much molto *mohltoh*

mud fango *fahngoh*

mud guard parafango *pahrahfahngoh*

mummy mamma *mahmmah*

must dovere *dohvayray*

muzzle museruola *moozayrooohlah*

N

N *aynnay*

nail chiodo *keeohdoh*

name nome *nohmay*

nap sonnellino *sohnnaylleenoh*

narrow stretto *strayttoh*

nasty antipatico *ahnteepahteekoh*; cattivo *kahtteevoh*; brutto *broottoh*

nation nazione *nahtzeeohnay*

national nazionale *nahtzeeohnahlay*

natural naturale *nahtoorahlay*

navigation navigazione *nahveegahtzeeohnay*

near vicino *veecheenoh*

nearly quasi *kwahzee*

necessary necessario *naychayssahreeoh*

need[1] *s* necessità *naychaysseetah*; bisogno *beesohnyoh*

need[2] *v* occorrere *ohkkohrrayray*; avere bisogno *ahvayray beesohnyoh*

needle ago *ahgoh*

neither *avv* nemmeno *naymmaynoh*

neither... nor *cong* né... né *nay... nay*

nervous nervoso *nayrvohzoh*

network rete *raytay*

never mai *mahee*

new nuovo *nooohvoh*

news notizia *nohteetzeeah*; **a piece of news** una notizia *oonah nohteetzeeah*

next *agg* prossimo *prohsseemoh*

next to *prep* accanto (a) *ahkkahntoh (ah)*

nice **1** simpatico *seempahnteekoh* **2** carino *kahreenoh*; bello *baylloh*

night[1] *agg* notturno *nohttoornoh*

night[2] *s* notte *nohttay*

no[1] *agg* nessuno *nayssoonoh*

no[2] *avv* no *noh*

no one nessuno *nayssoonoh*

noise rumore *roomohray*

noisy rumoroso *roomohrohsoh*

normal normale *nohrmahlay*

northern settentrionale *sayttayntreeohnahlay*

Norwegian norvegese *nohrvayjaysay*

not non *nohn*

nothing niente *neeayntay*; nulla *noollah*

notice[1] *s* avviso *ahvveezoh*; preavviso *prayahvveezoh*

notice[2] *v* notare *nohtahray*

novel romanzo *rohmahndzoh*

novelty novità *nohveetah*

now ora *ohrah*; adesso *ahdayssoh*; **(by) now** ormai *ohrmahee*

number numero *noomayroh*

number plate targa *tahrgah*

nutritive nutriente *nootreeayntay*

O

O *oh*

object oggetto *ohdgayttoh*

obligatory obbligatorio *ohbbleegahtohreeoh*

obstacle ostacolo *ohstahkohloh*

obtain ottenere *ohttaynayray*

occasion occasione *ohkkahzeeohnay*

of di *dee*

offer[1] *s* offerta *ohffayrtah*

offer[2] *v* offrire *ohffreeray*

office ufficio *ooffeechoh*

official ufficiale *ooffeechahlay*

office worker impiegato *eempeeaygahtoh*

often spesso *spayssoh*

oil **1** olio *ohleeoh* **2** petrolio *paytrohleeoh*

old vecchio *vaykkeeoh*; antico *ahnteekoh*

on su *soo*; a *ah*; in *een*

on board a bordo *ah bohrdoh*

once una volta *oonah vohltah*

only solamente *sohlahmayntay*

opaque opaco *ohpahkoh*

open[1] *agg* aperto *ahpayrtoh*; **open wide** spalancato *spahlahnkahtoh*

open[2] *v* aprire *ahpreeray*

operate intervenire *eentayrvayneeray*

optional facoltativo *fahkohltahteevoh*

or o *oh*; oppure *ohppooray*

order[1] *s* ordine *ohrdeenay*; **out of order** guasto *gwahstoh*

order[2] *v* ordinare *ohrdeenahray*

oriental orientale *ohreeayntahlay*

origin provenienza *prohvayneeayntzah*

original originale *ohreejeenahlay*

other altro *ahltroh*

outside fuori *foohree*

outskirts periferia *payreefayreeah*; sobborghi *sohbbohrghee*

over sopra *sohprah*

oversight svista *sveestah*

overtake sorpassare *sohrpahssahray*

own proprio *prohpreeoh*

owner proprietario *prohpreeaytahreeoh*; possessore *pohssayssohray*

P

P *pee*

pack confezione *kohnfaytzeeohnay*; pacco *pahkkoh*

packing confezione *kohnfaytzeeohnay*; imballaggio *eembahllahdgoh*

page pagina *pahjeenah*

paint vernice *vayrneechay*

painkiller calmante *kahlmahntay*

pair paio *paheeoh*

palm palma *pahlmah*

paper carta *kahrtah*

parapet parapetto *pahrahpayttoh*

parents genitori *jayneetohree*

park[1] *s* parco *pahrkoh*

park[2] *v* parcheggiare *pahrkaydgahray*; posteggiare *pohstaydgahray*

parking meter parchimetro *pahrkeemaytroh*

parking place posteggio *pohstaydgoh*

part parte *pahrtay*

participate partecipare *pahrtaycheepahray*

particular particolare *pahrteekohlahray*

party festa *pahrtee*

pass[1] *s* valico *vahleekoh*

pass[2] *v* passare *pahssahray*

passenger passeggero *pahssaydgayroh*

passport passaporto *pahssahpohrtoh*

pastime passatempo *pahssahtaympoh*

pavilion padiglione *pahdeellyohnay*

pay pagare *pahgahray*; **pay off** saldare *sahldahray*; liquidare *leekweedahray*

payment pagamento *pahgahmayntoh*
peel buccia *boochchah*
people gente *jayntay*
perfect perfetto *payrfayttoh*
period periodo *payreeohdoh*; epoca *aypohkah*
permission permesso *payrmayssoh*
permit permesso *payrmayssoh*
person persona *payrsohnah*
personal personale *payrsohnahlay*
petrol benzina *bayndzeenah*
picture 1 quadro *kwahdroh* 2 fotografia *fohtohgrahfeeah* 3 (tv) immagine *eemmahjeenay*
picturesque pittoresco *peettohrayskoh*
piece pezzo *paytztzoh*
pillow cuscino *koosheenoh*
pilot pilota *peelohtah*
pin spillo *speelloh*; **safety pin** spilla di sicurezza *speellah dee seekooraytztzah*
pipe tubo *tooboh*
place luogo *loohgoh*; posto *pohstoh*
plan progettare *prohjayttahray*
plant 1 pianta *peeahntah* 2 stabilimento *stahbeeleemayntoh*
plastic plastica *plahsteekah*
plated placcato *plahkkahtoh*
platform binario *beenahreeoh*
play[1] *s* 1 gioco *johkoh* 2 partita *pahrteetah* 3 lavoro teatrale *lahvohroh tayahtrahlay*
play[2] *v* 1 giocare *johkahray* 2 suonare *sooohnahray* 3 recitare *raycheetahray*
pleasant gradevole *grahdayvohlay*
pleased lieto *leeaytoh*
pleasure piacere *peeahchayray*; **with pleasure** volentieri *vohlaynteeayree*
pocket tasca *tahskah*
poet poeta *pohaytah*
point[1] *s* punto *poontoh*
point[2] *v* indicare *eendeekahray*
poisonous velenoso *vaylaynohsoh*
pole palo *pahloh*
polished lucido *loocheedoh*
polite educato *aydookahtoh*
pollution inquinamento *eenkweenahmayntoh*
poor povero *pohvayroh*
porch portico *pohrteekoh*
porter facchino *fahkkeenoh*
porter's lodge portineria *pohrteenayreeah*
portion porzione *pohrtzeeohnay*; razione *rahtzeeohnay*
Portuguese portoghese *pohrtohghayzay*
position posizione *pohzeetzeeohnay*
possess possedere *pohssaydayray*
possessor possessore *pohssayssohray*
possible possibile *pohsseebeelay*
post[1] *s* 1 posta *pohstah* 2 palo *pahloh*
post[2] *v* imbucare *eembookahray*
postal postale *pohstahlay*
postcard cartolina *kahrtohleenah*
postman postino *pohsteenoh*
pour versare *vayrsahray*
practical pratico *prahteekoh*
pray pregare *praygahray*
precaution precauzione *praykahootzeeohnay*
preceding *agg* precedente *praychaydayntay*
precious prezioso *praytzeeohzoh*
prefer preferire *prayfayreeray*
pregnant incinta *eencheentah*
prepare preparare *praypahrahray*
prescription ricetta medica *reechayttah maydeekah*
present[1] *agg* presente *prayzayntay*
present[2] *s* regalo *raygahloh*
present[3] *v* presentare *prayzayntahray*
preserve conservare *kohnsayrvahray*
president presidente *prayseedayntay*
press[1] *s* stampa *stahmpah*
press[2] *v* premere *praymayray*
pretty carino *kahreenoh*
previous precedente *praychaydayntay*
price prezzo *praytztzoh*
prince principe *preencheepay*
principal principale *preencheepahlay*
priority precedenza *praychaydayntzah*
prison prigione *preejohnay*
private privato *preevahtoh*
prize premio *praymeeoh*
problem problema *prohblaymah*
product prodotto *prohdohttoh*
profession professione *prohfaysseeohnay*
program (informatica) programma *prohgrahmmah*
programme programma *prohgrahmmah*; trasmissione *trahsmeesseeohnay*
prohibition divieto *deeveeaytoh*
promise promettere *prohmayttayray*
pronounce pronunciare *prohnoonchahray*
propose proporre *prohpohrray*
protection riparo *reepahroh*
protest protestare *prohtaystahray*
prove provare *prohvahray*; dimostrare *deemohstrahray*

province provincia *prohveenchah*
public pubblico *poobbleekoh*
puddle pozzanghera *pohtztzahnghayrah*
pull tirare *teerahray*
pump pompa *pohmpah*
punctual puntuale *poontooahlay*
pure puro *pooroh*
purpose scopo *skohpoh*
push spingere *speenjayray*
pushchair passeggino *pahssaydgeenoh*
put mettere *mayttayray*; **put in** inserire *eensayreeray*; **put off** rinviare *reenveeahray*; **put up** ospitare *ohspeetahray*

Q

Q *koo*
qualified qualificato *kwahleefeekahtoh*
quality qualità *kwahleetah*
quantity quantità *kwahnteetah*
queen regina *rayjeenah*
question domanda *dohmahndah*
queue coda *kohdah*; fila *feelah*
quick rapido *rahpeedoh*
quiet calmo *kahlmoh*; silenzioso *seelayntzeeohzoh*; **keep quiet** tacere *tahchayray*

R

R *ayrray*
rare raro *rahroh*
rate tassa *tahssah*
raw crudo *kroodoh*
reach raggiungere *rahdgoonjayray*
read leggere *laydgayray*
ready pronto *prohntoh*
really **1** veramente *vayrahmayntay* **2** in effetti *een ayffayttee*
reason ragione *rahjohnay*
receipt ricevuta *reechayvootah*
receive ricevere *reechayvayray*
recent recente *raychayntay*
recipe ricetta (di cucina) *reechayttah (dee koocheenah)*
record *v* registrare *rayjeestrahray*
redo rifare *reefahray*
reduce ridurre *reedoorray*; **reduce the price of** scontare *skohntahray*
reduction riduzione *reedootzeeohnay*
refined raffinato *rahffeenahtoh*
refuge rifugio *reefoojoh*
region regione *rayjohnay*
regional regionale *rayjohnahlay*
regular regolare *raygohlahray*
reimburse rimborsare *reembohrsahray*
relative parente *pahrayntay*
relief sollievo *sohlleeayvoh*
religion religione *rayleejohnay*
remake rifare *reefahray*
remedy rimedio *reemaydeeoh*
remember ricordare *reekohrdahray*
remove togliere *tohllyayray*
renouncement rinuncia *reenoonchah*
rent affittare *ahffeettahray*
repair riparare *reepahrahray*
repatriate rimpatriare *reempahtreeahray*
repeat ripetere *reepaytayray*
report *v* riferire *reefayreeray*; segnalare *saynyahlahray*; **to report to the police** denunciare alla polizia *daynoonchahray ahllah pohleetzeeah*
request[1] *s* domanda *dohmahndah*
request[2] *v* domandare *dohmahndahray*
reserve riserva *reesayrvah*
resident residente *rayseedayntay*
residential residenziale *rayseedayntzeeahlay*
responsible responsabile *rayspohnsahbeelay*; **person responsible** il responsabile *eel rayspohnsahbeelay*
rest riposo *reepohzoh*
return[1] *s* ritorno *reetohrnoh*
return[2] *v* ritornare *reetohrnahray*; tornare *tohrnahray*
ribbon nastro *nahstroh*
rich ricco *reekkoh*
right[1] *agg* giusto *joostoh*; vero *vayroh*
right[2] *s* destra *daystrah*
rind buccia *boochchah*
ring[1] *s* anello *ahnaylloh*
ring[2] *v* suonare *sooohnahray*
ripe maturo *mahtooroh*
rise **1** il sorgere (del sole) *eel sohrjayray (dayl sohlay)* **2** aumento *ahoomayntoh*
risk rischio *reeskeeoh*
risky rischioso *reeskeeohzoh*
robbery rapina *rahpeenah*
romantic romantico *rohmahnteekoh*
roof tetto *tayttoh*
room stanza *stahntzah*
rope corda *kohrdah*
round[1] *agg* rotondo *rohtohndoh*
round[2] *prep* intorno a *eentohrnoh ah*
roundabout rotatoria *rohtahtohreeah*
royal reale *rayahlay*
rub strofinare *strohfeenahray*; **rub off** cancellare *kahnchayllahray*

rubber gomma *gohmmah*; **rubber band** elastico *aylahsteekoh*
rubbish immondizia *eemmohndeetzeeah*; rifiuti *reefeeootee*
rude sgarbato *sgahrbahtoh*
rule regolamento *raygohlahmayntoh*
run *v* correre *kohrrayray*; **run away** scappare *skahppahray*
rush fretta *frayttah*; **in a rush** in fretta *een frayttah*
Russian *agg* russo *roossoh*

S

S *ayssay*
sack sacco *sahkkoh*
sad triste *treestay*
saint santo *sahntoh*
sale vendita *vayndeetah*
same stesso *stayssoh*
sanctuary santuario *sahntooahreeoh*
satisfy soddisfare *sohddeesfahray*
saucepan pentola *payntohlah*
sausages insaccati *eensahkkahtee*
save risparmiare *reespahrmeeahray*
savoury salato *sahlahtoh*
say dire *deeray*
scientific scientifico *shaynteefeekoh*
scissors forbici *fohrbeechee*
Scottish scozzese *skohtztzayzay*
screw vite *veetay*
screwdriver cacciavite *kahchchahveetay*
seagull gabbiano *gahbbeeahnoh*
search *v* perquisire *payrkweezeeray*
seasoning condimento *kohndeemayntoh*
season-ticket abbonamento *ahbbohnahmayntoh*
seat posto (a sedere) *pohstoh (ah saydayray)*; sedile *saydeelay*
second secondo *saykohndoh*
see vedere *vaydayray*
seem sembrare *saymbrahray*
sell vendere *vayndayray*
send mandare *mahndahray*
series serie *sayreeay*
serve servire *sayrveeray*
service servizio *sayrveetzeeoh*
shade ombra *ohmbrah*
shadow ombra *ohmbrah*
shape forma *fohrmah*
share¹ *s* parte *pahrtay*; quota *kwohtah*
share² *v* dividere *deeveedayray*
shave radersi *rahdayrsee*
sheet foglio *fohllyoh*
shelter riparo *reepahroh*
shift turno *toornoh*
shine brillare *breellahray*; splendere *splayndayray*
shiny splendente *splayndayntay*
shoddy scadente *skahdayntay*
short corto *kohrtoh*
short cut scorciatoia *skohrchahtoheeah*
shout gridare *greedahray*
show¹ *s* spettacolo *spayttahkohloh*
show² *v* mostrare *mohstrahray*
side lato *lahtoh*
sight vista *veestah*
sign firmare *feermahray*
silent silenzioso *seelayntzeeohsoh*
silencer marmitta *mahrmeettah*
similar simile *seemeelay*
simple semplice *saympleechay*
since¹ *cong* **1** da quando *dah kwahndoh* **2** siccome *seekkohmay*
since² *prep* da *dah*
sister sorella *sohrayllah*
sit stare seduto *stahray saydootoh*; **sit down** sedersi *saydayrsee*
situation situazione *seetooahtzeeohnay*
size misura *meezoorah*
sky cielo *cheeayloh*
sleep¹ *s* sonno *sohnnoh*
sleep² *v* dormire *dohrmeeray*
slide *v* scivolare *sheevohlahray*
slim snello *snaylloh*
slip *v* scivolare *sheevohlahray*
slope pendenza *payndayntzah*; salita *sahleetah*
slow¹ *agg* lento *layntoh*
slow² *avv* lentamente *layntahmayntay*; piano *peeahnoh*
slow (down) rallentare *rahllayntahray*
small piccolo *peekkohloh*
small change spiccioli *speechchohlee*
smart elegante *aylaygahntay*
smell¹ *s* odore *ohdohray*
smell² *v* odorare *ohdohrahray*; puzzare *pootztzahray*
smile¹ *s* sorriso *sohrreesoh*
smile² *v* sorridere *sohrreedayray*
smoke¹ *s* fumo *foomoh*
smoke² *v* fumare *foomahray*
smoker fumatore *foomahtohray*
so *cong* quindi *kweendee*; perciò *payrchoh*
social sociale *sohchahlay*
soft morbido *mohrbeedoh*; soffice *sohffeechay*
solar solare *sohlahray*
solemn solenne *sohlaynnay*

solid solido *sohleedoh*; massiccio *mahsseechchoh*
solve risolvere *reesohlvayray*
some qualche *kwahlkay*; alcuni *ahlkoonee*
someone qualcuno *kwahlkoonoh*
something qualcosa *kwahlkohzah*
sometimes talvolta *tahlvohltah*
son figlio *feellyoh*
soon presto *praystoh*
south sud *sood*
southern meridionale *mayreedeeohnahlay*
sovereign sovrano *sohvrahnoh*
space spazio *spahtzeeoh*
spacious spazioso *spahtzeeohzoh*; ampio *ahmpeeoh*
Spanish spagnolo *spahnyohloh*
sparkling gassato *gahssahtoh*
speak parlare *pahrlahray*
special speciale *spaychahlay*
speciality specialità *spaychahleetah*
spectator spettatore *spayttahtohray*
speed velocità *vaylohcheetah*
spend **1** spendere *spayndayray* **2** trascorrere *trahskohrrayray*
spicy piccante *peekkahntay*
spiritual spirituale *speereetooahlay*
splendid magnifico *mahnyeefeekoh*
split spaccare *spahkkahray*
sponge spugna *spoonyah*
spread spalmare *spahlmahray*
spy spia *speeah*
squeeze stringere *streenjayray*
staff personale *payrsohnahlay*; dipendenti *deepayndayntee*
stain[1] *s* macchia *mahkkeeah*
stain[2] *v* macchiare *mahkkeeahray*
stairs scala *skahlah*
stall bancarella *bahnkahrayllah*
stamp francobollo *frahnkohbohlloh*
stand stare in piedi *stahray een peeaydee*; **stand up** alzarsi *ahltzahrsee*
star stella *stayllah*
start (in)cominciare *(een) kohmeenchahray*
state[1] *agg* statale *stahtahlay*
state[2] *s* stato *stahtoh*
stay stare *stahray*; rimanere *reemahnayray*
steal rubare *roobahray*
steam vapore *vahpohray*
steep ripido *reepeedoh*
steer sterzare *stayrtzahray*
step **1** passo *pahssoh* **2** gradino *grahdeenoh*
stick[1] *s* bastone *bahstohnay*
stick[2] *v* incollare *eenkohllahray*
still[1] *agg* immobile *eemmohbeelay*; calmo *kahlmoh*
still[2] *avv* **1** ancora *ahnkohrah* **2** tuttavia *toottahveeah*
sting pungiglione *poonjeellyohnay*; puntura *poontoorah*
stink puzzare *pootztzahray*
stone pietra *peeaytrah*; sasso *sahssoh*
stool sgabello *sgahbaylloh*
stop[1] *s* sosta *sohstah*
stop[2] *v* **1** fermare *fayrmahray*; fermarsi *fayrmahrsee* **2** sostare *sohstahray*
stopover **1** tappa *tahppah*; sosta *sohstah* **2** pernottamento *payrnohttahmayntoh*
stove stufa *stoofah*
strange strano *strahnoh*
strike sciopero *shohpayroh*
strong forte *fohrtay*; **strong tasting** saporito *sahpohreetoh*
structure struttura *strroottoorah*
student studente *stoodayntay*
stuff roba *rohbah*
stumble inciampare *eenchahmpahray*
stupid stupido *stoopeedoh*
substance sostanza *sohstahntzah*
subway sottopassaggio *sohttohpahssahdgoh*
success successo *soochchayssoh*
such tale *tahlay*
sudden improvviso *eemprohvveezoh*
suddenly improvvisamente *eemprohvveezahmayntay*; subito *soobeetoh*
sufficient sufficiente *sooffeechayntay*
suggest proporre *prohpohrray*
suitable adatto *ahdahttoh*
suitcase valigia *vahleejah*
sum somma *sohmmah*; importo *eempohrtoh*
summit vetta *vayttah*
sunset tramonto *trahmohntoh*
sunstroke insolazione *eensohlahtzeeohnay*
superior superiore *soopayreeohray*
sure sicuro *seekooroh*
surface superficie *soopayrfeechay*
surrounding circostante *cheerkohstahntay*; **surrounding area** dintorni *deentohrnee*
swearword parolaccia *pahrohlahchchah*
sweat sudare *soodahray*
Swedish svedese *svaydayzay*

ENGLISH-ITALIAN

sweet *agg* **1** dolce *dohlchay* **2** gentile *jaynteelay*
swell (up) gonfiare *gohnfeeahray*; gonfiarsi *gohnfeeahrsee*
swindle imbrogliare *eembrohllyahray*
Swiss svizzero *sveetztzayroh*
symbol simbolo *seembohloh*
synthetic sintetico *seentayteekoh*
syringe siringa *seereengah*
system sistema *seestaymah*; impianto *eempeeahntoh*

T

T *tee*
table **1** tavolo *tahvohloh*; tavola *tahvohlah* **2** tabella *tahbayllah*
tailor's sartoria (da uomo) *sahrtohreeah (dah ooohmoh)*
take prendere *prayndayray*; portare; *pohrtahray*; **take off** decollare *daykohllahray*; **take one's clothes off** spogliarsi *spohllyahrsee*
tall alto *ahltoh*
tape nastro *nahstroh*
taste[1] *s* sapore *sahpohray*; gusto *goostoh*
taste[2] *v* assaggiare *ahssahdgahray*
tasty gustoso *goostohzoh*
tax tassa *tahssah*
tax disc bollo *bohlloh*
teetotal astemio *ahstaymeeoh*
tell dire *deeray*
temperature temperatura *taympayrahtoorah*
tender tenero *taynayroh*
terrible terribile *tayrreebeelay*
territory territorio *tayrreetohreeoh*
text testo *taystoh*
thank ringraziare *reengrahtzeeahray*
that quello *kwaylloh*; che *kay*
then poi *pohee*
there là *lah*; lì *lee*
thermos flask termos *tayrmohs*
thin **1** sottile *sohtteelay* **2** magro *mahgroh*
thing cosa *kohzah*
things roba *rohbah*
think pensare *paynsahray*; credere *kraydayray*
thirst sete *saytay*
thirst-quenching dissetante *deessaytahntay*
thirsty assetato *ahssaytahtoh*; **be thirsty** avere sete *ahvayray saytay*
this questo *kwaystoh*
throat gola *gohlah*
throne trono *trohnoh*
throw gettare *jayttahray*
ticket biglietto *beellyayttoh*
tie legare *laygahray*
time **1** tempo *taympoh* **2** volta *vohltah*
timetable orario *ohrahreeoh*
tin lattina *lahtteenah*
tin opener apriscatole *ahpreeskahtohlay*
tip mancia *mahnchah*
tired stanco *stahnkoh*; **get tired** stancarsi *stahnkahrsee*
tiring faticoso *fahteekohsoh*
title titolo *teetohloh*
to in *een*; a *ah*
together insieme *eenseeaymay*
tonight stanotte *stahnohttay*
too *avv* troppo *trohppoh*
too many *agg* troppi *trohppee*
too much *agg* troppo *trohppoh*
torch torcia *tohrchah*
total[1] *agg* totale *tohtahlay*
total[2] *s* importo *eempohrtoh*; somma *sohmmah*
touch toccare *tohkkahray*
tournament torneo *tohrnayoh*
tow rimorchiare *reemohrkeeahray*
towards verso *vayrsoh*
traditional tradizionale *trahdeetzeeohnahlay*
traffic lights semaforo *saymahfohroh*
transfer trasferire *trahsfayreeray*
transit transito *trahnseetoh*
translate tradurre *trahdoorray*
transmit trasmettere *trahsmayttayray*
transparent trasparente *trahspahrayntay*
transport trasportare *trahspohrtahray*
travel viaggiare *veeahdgahray*
treasure tesoro *tayzohroh*
treat trattare *trahttahray*
tremble tremare *traymahray*
tropical tropicale *trohpeekahlay*
trouble fastidio *fahsteedeeoh*
true vero *vayroh*
truth verità *vayreetah*
try provare *prohvahray*; tentare *tayntahray*
tunnel galleria *gahllayreeah*; traforo *trahfohroh*
turn[1] *s* svolta *svohltah*
turn[2] *v* girare *jeerahray*; voltare *vohltahray*; **turn off** spegnere

spaynyayray
tyre gomma *gohmmah*
type tipo *teepoh*

U

U *oo*
ugly brutto *broottoh*
uncomfortable scomodo *skohmohdoh*
uncooked crudo *kroodoh*
undecided indeciso *eendaycheezoh*; incerto *eenchayrtoh*
under sotto *sohttoh*
understand capire *kahpeeray*
undo slacciare *slahchchahray*
unexpected improvviso *eemprohvveezoh*
unfortunate sfortunato *sfohrtoonahtoh*
unfortunately purtroppo *poortrohppoh*
unfriendly antipatico *ahnteepahteekoh*
unique unico *ooneekoh*
universal universale *ooneevayrsahlay*
unknown sconosciuto *skohnohshootoh*
unpleasant spiacevole *speeahchayvohlay*
unroll svolgere *svohljayray*
until fino a *feenoh ah*
unwrap scartare *skahrtahray*; aprire *ahpreeray*
up su *soo*; in su *een soo*; **up here** quassù *kwahssoo*; **up there** lassù *lahssoo*
urgent urgente *oorjayntay*
use[1] *s* uso *oozoh*
use[2] *v* usare *oozahray*
useful utile *ooteelay*
useless inutile *eenooteelay*

V

V *vee*
vague vago *vahgoh*
valid valido *vahleedoh*
validity validità *vahleedeetah*
value valore *vahlohray*
variety varietà *vahreeaytah*
VAT IVA *eevah*
vehicle veicolo *vayeekohloh*
very molto *mohltoh*
veterinary surgeon veterinario *vaytayreenahreeoh*
village villaggio *veellahdgoh*
violent violento *veeohlayntoh*
visa visto *veestoh*
visible visibile *veezeebeelay*
visit *s* visita *veezeetah*
visitor visitatore *veezeetahtohray*
voice voce *vohchay*

W

W *dohppeeah voo*
wait aspettare *ahspayttahray*
waiting attesa *ahttayzah*
wake (up) svegliare *svayllyahray*; svegliarsi *svayllyahrsee*
walk[1] *s* passeggiata *pahssaydgahtah*
walk[2] *v* camminare *kahmmeenahray*
wall muro *mooroh*; parete *pahraytay*
want volere *vohlayray*
warm caldo *kahldoh*
warn avvertire *ahvvayrteeray*
warning avvertenza *ahvvayrtayntzah*
wash lavare *lahvahray*
watch osservare *ohssayrvahray*; guardare *gwahrdahray*
water acqua *ahkwah*
wave onda *ohndah*
way modo *mohdoh*; **way in** entrata *ayntrahtah*; ingresso *eengrayssoh*; **way out** uscita *oosheetah*
weak debole *daybohlay*
wear indossare *eendohssahray*
wedding nozze *nohtztzay*; matrimonio *mahtreemohneeoh*
week settimana *saytteemahnah*
weekday giorno feriale *johrnoh fayreeahlay*
weight peso *payzoh*
welcome[1] *agg* gradito *grahdeetoh*; bene accetto *baynay ahchchayttoh*
welcome[2] *v* accogliere *ahkkohllyayray*
welcoming accogliente *ahkkohllyeeayntay*
wet[1] *agg* bagnato *bahnyahtoh*
wet[2] *v* bagnare *bahnyahray*
what? **1** quale? *kwahlay* **2** (che) cosa? *(kay) kohzah*
when quando *kwahndoh*
wheel ruota *roooohtah*
wheelchair sedia a rotelle *saydeeah ah rohtayllay*
wheel clamps ganasce *gahnahshay*
where? dove? *dohvay*
which? **1** quale? *kwahlay* **2** chi? *kee*
while mentre *mayntray*
who che *kay*; il quale *eel kwahlay*
who? chi? *kee*
whole intero *eentayroh*
why? perché? *payrkay*
wide largo *lahrgoh*

wife moglie *mohllyay*
willing disponibile *deespohneebeelay*
wish[1] *s* augurio *ahoogooreeoh*
wish[2] *v* augurare *ahoogoorahray*
with con *kohn*
withdraw ritirare *reeteerahray*
without senza *sayntzah*
witty spiritoso *speereetohzoh*
woman donna *dohnnah*
wonderful magnifico *mahnyeefeekoh*
word parola *pahrohlah*; vocabolo *vohkahbohloh*
work[1] *s* **1** lavoro *lahvohroh* **2** opera *ohpayrah*
work[2] *v* lavorare *lahvohrahray*; funzionare *foontzeeohnahray*
world mondo *mohndoh*
worn (out) **1** logoro *lohgohroh* **2** sfinito *sfeeneetoh*
worry preoccuparsi *prayohkkoopahrsee*
worse peggio *paydgoh*; peggiore *paydgohray*
worth meritevole *mayreetayvohlay*; **be worth** valere *vahlayray*
write scrivere *skreevayray*
writer scrittore *skreettohray*
wrong sbagliato *sbahllyahtoh*

Y

Y *eepseelohn*
yes sì *see*
young giovane *johvahnay*

Z

Z *zaytah*
zebra crossing strisce pedonali *streeshay paydohnahlee*

DICTIONARY

ITALIAN-ENGLISH

A

a at; in; to
abbassare lower
abbastanza enough
abbonamento **1** (teatro, trasporti) season ticket **2** (giornali) subscription
abbondante large
abitante inhabitant
abitare live
abitudine habit
accadere happen
accanto (a) next to
accendere light/switch on
accendino lighter
acceso (in funzione) on
accettare accept
accogliente welcoming
accogliere welcome
accomodarsi take a seat; sit down
accompagnare accompany
acqua water
adatto suitable
addetto person responsible
addormentarsi fall asleep
adesso now
adulto adult
aereo aircraft
affamato hungry
affare business; bargain
affittare rent
africano African
agenda diary
aggiungere add
aggredire attack
ago needle
agrodolce sweet and sour
aiutare help
alcuni any; some
aliscafo hydrofoil
allacciare fasten
allarme alarm
allegro happy
alt stop
alto high; (di statura) tall
altoparlante loudspeaker
altro other
alzare lift; raise
alzarsi get up; stand up
amare love
amaro bitter
americano American
amico friend
ammalarsi get ill
ammirare look at
ampio **1** spacious **2** (di abiti) loose
anche also
ancora again; more; **non ancora** not yet
andare go
angolo corner
animale animal
annegare drown
annullare cancel
anticipo advance payment
antico ancient; old
antipatico nasty; unfriendly
ape bee
aperto open
apparecchio equipment
appetito appetite; **buon appetito!** enjoy your meal!
appoggiarsi lean
appuntamento appointment
apribottiglie bottle opener
aprire open
apriscatole tin opener
archeologia archaeology
area area
aria air
arido dry
arrabbiato angry
arrivare arrive
ascensore lift
asciugare dry
asciutto dry
asiatico Asian
aspettare wait
assaggiare taste
assetato thirsty
assicurazione insurance
assistenza assistance
asta (vendita) auction
astemio teetotal
attenzione attention; care
atterrare land
attesa waiting
attorno (a) round

attraversare cross
augurare wish
australiano Australian
austriaco Austrian
autista driver
automatico automatic
autorimessa garage
autostrada highway
avere have
avvertenza warning
avvertire warn
avvicinarsi approach; get nearer
avvisare inform
avviso notice

B

baciare kiss
bagaglio luggage
bagnare wet
bagnarsi **1** get wet **2** (in mare) bathe; swim
bambino child
bancarella stall
basso low
bastare be enough
bastone stick
belga Belgian
bello beautiful; nice
belvedere viewpoint
bendare bandage
benvenuto welcome
bere drink
bevanda drink
biglietto ticket
binario platform
boa buoy
boccone mouthful
bollo tax disc
bombola gas canister
bottone button
brillare shine
bruciare burn
brutto **1** ugly **2** (sgradevole) nasty; bad
buca hole
buccia (di frutti) peel; (di formaggi ecc.) rind
buio dark
buongustaio gourmet
buono good
burrone gorge
bussare knock
busta envelope
buttare throw away

C

caccia hunting
cacciavite screwdriver
cadere fall
caldo hot; warm
calendario calendar
calma calm
calmante painkiller
cambiare change
camminare walk
campanello bell
cancellare **1** rub off; cross out **2** (disdire) cancel
cancello gate
candela candle
cane dog
cannocchiale telescope
capace **1** able **2** (esperto) skilful
caparra deposit
capire understand
capitale *sm/f* capital
capo **1** head **2** (chi comanda) boss
caro **1** dear **2** (costoso) expensive
carta **1** (materiale) paper **2** (di strade) map
cartolina postcard
casco helmet
cassetto drawer
categoria category; class
cattivo **1** bad **2** (sgradevole) nasty
cavallo horse
cavatappi corkscrew
caviglia ankle
celebre famous
centrale central
certamente of course; certainly
cestino basket
che that; who
che cosa? what?
chi? who?
chiamare call
chiamarsi be called
chiedere ask
chiodo nail
chiosco kiosk
chiudere close
chiuso closed
cibo food
cielo sky
clacson horn
cliente client; customer
coda queue
colla glue
collegare connect
colore colour

come as; **come?** how?
cominciare start; begin
comodo comfortable; convenient
compagnia company
completo full; complete
compreso including; included
comunicazione communication
con with
condimento seasoning; dressing
condizioni conditions
conferma confirmation
confine border
congresso conference
cono (gelato) cone
conservare keep; preserve
consigliare advise
contare count
contro against
controllare check
controllo check; control
conveniente (poco costoso) cheap
coppa cup
coppia couple
coprirsi cover oneself up; put on something warm
corda rope
corrimano handrail
corto short
cosa thing
cosa? what?
costare cost
cotto cooked
credere think; believe
crick jack
crudo raw; uncooked
cucinare cook
cuocere cook
cuscino pillow

D

da from; since
danese Danish
danneggiare damage
dare give
dati 1 data **2** (generalità) details
davanti (a) in front (of)
debole weak
decollare take off
delicato delicate
denaro money
dentro inside
denunciare (alla polizia) report (to the police)
derubare rob
destra right
di of
dichiarare declare
dieta diet
dietro (a) behind
difficile difficult
diga dam; dyke
dimenticare forget
dintorni surrounding area
dire say; tell
direttore manager; director
direzione management; direction
discesa descent
disdire cancel
disgrazia accident
disponibile 1 available **2** (ben disposto) willing
dissetante thirst-quenching
distanza distance
distrarsi 1 get distracted **2** (divertirsi) amuse oneself
disturbare disturb; bother
disturbo disturbance; bother
diventare become
diverso different
divertente entertaining; amusing
divertirsi enjoy oneself
dividere 1 divide **2** (condividere) share
divieto prohibition
documenti documents
dolce sweet
dollaro dollar
domanda 1 question **2** (richiesta) request; (scritta) application
domandare (per sapere) ask; (per ottenere) ask for
donna woman
dopo after
doppio double
dormire sleep
dose dose
dove? where?
dovere must; have to
dozzina dozen
droga drug
durante during
durare last
duro hard

E

e and
eccellente excellent
eccezionale exceptional
eccezione exception
ecco here is

economia **1** economy **2** (scienza) economics
economico cheap; economical
educato polite
effervescente fizzy
effetto effect
effetti personali personal effects; possessions
egregio eminent; distinguished
elastico[1] *s* elastic; rubber band
elastico[2] *agg* elastic
elegante elegant; smart
elenco list; directory
elettrico electric
elicottero helicopter
emergenza emergency
enorme enormous
entrambi both
entrare enter; go in
entrata entrance; way in
epoca period; era
erba grass
errore error; mistake
esatto exact
esclusivo exclusive
escluso excluding
esente exempt
esotico exotic
esperienza experience
esperto expert
esportare export
essere be
esterno external
estero foreign
estintore extinguisher
estivo summer
età age
etichetta label
europeo European
evitare avoid

F

facchino porter
facile easy
facoltativo optional
fame hunger
famiglia family
famoso famous
fango mud
fare **1** (agire) do **2** (creare) make
fascia band
fastidio irritation; annoyance; trouble
faticoso tiring; difficult
fattorino messenger; delivery man
favore favour
febbre fever
femminile female
feriale weekday
ferie holidays
fermare stop
fermarsi stop
fermo still
ferro iron
festa **1** (ricevimento) party **2** (vacanza) holiday
festeggiare celebrate
festivo sunday; holiday
fiera fair
figlia daughter
figlio son
fila line; queue
filo wire; flex
fine end
finire finish
finlandese Finnish
fino (a) **1** (spazio) as far as **2** (tempo) until
fiorista florist
firmare sign
fissare fix
fisso fixed
foglia leaf
foglio sheet
folla crowd
forbici scissors
forma shape; form
forte strong
fotografare take photographs
fra in; between; until; among
fragile fragile
frana landslide
francese French
francobollo stamp
fratello brother
freddo *agg* cold
frenare brake
fresco *agg* cool; fresh
fretta hurry; rush; **in fretta** in a hurry
fumare smoke
fumatore smoker
fumo **1** smoke **2** (il fumare tabacco) smoking
funzionare work; function
fuoco fire
fuori outside

G

gabbiano seagull
gabinetto lavatory
galleria (traforo) tunnel

DICTIONARY

ganasce wheel clamps
gas gas
gassato (di bevande) fizzy; sparkling
gatto cat
generoso generous
genitori parents
gente people
gentile kind
genuino genuine; authentic
gettare throw away
gettone token
ghiaccio ice
ghiacciolo ice-lolly
già already
giapponese Japanese
giocare play
gioco game
giorno day
giovane young
girare turn
giù down
giusto right; correct; fair
goccia drop
godere **1** enjoy **2** (sessualmente) have an orgasm
gola throat
goloso greedy
gomma tyre
gonfiare swell up
gradevole pleasant
gradino step
grande big; great
grandinare hail(stone)
granita crushed-ice drink
grasso fat
gratis free of charge
gratuito free
greco Greek
gridare shout
grosso big
gruppo group
guardare look (at); watch
guardia guard
guardiano caretaker
guarire get better
guarnizione lining
guastarsi stop working
guasto[1] *s* breakdown
guasto[2] *agg* broken; out of order
guida guide
guidare **1** guide **2** (veicoli) drive
guinzaglio lead
gusto taste; flavour
gustoso tasty

I

idea idea
illuminare illuminate; light
imbarcarsi board
imbrogliare swindle; deceive
imbucare post
immagine picture; image
immondizia rubbish
imparare learn
impegno commitment; engagement
impianto equipment; plant
impiegato employee; office worker
importante important
importo total; sum
impossibile impossible
improvviso sudden; unexpected; **all'improvviso** suddenly
in in; at; to; on
incassare take; collect
incendio fire
inciampare stumble
incinta pregnant
incluso included
incollare stick
incominciare begin; start
incontrare meet
indicare point; indicate
indicazione indications; directions
indietro behind; back
indipendente independent
indispensabile indispensable
indossare wear
industriale industrial
infatti in fact
infiammabile inflammable
informare inform
informazione piece of information
inglese English
ingrediente ingredient
ingresso entrance; way in
iniziare begin; start
innocuo harmless
inoltre besides; moreover
inquinamento pollution
inserire put in; insert
insetto insect
insieme together
insipido insipid
insistere insist; keep trying
intelligente intelligent
interessante interesting
interessare interest; be of interest
interfono intercom
internazionale international
interno internal

intero whole
interruzione interruption
intervenire attend; operate
intorno (a) around
inutile useless
invece (di) instead (of)
invernale winter
inviare send
invitare invite
invito invitation
irlandese Irish
istituto institute; school
istituzione institution
istruttivo instructive; educational
istruttore instructor
istruzione education
italiano Italian
itinerario itinerary
IVA VAT

L

là there
laggiù down there
lamentarsi complain
lampeggiatori indicators
lanciare throw
largo wide
lasciare leave
lato side
lattina tin
lavare wash
lavorare work
legare tie
leggere read
leggero light
lento slow
lì there
libero free
libretto di circolazione log book
lieto delighted; pleased
limite limit; boundary
lista list
località place
lontano distant; far away
luce light
lucido shiny; polished
luminoso light
luna moon; **luna di miele** honeymoon
lungo long
luogo place
lusso luxury

M

ma but
macchiare stain
madre mother
maggiore bigger; larger
magnifico wonderful; splendid
magro thin; low fat
mai never
male bad; evil
maleducato impolite
mamma mummy
mancare be missing; lack
mancia tip
mandare send
mangiare eat
maniglia handle
manubrio handlebar
marino marine; sea
marito husband
marmitta silencer
marmo marble
martello hammer
maschile male
massimo maximum
matrimoniale double
matrimonio marriage; wedding
maturo ripe
mazzo bunch
medievale mediaeval
mediterraneo Mediterranean
meglio better
meno less; fewer
mensile *agg* monthly
mente mind
mentre while
meraviglioso marvellous
merce goods
meridionale southern
messaggio message
metà half
meta destination
mettere put
mezzo[1] *s* means
mezzo[2] *agg* half
migliaio thousand
migliore better
ministero ministry
minore less
miscela mixture
mischiare mix
misto mixed
misura size
mite mild
moda fashion
moderno modern
modo way
moglie wife
molle soft
molti many; a lot of

molto much; a lot of; very
momento moment
mondiale world
mondo world
montuoso mountainous
morbido soft
mosca fly
mostrare show
motore engine
motorino moped
muovere move
muro wall
museruola muzzle

N

nascere be born
nastro **1** (di registrazione) tape **2** (decorativo) ribbon
nato born
naturale natural
navigazione navigation
nazione nation
né... né... neither... nor...
necessario necessary
nemmeno neither; either
nervoso nervous; highly-strung
nessuno no one
niente nothing
nocivo harmful
nodo knot
noioso boring
noleggiare hire; rent
noleggio rent
nome name
non not
nonna grandmother
nonno grandfather
normale normal
norvegese Norwegian
notare notice
notizia piece of news
noto famous
notturno night
novità novelty; something new
nozze wedding
nubile single
nulla nothing
numero number
nuotare swim
nuovo new

O

o or
obbligatorio obligatory; compulsory
occasione **1** occasion **2** (affare) bargain
occorrere be needed
occupato **1** (indaffarato) busy **2** (non libero) engaged
odore smell
offrire offer
oggetto object
ogni each; every
ognuno each one
olandese Dutch
oltre (a) beyond; besides
ombra shade; shadow
onda wave
onesto fair
opaco opaque
oppure or
ora *avv* now
ora hour
orario timetable; times
ordinare order
orientale oriental
originale original
orizzonte horizon
ormai (by) now
ormeggiare moor
ormeggio mooring
ospitare have as a guest; put up
ospite **1** (ospitato) guest **2** (chi ospita) host
osservare watch
ostacolo obstacle
ottenere obtain; get
ovunque anywhere

P

padiglione pavilion; (in fiere) hall
padre father
padrone landlord
paese **1** (città) town **2** (stato) country
pagamento payment
pagare pay
pagina page
paio pair
palma palm
palo post; pole
paracarro guardrail
parafango mud guard
parapetto parapet
parcheggiare park
parecchio quite a lot of
parente relative
parete wall
parlare speak
parolaccia swear word
parte part

partecipare participate
particolare particular; different
partire leave
passaggio a livello level crossing
passaporto passport
passare pass
passatempo pastime
passeggero passenger
passeggino pushchair
passo step
pasticcio mess
pasto meal
pattumiera dustbin
pausa interval
pavimento floor
peggio worse
peggiore worse
pendenza slope
penna (di uccelli) feather
pensare think
pentola saucepan
per each
perché because; **perché?** why?
perciò so
perdere lose; miss
perfetto perfect
pericolo danger
pericoloso dangerous
periodo period
permesso permit; permission
però but
perquisire search
persona person
personale personal
personale staff
pesante heavy
pescare fish
pesce fish
petrolio oil
pezzo piece
piacere *s* pleasure
piano *avv* slow
piano floor
piccante spicy; hot
piccolo small; little
piede foot; **a piedi** on foot
pieno full
pietanza course; dish
pietra stone
pila battery
pilota pilot
pittoresco picturesque
più more
placcato plated
plastica plastic
pochi few
poco little
poeta poet
poi then
pompa pump
pompieri fire brigade
popolare folk
porcellana china
portacenere ashtray
portare carry; take
portico arcade; porch
portineria porter's lodge
porto harbour
portoghese Portuguese
porzione portion
posizione position
possedere possess
possessore possessor; owner
possibile possible
postale postal
posteggiare park
poster poster
posto place
potabile drinking
potere *v* can; be able to
povero poor
pozzanghera puddle
pranzare have lunch
pranzo lunch
pratico practical
prato lawn; meadow
preavviso notice
precauzione precaution; attention
precedente preceding; previous
preferire prefer
pregiato choice; highly valued
premere press
premio prize
prendere take
preoccuparsi worry
preparare prepare
presentare introduce; present
presidente chairman; president
presso at; at the house of
prestare lend
presto **1** (subito) soon **2** (di buonora) early
prezioso precious
prezzo price
prigione prison
prima before
primo first
principale principal; main
principe prince
privato private
problema problem
prodotto product

professione profession
profondo deep
progettare plan
programma programme
proibito forbidden
promettere promise
pronto ready
pronunciare pronounce
proporre propose; suggest
proprietario owner
proseguire continue
prossimo next
protestare protest
provare **1** try **2** (dimostrare) prove
provenienza origin
provincia province
prudente careful
pubblico public
pulire clean
pulito clean
punto point
puntuale punctual
puro pure
purtroppo unfortunately
puzzare smell; stink

Q

qua here
quaggiù down here
qualche some; a few
qualcosa something
qualcuno someone
quale? which?
qualificato qualified
qualità quality
qualsiasi any
qualunque any
quando when
quantità quantity
quanto? how much?
quasi almost; nearly
quassù up here
quello that
questo this
qui here
quiete calm
quindi so
quota share
quotidiano *agg* daily

R

raccogliere collect
radersi shave
raffinato refined
ragazza girl
ragazzo boy
raggiungere reach
rallentare slow down
rannuvolarsi get cloudy
rapido fast; quick
rapina robbery
raro rare
rata instalment
re king
reale royal
recente recent
recipiente container
reclamo complaint
regalare give (as a present)
regina queen
regionale regional
regione region
regno kingdom
regolamento rules
regolare *agg* regular
residente resident
residenziale residential
respirare breathe
responsabile in charge
restituire give back
resto change
rete (tv, telefono ecc.) network
ricco rich
ricetta (cucina) recipe; (prescrizione medica) prescription
ricevere receive
ricevuta receipt
ricordare remember
ridere laugh
ridurre reduce
riduzione reduction
riempire fill
rifare redo; remake
rifiuti rubbish
rifugio refuge
rilassarsi relax
rimanere stay
rimborsare reimburse
rimedio remedy
rimorchiare tow
rimpatriare repatriate
ringraziare thank
rinunciare give up
rinviare send back; put off
riparare repair
riparo shelter
ripetere repeat
ripido steep
riposare rest
risarcimento compensation
rischio risk

rischioso risky
riservare reserve
risparmiare save
rispondere answer
ritardo delay
ritornare return
ritorno return
ritrovo meeting place
riunione meeting
riuscire manage
romantico romantic
rompere break
rotondo round
rotto broken
rubare steal
rumore noise
rumoroso noisy
ruota wheel
russo Russian

S

sacchetto paper bag
sacco sack
sacro holy
salato savoury
saldare pay off
salire go up
salita slope; rise
salutare greet
salute health
saluto greeting
salvagente lifebelt
sangue blood
sano healthy
santo saint
santuario sanctuary
sapere **1** know **2** (essere capace) can
sapore taste
saporito strong tasting
sartoria tailor's; dressmaker's
sasso rock; stone
sbagliare make a mistake
sbagliato wrong
sbaglio mistake
sbarcare disembark
sbornia drunkenness
sbrigarsi hurry
scadente shoddy
scadere expire
scalare climb
scaldare heat
scalino step
scapolo bachelor
scappare run away; leave
scarso not very good
scegliere choose
scendere go down
scheda file
schedario file
schienale back
schiuma foam; froth
scientifico scientific
sciogliere dissolve
sciopero strike
scivolare slip; slide
scomodo uncomfortable; inconvenient
scomparire disappear
sconosciuto unknown
sconsigliare advise against
sconto discount
scoprire discover
scozzese Scottish
scrivere write
scusarsi apologise
sdraiarsi lie down
se if
secco dry
secolo century
sedersi sit down
sedia a rotelle wheelchair
seguire follow
sembrare seem
semplice simple
sempre always
sensazione feeling
sentire hear
sentirsi feel
senza without
serie series
servire serve
servizio service
sete thirst; **avere sete** to be thirsty
settentrionale northern
sfortunato unfortunate
sforzo effort
sgabello stool
sgarbato rude
sguardo look
sì yes
sia... sia... both... and...
sicuro sure
significare mean
significato meaning
signora **1** lady **2** (con i nomi) Mrs
signore **1** gentleman **2** (con i nomi) Mr
signorina **1** lady **2** Miss; Ms
silenzioso quiet; silent
simile similar
simpatico nice; friendly

sindaco mayor
sinistra left
situazione situation
slacciare undo
smettere stop
smoking dinner suit
snello slim
soccorrere assist; help
soccorso help
sociale social
soddisfare satisfy
soffice soft
soffitto ceiling
sognare dream
solamente only
solido solid
sollevare relieve
sollievo relief
somma total; sum
sonnellino nap
sonno sleep
sopra above; over
soprattutto especially
sorella sister
sorpassare overtake
sorridere smile
sosta stop
sostanza substance
sostare stop
sotterraneo underground
sottile thin
sotto under
spaccare split; break
spagnolo Spanish
spalmare spread
spaventare frighten
spazioso spacious
spazzatura rubbish
speciale special
specialità speciality
spegnere turn off
spendere spend
sperare hope
spesso often
spia spy
spiacevole unpleasant
spiazzo clearing; space
spilla brooch; **spilla da balia** safety pin
spillo pin
spingere push
spiritoso witty
splendere shine
splendido sunny
spogliatoio changing room
sporcare dirty
sporco dirty
sposato married
spostare move
spremuta fruit juice
spugna sponge
squisito delicious
stabilimento plant; factory
stabilire establish
stancarsi get tired
stanco tired
stanotte tonight
stare be; stay
stasera this evening
statale state; national
stato state
stella star
stendere hang out
sterzare steer
stesso same
storia history
storico historical
storto crooked
straniero foreign
strano strange
straordinario extraordinary
strato layer
stretto *agg* narrow
stringere squeeze
strisce pedonali zebra crossing
struttura structure
studente student
stufa stove
stupido stupid
stuzzicadenti toothpick
su on
subito immediately
successivo following
successo success
succo juice
sudare sweat
suonare **1** (strumenti) play **2** (campanello) ring
superare get over
superficie surface
svedese Swedish
svegliare wake up
svelto fast
svizzero Swiss
svoltare turn

T

tabella table
tacere keep quiet
tagliando coupon
tagliare cut

tale such
talvolta sometimes
tanica jerry can
tanti a lot of
tanto a lot of
tappa stopover
tappeto rug
tappo cork
tardi late; **più tardi** later
tariffa fare; price
tasca pocket
tassa tax; rate
tedesco German
tema essay
temere be afraid of
temperatura temperature
tempo time; **in tempo** in time
tenere hold; keep
tenero tender; sweet
tentare try
teppista hooligan
termine end
termos thermos flask
terra earth
terremoto earthquake
terribile terrible
territorio territory
tesoro treasure
tessera membership card
testo text
tetto roof
tiepido warm; lukewarm
tifoso fan
tingere dye
tipo type
tirare pull
titolo title
toccare touch
togliere remove
tombino drain
topo mouse
torcia torch
tornare return
torneo tournament
tossire cough
totale total
tra **1** (luogo) between **2** (tempo) in
tradizionale traditional
tradurre translate
traforo tunnel
traghetto ferry
tramonto sunset
tranne except
tranquillo quiet
transito transit
trascorrere spend
trasferire transfer
trasmettere transmit
trasparente transparent
trasportare transport
trattare treat; deal with
tremare tremble
tribunale court
triste sad
trono throne
tropicale tropical
troppi too many
troppo too (much)
trovare find
tubo pipe
tuffarsi dive
tunnel tunnel
turno shift
tutti all; everyone
tutto all; everything

U

ubriacarsi get drunk
ubriaco drunk
uccello bird
ufficiale official
ufficio office
uguale equal; identical
ultimo last
unire join
universale universal
uomo man
urgente urgent
usanza custom
usare use
uscita exit; way out
uso use
utile useful

V

valanga avalanche
valere be worth
validità validity
valido valid
valigia suitcase
valore value
vantaggio advantage
vapore steam
variabile changeable
varietà variety
vecchio old
vedere see
veicolo vehicle
velenoso poisonous
veloce fast
vendere sell

vendita sale
venire come
verificare check
verità truth
vernice paint
vero true; right
versare **1** (denaro) deposit **2** (liquidi) pour
verso *avv* towards
vescovo bishop
vestirsi get dressed
viaggiare travel
viaggio journey
vicino near
vietato forbidden
villa house
villaggio village
violento violent
visibile visible
visita visit; examination
visitatore visitor
vista sight
visto visa
vita life
vite (cilindretto) screw
vivace lively
vivere live
vivo alive
vocabolo word
voce voice
voglia desire
volentieri with pleasure
volere want
volo flight
volta time; **una volta** once
voltare turn
vuoto empty

Z

zanzara mosquito
zoppicare limp

INGLESE

ITALIANO-INGLESE • INGLESE-ITALIANO

AVALLARDI

AVALLARDI

D
Dizionario
Visual
inglese
dizionario per immagini
remote control arm
space station
heat shield
flight deck
hold
main engines
AVALLARDI

AVALLARDI

Finito di stampare nell'ottobre 2012
da Press Grafica s.r.l.
Gravellona Toce (Vb)